★《Endangered flower》

少女の中に渦巻く思いをどこまでも深く掘り下げる

たま TAMA

★《Ripe》

「少女主義的水彩画家」として、一貫して少女をモチーフにした作品を描き続けている、たま。しかし少女を描くと言っても、美人画や多くのイラストなどと違うのは、理想の少女像を追い求めて描いているわけではない、ということだ。自身がこれまで感じた後悔や葛藤、

三浦悦子の世界〈22〉
「ヴァイオリン ウサギ」

流行り病で学校が閉鎖され
卒業できない学生のように、
永遠に学生でいることを
余儀なくされているのかもしれません。

大人になったら
「良い人間になりたい」はウソなの。
「私は正しいんだ」という気持ちを持ち続けたい。

大人になっても、
少女少年行進曲奏でていきたいの。

人は成長して大人になる。
だけど、大人になるって、どういうことなのだろう。
身体が成熟すれば大人になるのか？
「大人」と言われる年齢になっても、
少女であること、少年であることにこだわる者たちがいる。

少女であったとき、少年であったときの思いを抱え続け、
もしくは、少女である存在、少年である存在への憧憬をあからさまにし、
それを自己表現の糧にしている存在。
そんな「少女主義者」「少年主義者」たちの世界を
多様な観点から見つめてみよう。

★写真：堀江ケニー、モデル：真縞しまりす

四方山幻影話 49

●写真・文：堀江ケニー
モデル：真縞しまります／衣装：タブロヲ

●本文➡p.120

★《Ghost march》

鬱憤や嫌悪や欲望などを反映させ、少女の中に渦巻く思いを、可愛らしくも奇妙な光景として描き出す。それは新画集「Deep Memories」のタイトル通り、心象を深く掘り下げて行く行為だが、これだけの数の作品を生み出し続けられるのは、どれだけ深い鉱脈を心の中に抱えているのだろう。

　出版記念展期間中、やはり少女の内面を掘り下げて描く画家、大槻香奈とのインスタライブなども予定されている。展示と合わせてぜひお楽しみに。(沙)

★たま個展「Deep Memories
―少女主義的水彩画集Ⅶ出版記念―」

2021年11月16日(火)～28日(日) 会期中無休
入場料／800円(画廊サイトにて要事前予約)
※B室の須川まきこ×最合のぼる展と共通

場所／東京・銀座 ヴァニラ画廊 A室
12:00～19:00(土・日・祝は～17:00)
Tel.03-5568-1233
http://www.vanilla-gallery.com/

※画廊にて、たま「Deep Memories」と、須川まきこ×最合のぼる「甘い部屋」を同時購入すると、たま×須川両面ミニポスターのプレゼントあり

★たま画集
「Deep Memories～少女主義的水彩画集Ⅶ」

B5判・ハードカバー・64頁・税別2700円
発行・アトリエサード／発売・書苑新社
2021年11月16日発売!

須川まきこ

SUGAWA Makiko

★《遊戯》

その肢体は少女自身の愉しみのためにある

★《Sweet home》

★《スカートの楽園》

※右ページの作品3点は、「甘い部屋〜暗黒メルヘン絵本シリーズ4」より

★《Apple & Rose》

★《Party》

★《レースと図書室》

★須川まきこ×最合のぼる
「『暗黒メルヘン絵本シリーズⅣ
甘い部屋』出版記念原画展」

2021年11月16日(火)～28日(日) 会期中無休
入場料／800円(画廊サイトにて要事前予約)
※A室のたま展と共通

場所／東京・銀座 ヴァニラ画廊 B室
12:00～19:00(土・日・祝は～17:00)
Tel.03-5568-1233
http://www.vanilla-gallery.com/

※画廊にて、須川まきこ×最合のぼる「甘い部屋」と、たま「Deep Memories」を同時購入すると、たま×須川両面ミニポスターのプレゼントあり

★須川まきこ(絵) 最合のぼる(文・写真・構成)
「甘い部屋～暗黒メルヘン絵本シリーズ4」
B5判・カバー装・64頁・税別2255円
発行・アトリエサード／発売・書苑新社
2021年11月中旬発売! ※上記展示で先行発売!

レースの下着に、舞い踊るカールされた髪。だがそうした女性らしさをまとっていながら、須川まきこの描く女性像には、じめっと湿度を感じさせる妖艶な印象は受けない。軽やかに、世間の目を気にせず、その肢体を惜しげもなく晒している。そのさまは、まさに少女性そのもの。だれかを誘惑するわけでもなく、その身体は、自分だけの愉しみ。もしくはときに克服すべきコンプレックスの対象でもあるが、そうであってもその過程を軽やかな遊戯に変えてしまう。

その須川が、暗黒メルヘン絵本シリーズで最合のぼるとコラボした。暗くじめっとした最合の世界を、須川はやはり、エロスや妖しさとともにそこに軽快な幻想をまぶす。絶妙な味わいの物語世界ができあがった。ぜひ本と展示両方でその世界をぜひ味わいたい!(沙)

※須川まきこは、「ExtrART file.29、20」などでも紹介しています。

戸田和子

TODA Kazuko

人形彫刻家・戸田和子の生み出すヒトガタには、生きるものが宿命として背負う深い業《ごう》のようなものが感じられる。それはおそらく、ヒトガタという存在を、宇宙の果てまで見通す壮大な物語の中に浮かび上がらせようとしているからだろう。

児童文学や怪奇小説の名手で〝幼な心の詩人〟とも称されたデ・ラ・メアの詩画集

巨視的な視点

『ダン・アダン・デリー』をモチーフにした作品にしても、無垢な子供や妖精だけに着目するのでなく、それを見守る大きな存在がいたり、自然に包み込まれていたりと、巨視的な視線のもとに表現されている。

そんな戸田の作品に出会えるダン・アダン・デリー展。その作品を写した小笠原勝の写真も展示される。イベントも多数。(沙)

★《女王ジェニラ》

★《うずもれた庭》

※写真はいずれも、撮影:小笠原勝

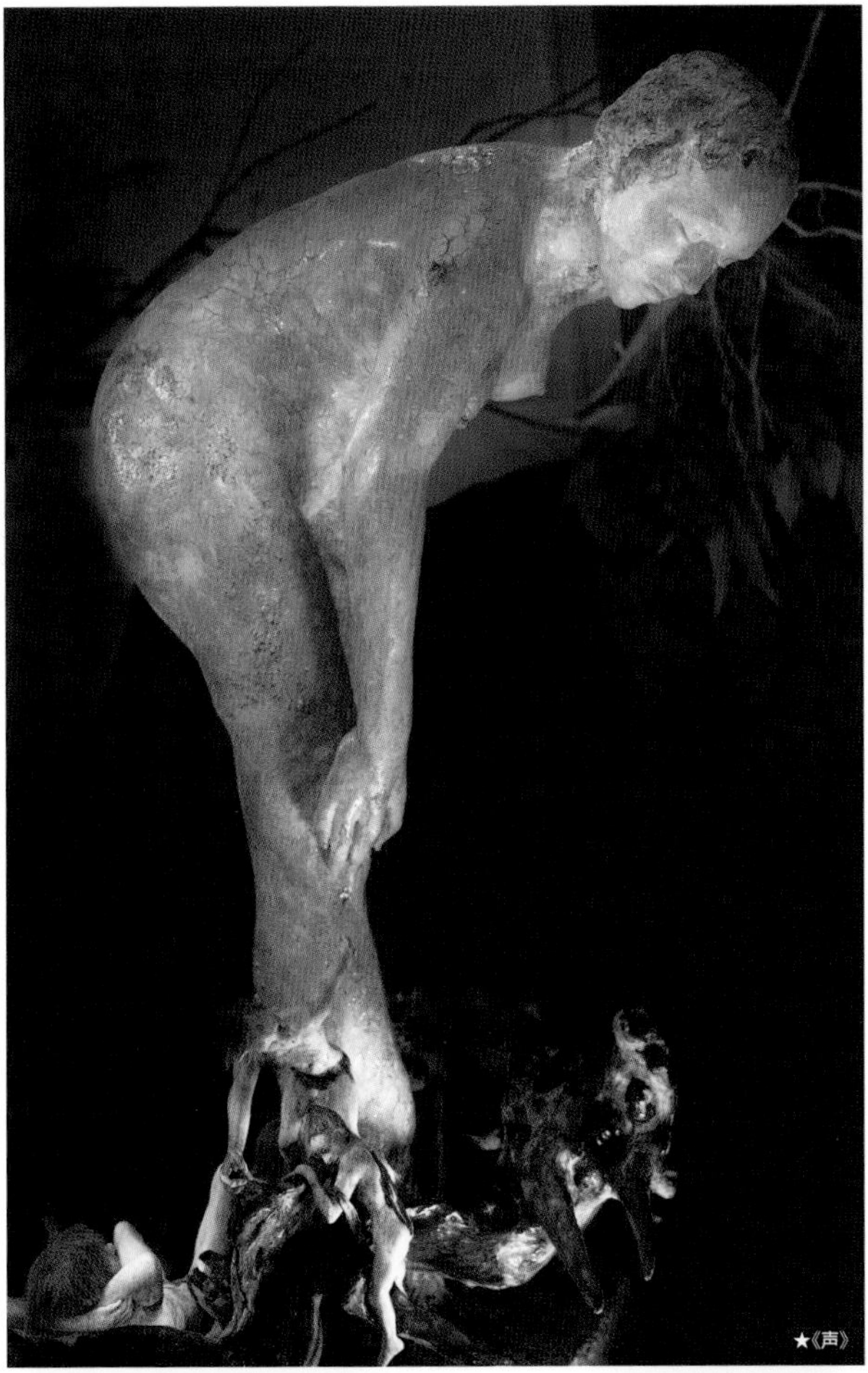

★《声》

★《うずもれた庭》の部分

無垢な子供・妖精と

★「妖精の輪舞曲～ダン・アダン・デリー展」

2021年11月3日（水・祝）～11月14日（日）

▼第1会場 宇都宮 悠日
http://www2.yujitsu.com
水曜休 11:30～22:00（時短の可能性あり）
★戸田和子美術館「イノセントの詩」も同時開催。
act2「ストーリーテラー」act3「光と闇」

▼第2会場／宇都宮Cafe ink Blue
https://www.cafe-inkblue.com
月曜休 10:30～18:30（時短の可能性あり）

※いずれも入場無料（カフェのため、要1オーダー）

▽イベント
11月3日（水・祝）オープニングトーク／井村君江
10:30～ Cafe ink Blue、11:30～悠日にて
11月3日（水・祝）14:00～ 悠日にて
語り部・高畑吉男「アイルランド妖精のおはなし」
対談 井村君江×高畑吉男「アイルランドと妖精」
料金：一般2500円（＋1D）
11月13日（土）14:00～ 悠日にて
「宮城道雄と西條八十」箏曲とトーク
／いわためぐみ・井村君江
料金：一般2500円（＋1D）

他、園田りん（予定）による朗読と一人芝居などを予定
問合せ／アトリエサード（岩田）090-2237-1240

★「ダン・アダン・デリー～妖精たちの輪舞曲」
詩：ウォルター・デ・ラ・メア／絵：ドロシー・P・ラスロップ
訳：井村君江／人形彫刻：戸田和子（写真：小笠原勝）
発行：アトリエサード／発売：書苑新社
A5判変形・224頁・税別2000円 好評発売中!

パメラ・ビアンコ
Pamela Bianco

詩人が讃歌を捧げた天才少女画家

★《FAIRY LAND》

★《ANGEL AND CHILD》

★《FAIRY SPRING》

※図版はいずれも、絵：パメラ・ビアンコ、詩：ウォルター・デ・ラ・メア『フローラ』より。◉解説（井村君江）→p.108

ムットーニ
MUTTONI
少年の夢想が奏でる幻想

★《猫町2004》

★《殺人事件》

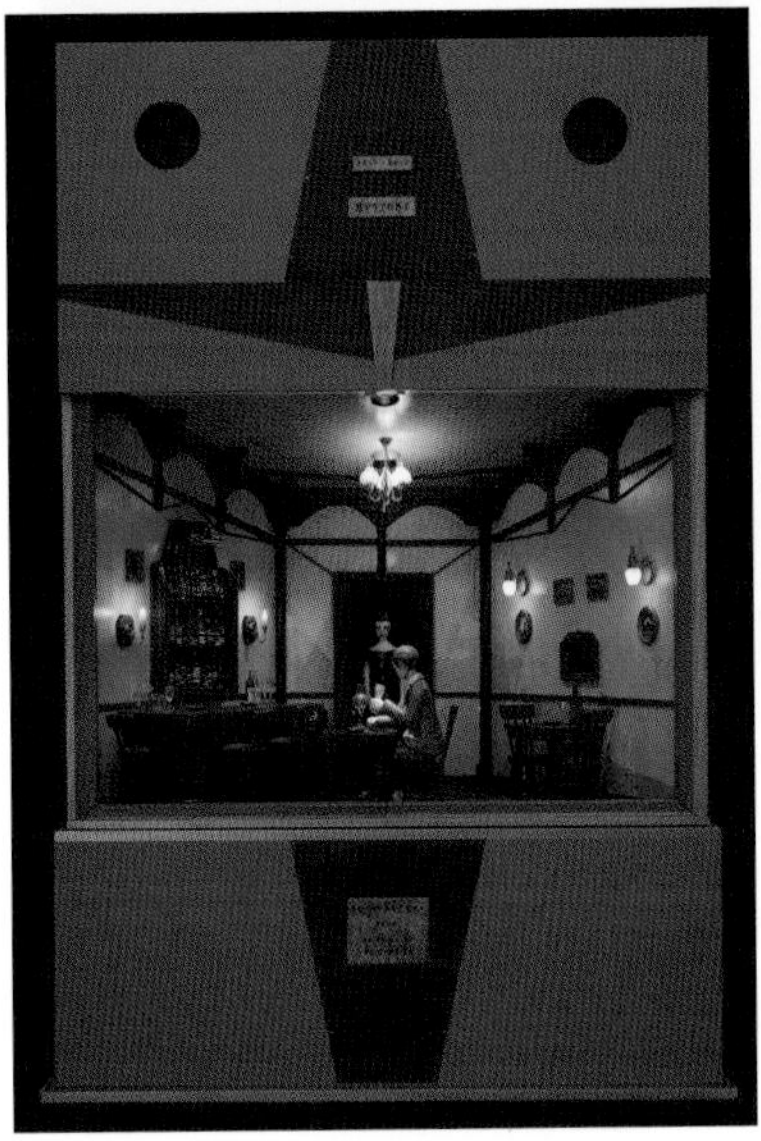
★《題のない歌》

★《ギフト・フロム・ダディ》

自動からくり人形作家、ムットーニ（武藤政彦）。人形の動きはもちろん、光や音楽、語りなどの演出によって、数分間の束の間の幻想物語を生み出す。本誌№46掲載のロングインタビューでは「少年の頃の夢想を閉じ込めた玉手箱」という題で紹介した。まさに子供が純粋に感じ取った世界の絢爛さ、不思議、驚きが詰まっているが、それは同時に、見てはいけないものへの好奇心の賜物でもある。その闇の美の感覚が観る者を魅了し続ける。（沙）

★「ああ　これはなんという美しい憂鬱だろう　ムットーニのからくり文学館」
2021年10月9日（土）～2022年1月16日（日）水曜休　9:00～17:00
観覧料／一般500円（高校生以下無料。電話にて要事前予約・詳細は下記HP参照）
場所／前橋文学館　Tel.027-235-8011　https://www.maebashibungakukan.jp/

吉田有花

YOSHIDA Yuka

その少女たちはちゃんと実体を持っている

古めかしいようで新しいような、変わっているようで変わっていないような、家族のようで他人のような、電脳のようで伝統のような、ハローのようでグッバイなような——吉田有花は、そんな対極する要素が混在する世界を舞台に描いているのだという。その舞台は生活感が溢れていたりするが、マゼンタの色調に染められていることで、身近なようで遠い幻想のような、不思議な感覚を観る者に抱かせる。

ここに掲載したのは「個人」のシリーズの1作だが、このシリーズは、ネットの向こうの見えない、もしくはアバターとしか認識できない存在でも、「個人」として実体を持っていることを描き出そうとしている。しかもその少女らの姿は、実に素直でフレンドリーな雰囲気だ。対極する要素にまみれても、少しゆるく、自由気ままでいればいいじゃん、そんな声が聞こえてきそうだ。(沙)

★吉田有花 個展「けんこう」

2021年11月2日(火)〜7日(日) 会期中無休
11:00〜19:00(最終日〜17:00) 入場無料
場所/東京・四谷三丁目 The Artcomplex Center of Tokyo
Tel.03-3341-3253 http://www.gallerycomplex.com/

※吉田有花は、「ExtrART file.29、26」などでも紹介しています。

九鬼匡規

KUKI Masachika

幽玄の世界から現れた妖怪美人

美人であっても、その存在は人にあらず。妖怪や怪異を題材とした「妖怪美人画」を描き続けている九鬼匡規。画集『あやしの繪姿』も好評で、その表紙絵《清姫》は、新潮文庫『姫君を喰う話――宇能鴻一郎傑作短編集』の装画にも使用された。

九鬼の描く妖怪美人画は、妖しい妖艶さを湛えながらも、どことなく疎外された者の悲哀も漂わせる。そうした寂寥感が醸す幽玄さも九鬼の作品の魅力だろう。

毎年恒例の個展が今年も開催される。妖美な魅力を味わいたい。（沙）

★《獺》

★九鬼匡規個展「あやしの繪姿・伍」

2021年12月11日（土）～16日（木） 日曜休
12:30～18:00（最終日は～17:00） 入場無料
場所／東京・新富町 かわうそ画廊
Tel.03-3552-0550
http://kawausogarou.com/

 ※九鬼匡規 画集「あやしの繪姿」好評発売中!

村田兼一

MURATA Ken'ichi

「25年前、死の恐怖に対抗するため、生を産む性のイメージを膨らませることで、恐怖に対抗することを試みた」――そう村田はいう。「これらのイメージを写真に定着することで、私はエロティシズムを核とした私なりの原始宗教を作り出してきたつもりだ。これらの作品は私にとって死の恐怖を遠ざけてくれる聖画でもある」。その「聖画」の表現のために、村田は、例えば写真集『少女観音』では仏像の概念を自分流に咀嚼してみせた。

今度開かれる個展では、阿弥陀如来が楽器を奏でる観音たちを従えて信者を迎えに来る「来迎図」を着想の原点とし、村田ならではの少女的エロスを展開する。性のイメージをより強く込めてみたといい、それはもしかしたら、コロナ禍や村田自身の怪我が、生への強い希求をもたらした結果かもしれないし、来迎してもらうのはまだ早いがゆえ、自ずと性によって観音を異化する方向性へ向かったのかもしれない。

そして写し出された少女らは、性と生の賛歌を奏でて、観る者にも救いをもたらすだろう。（沙）

★村田兼一 個展「女神の楽隊」

2021年12月10日(金)～26日(日) 月・火休
13:00～19:00 入場無料
場所／東京・神保町 神保町画廊
Tel.03-3295-1160 http://www.jinbochogarou.com/

少女たちが奏でる
生の賛歌

甲秀樹

KOH Hideki

少年・青年のエロス匂い立つ耽美な世界を描き、国内外のファンも多い甲秀樹。どちらかというと痩身な男性像は、嗜虐性と被虐性の両面がうかがえ、その存在の繊細さが男女両方の支持を集めていると言えるかもしれない。恒例となっている個展が、今年もストライプスペースで開催。和をモチーフにした鉛筆画・色鉛筆画の新作10点以上のほか、人形作品も新作4点を展示予定だ。

甲秀樹の作品の魅力の基盤となっているのは、人体の実際の構造に則ったリアルな身体表現だろう。しかもそのうえで巧みなデフォルメを加え、存在感とエロスを際立たせる。その技術を伝授するのが、甲が主宰する「絵楽塾」。また甲はデッサンの素材となるポーズ集も監修しており、「ディープシーン」編が今秋発売となる。(沙)

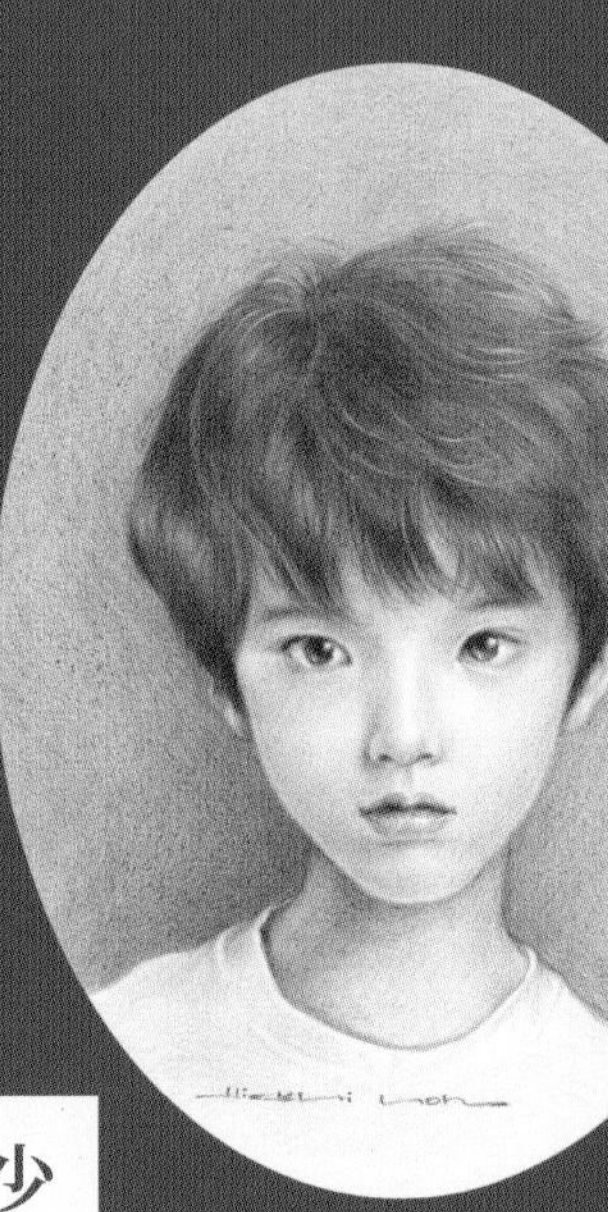

★《少年・健太》

少年・青年の濃厚な耽美世界

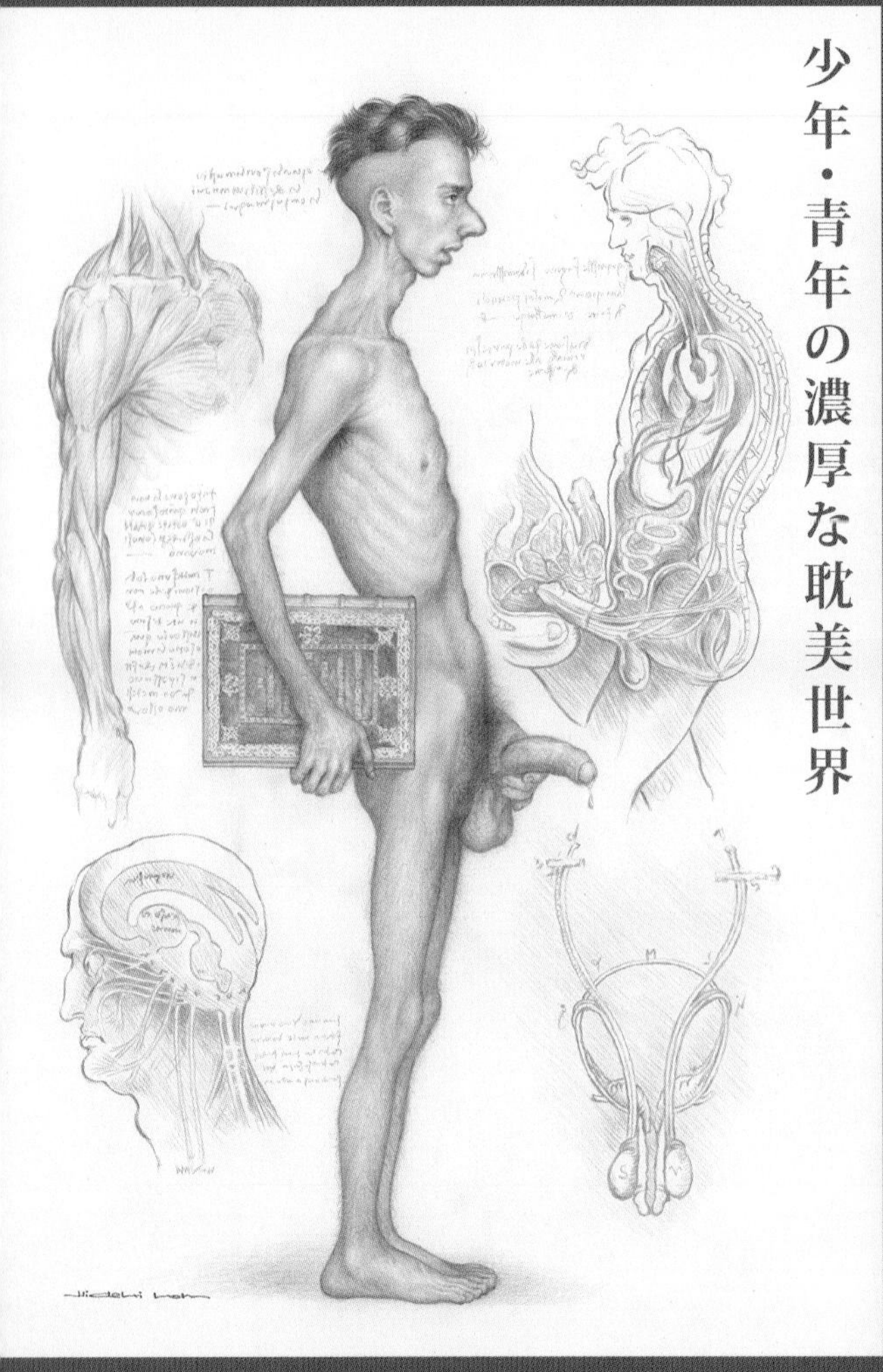

★《探求と欲望 I》

★甲秀樹展

2021年12月4日(土)～12日(日) 会期中無休
13:00～18:00(最終日～17:00) 入場無料
場所／東京・六本木 六本木ストライプスペース
Tel.03-3405-8108 https://striped-house.com/
※絵楽塾の塾生作品展も合同開催

★甲秀樹絵楽塾 第9期 2022年1月開講

人体の構造がリアルに学べる「絵楽塾」。全体レクチャーと個別指導で画力アップを目指す。2021年11月中旬より、デッサンクラスの塾生を募集開始。随時、アドバンストクラスの塾生も募集。

※甲秀樹展および絵楽塾の詳細は下記まで。
https://kairakujuku.com/

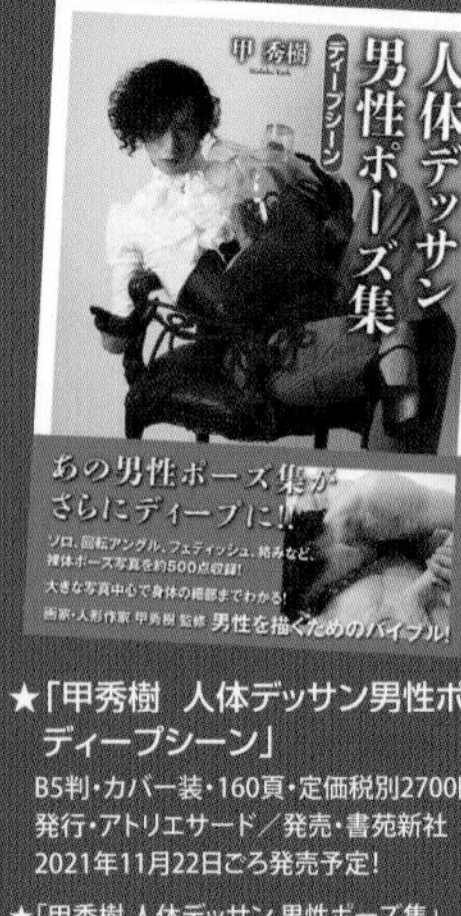

★「甲秀樹 人体デッサン男性ポーズ集 ディープシーン」

B5判・カバー装・160頁・定価税別2700円
発行・アトリエサード／発売・書苑新社
2021年11月22日ごろ発売予定!

★「甲秀樹 人体デッサン 男性ポーズ集」
電子書籍版・好評発売中!(紙版は品切れ)

★《車夫「客待」》

★田島昭宇

★林月光

★NeQro

★カネオヤサチコ

FREAKS CIRCUSの今度の個展は、赤い糸の伝説をテーマに、巡り合わせや運命をイメージしたものだという。運命がドラマを生むのは、未成の存在である少女や少年ならではの特権だろう。そして永遠の生を持つ人形は、未成者に成り代わって、さまざまな運命と出会い、また運命を授ける存在なのだ。NeQroも、標本などで生と死を凍結し、その永遠性を問う。凍結された「死」は、成長を拒否する少年少女の憧れでもあろう。その意味で人形とNeQroの作品は親《ちか》しいとも言える。

ヴァニラ画廊では、ゲイ雑誌などに濃厚な男色の挿絵を描いた林月光や、ちょっとB級な男子を描き続けるカネオヤサチコの個展も見逃せない。ハイセンスな絵で人気の漫画家・田島昭宇の画集刊行記念原画展もあり。(沙)

さまざまな運命を結ぶ
少女人形

★FREAKS CIRCUS

★FREAKS CIRCUS個展
「あかいいと」 A室 ※新作品集発売予定
★NeQro個展「死を纏う」 B室
2021年11月2日(火)～14日(日) 会期中無休
入場料／オンラインチケット800円(展示室AB共通)

★田島昭宇 画業35周年記念展<Side:B>「冬暮れの金星」 A&B室
2021年11月30日(火)～12月12日(日) 会期中無休／但し12月4日(土)はサイン会のため通常営業なし
入場料／オンラインチケット800円

★林月光展/カネオヤサチコ展 2022年1月26日(水)～2月15日(火) ※入場料等は画廊サイトで確認を

場所／東京・銀座 ヴァニラ画廊
12:00～19:00(土・日・祝は～17:00) Tel.03-5568-1233 http://www.vanilla-gallery.com/

少女の可憐さと力強さ

軍装、ロリータ、和装を中心にモデル活動をおこなう百合馨と、ロリータブランドのカメラマンとして活動するKurage*。両者で一緒に世界観を作り上げ撮影した写真展が開かれる。ロリータ的な可憐さの一方、軍装で見せるような強さも垣間見させる百合馨の少女性に着目したい。(沙)

★百合馨×Kurage*合作写真展
「狭間-hazama-」
2021年11月26日(金)〜12月12日(日) 火・水休
12:00〜17:00 入場無料(要ワンオーダー)
場所／大阪・心斎橋 cafe Anamúne
Tel.090-1957-2526 http://www.anamune.com/

★みそら

★萌木ひろみ

少女にまぶす さまざまな幻想

★Flor Blanca

★Roco Asada

大阪は梅田の隣、レトロな街並みで人気の中崎町。ギニョールはその中にある雑貨店で、アンティークや作家作品などが並び、2階はギャラリースペースになっている。そのレトロなスペースで、関西を中心に活動しているFlor Blanca、Roco Asada、萌木ひろみ、みそらの4人がグループ展を開く。作風も制作手法も異なる4人だが、少女、女性に幻想をまぶしているという点では共通していると言えようか。情念、異界、無垢、エレガント……少女は何を纏うかによってさまざまに変容する。その様子を垣間見ることができるに違いない。（沙）

★「プリマ・カルテット Prima Quartetto」展

2021年11月4日（木）～14日（日）月・火休
12:00～19:00（最終日～18:00）
場所／大阪・中崎町 Guignol/ギニョール2F
Tel.06-6359-1388 https://guignol.jp

★星レン

★trevor brown

★chigusa

★田中童夏

★yumi yamamoto

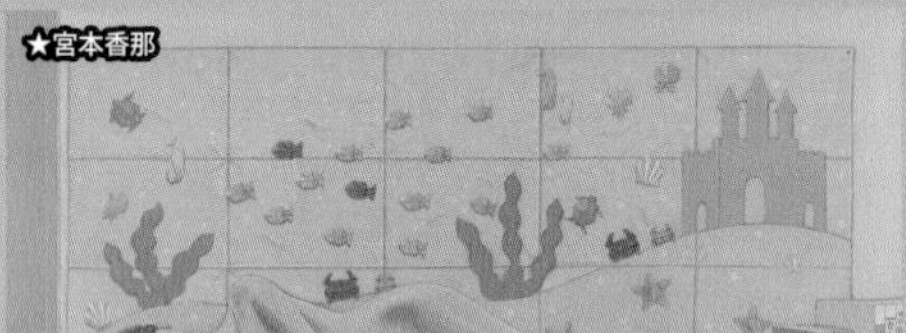

★宮本香那

★巡

★ハラダリヤコ

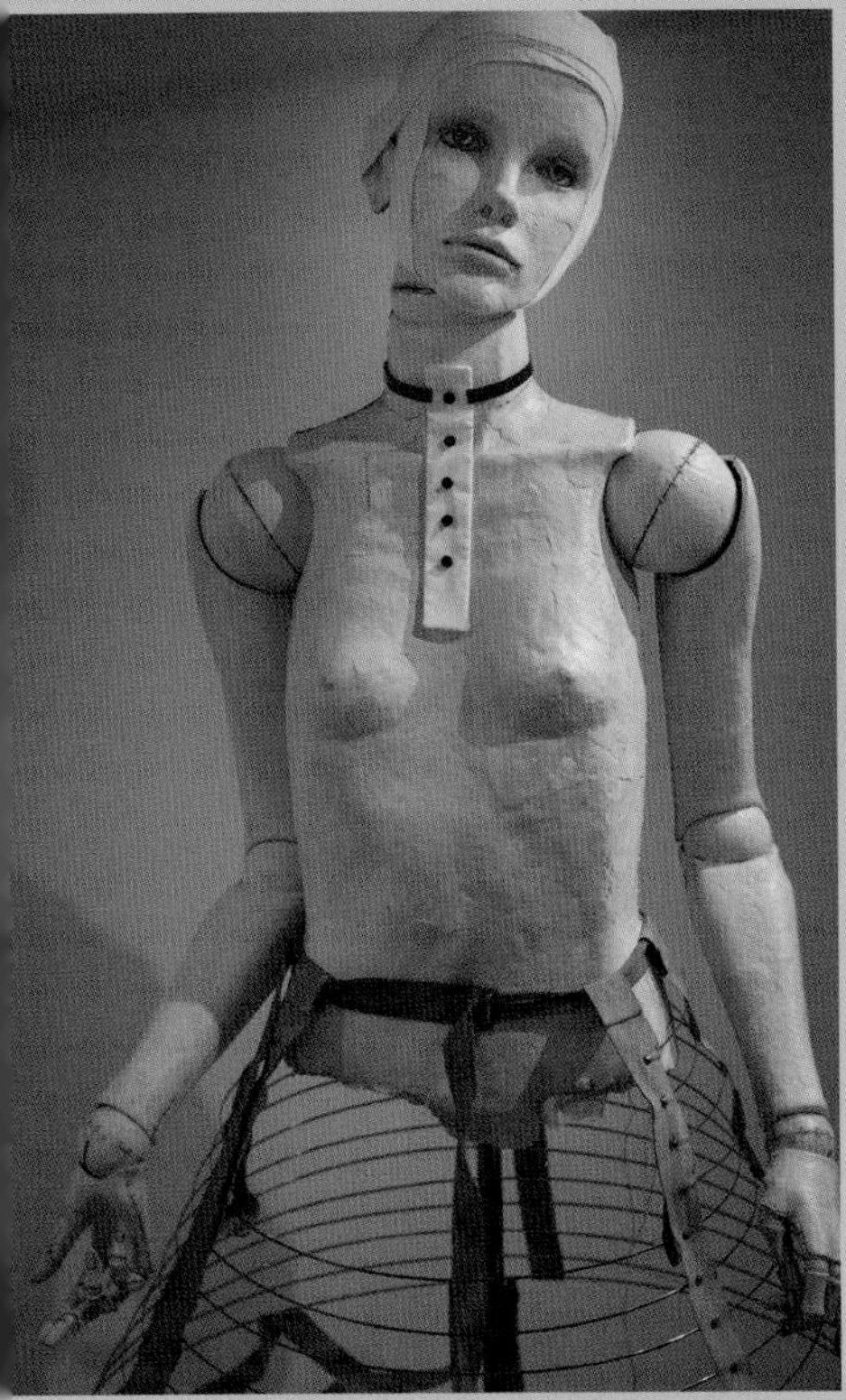

★haruhi

★一宮圭

★たっきー

★銀狐久

★SAKURA（上の写真も）

★ニシカワアイ

現代にどんな寓話を生み出そう

長い年月語り継がれてきた昔話や寓話の類には、それがたとえ突拍子もない物語だったとしても、そこには普遍的な真実と欲望が隠されていると言えるだろう。そうした寓話に「今」をあてはめ、この時代だからこそ生み出せる寓話を模索する――「真冬の寓話展」はそのような展覧会だ（ここに掲載した作家の他、須川まきこが参加）。しかし作品を見渡してみれば、みな少女性・少年性のもとに、ブレない表現をし続けている作家たちだと言えまいか。

同時にSAKURAの個展も開催。愛玩物ではなく他者としてのヒトガタ。それも孤高の寓話を秘めている。（沙）

★「真冬の寓話展～born under punches」
★SAKURA個展「Silent Vision 003」

2021年11月27日（土）～12月12日（日） 会期中無休
13:00～19:00（最終日～17:00） 入場無料

場所／京都・三条 ギャラリーgreen&garden
Tel.090-1156-0225
http://green-and-garden.net/

※須川まきこについてはp.8参照 ※右の作家は「ExtrART」に掲載あり→宮本香那：file.30、須川まきこ：file.29・20、田中童夏：file.27

オトナになる扉の鍵

こやまけんいち絵本館 no.46

私、お留守番のときにお祖母様から鍵をひとつ預かったの。だけど開けちゃいけないんだって。大切に持っておくように、だって。あからさま過ぎるでしょ。絶対開けろって事でしょ。開けたら鍵が赤くなって、私が殺されるやつでしょ。

だから私、絶対に開けないの。

思い起こせば隣のみっちゃんは、3年前に鍵を使ったのね。あの頃突然別人になったもの。私と遊ばなくなったし、

一緒に集めた綺麗な石だって、こっそり捨ててるところを見たのよね。あれはショックだわ。みっちゃんは殺されて、誰かがみっちゃんに変装しているのかしら。そう思うことにして、みっちゃんのお墓を作ったのよね。一緒に集めた綺麗な石で、お墓の周りを飾ってあげたの。

だから私は、絶対に鍵を使わないのよ。うっかり扉を開けないように、しっかりと見張っておくわ。みっちゃんとの宝物を、私だけでも大事にしないとね。未練がましくても、私は今のままで居たいのよ。

それにもし、私が向かい隣のようこちゃんと一緒に集めた木の実を捨てたりしたら、木の実で飾られた、私のお墓が出来てしまうでしょ。それだけは勘弁だわ。

★《うさぎの笛吹き》2020年、アクリル・紙・パネル

★《記憶の家の羊》2020年、アクリル・ペン・紙・パネル

物語のかけらが生んだ動物たちの幻想的光景

★細井世思子 個展「絵本の破片」
2021年11月18日(木)～28日(日) 火・水休
13:00～18:30(最終日～17:00) 入場無料 音楽:山出和仁
場所/東京・曳舟 gallery hydrangea
Tel.03-3611-0336 https://gallery-hydrangea.shopinfo.jp/

四角や丸三角などをひたすら積み重ねたマチエール。それを下地に、動物や一緒に存在する家の物語を描いているのだという。可愛らしい表情を見せる動物たちだが、そのマチエールや、図と地が反転するなどして混ざり合う様子、また動物のなめらかな曲線と家や歯車などの幾何学的造形との混交などが、不思議な幻想的光景を生み出している。「絵本の破片」という個展のタイトル通り、それらは、細井の中に散らばっていた物語のかけら。個展は4年ぶり、動物たちの幻想世界を訪れてみよう。なお細井は、ホソイヨシコ名義で、絵本も出版している。(沙)

★《記憶の家》2021年、アクリル・ペン・紙・パネル

立体画家　はが いちよう の世界《第34回》

デカルト通り48番地

19世紀から20世紀初頭を生きたウジェーヌ・アジェという写真家がいる（右下）。乾板式の時代に、彼は重い写真機を担いで街に出て、毎日写真を撮った。そうして撮った写真にはすべて地番が示されている。ここに掲載した写真は、アジェが「デカルト通り48番地」と記した写真をもとに制作した作品である（制作2011年。縮尺12分の1）。

看板の〈BOULANGERIE〉とはパン屋のこと。ほとんどのパンが売り切れた、場末の店の、閉店間際の情景だ。たくさんのパンを山盛りにしたミニチュア作品が多い中、あえてスカスカに挑戦してみた。

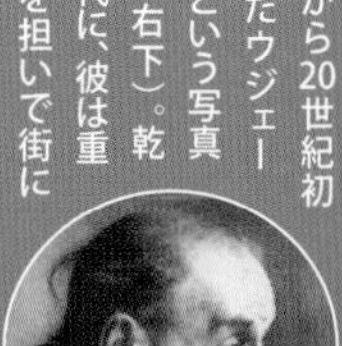

実はわたしの工作教室のサブジェクトとして、去年から再びこの作品を取り上げているのだが、緊急事態ばっかりで、遅々として進んでいない。もっと気楽に教室を開けるよう、岸田新政権には、切に要望したい。

本作は「ギャラリーいちよう」で見ることができます。あらかじめメール（ichiyoh@jcom.zaq.ne.jp）でご予約の上お出かけください。（東京都北区中里3−23−22／午前10時〜午後6時／入場料100円）

芳賀一洋（はが・いちよう） https://ichiyoh-haga.com/
1948年、東京に生まれる。1996年より作家活動を開始し、以後渋谷パルコ、新宿伊勢丹、銀座伊東屋などでの作品展開催や、各種イベントに参加するなど展示活動多数。著作に写真集「ICHIYOH」（ラトルズ刊）などがある。

辛しみと優しみ〈46〉

時をかけて闇の海の底

無音の中、半死半生の心の奥にあるものがゆっくりと、苦しみも輝きに変わる

それは閉ざされた瞼では自らは気付かないだろう

あなたがそれでもまた目覚めることが出来た時、その闇に己れが発する光……

……その力を手にするのだ

抜群のデッサン力と海外ネットワークで世界に誇る「リアリスティック」の凄腕

彫師・NOBUインタビュー

◉取材・文＝ケロッピー前田

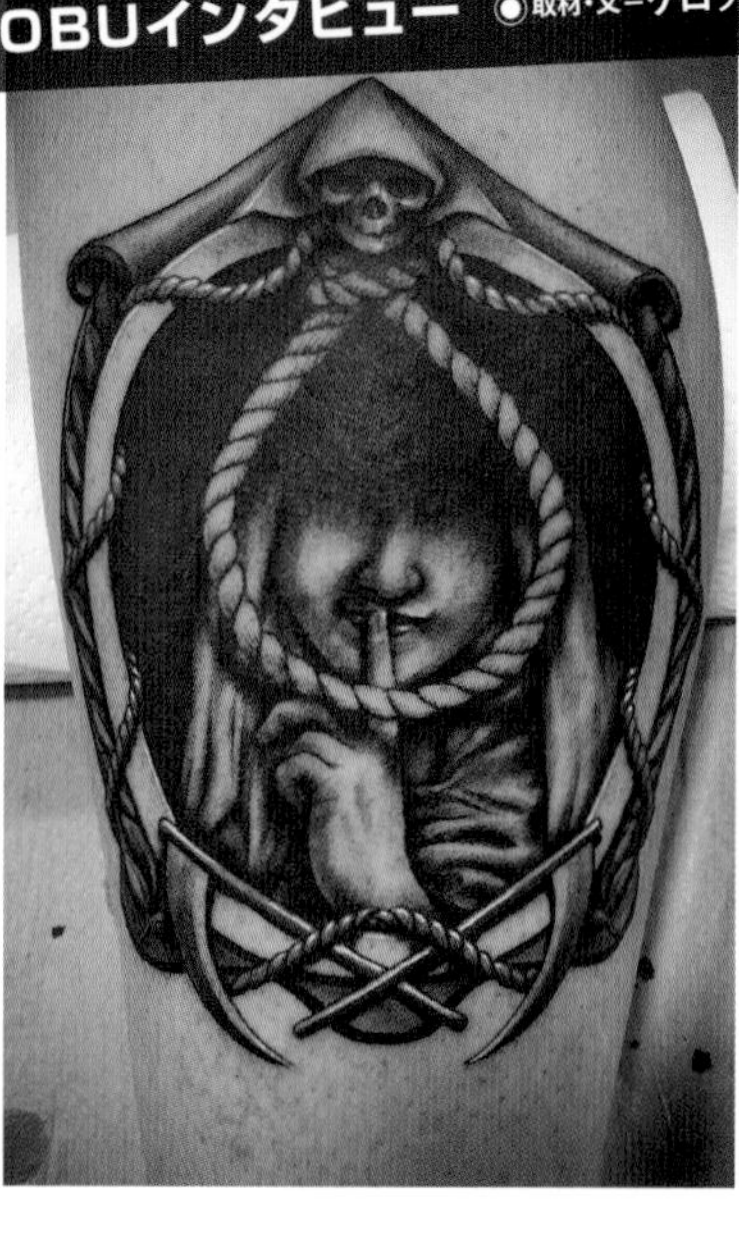

昨年9月、5年間に渡るタトゥー裁判が最高裁で無罪確定して決着したことで、日本におけるタトゥーの自由は守られた。いまだ日本におけるタトゥーに対する偏見は根強いが、欧米諸国では成人のタトゥー人口は4割とも言われ、ポップカルチャーとして定着している。

現在、日本を拠点に活躍するNOBUは、もともとはアメリカの大学で美術を学び、同時にタトゥー・ショップで見習いを始め、その後、現地でプロとなった生粋のアメリカ仕込み。有名スポーツ選手やセレブたちもタトゥーを楽しむ本場の地で、抜群のデッサン力を活かした「リアリスティック」と呼ばれる写実的なタトゥーテクニックを磨いてきた。自身のスタジオ「奇人館」をスタートしてからは、黒一色の濃淡で繊細に仕上げる「ブラック&グレイ」という技法で、ホラーで不思議でグロテスクな独自の作風を打ち出している。

世界が激変するなかで、日本のタトゥーカルチャーもまた新しい一歩を踏み出しそうとしている。タトゥー新時代に向けて、NOBUの最新インタビューをお届けする。

――昨年からのパンデミック以降、日本も自粛ムードのなかで経済活動ばかりか、カルチャーも停滞しているような印象があります。とはいえ、時間を持て余した人たちがこの機会にタトゥーを彫ろうとスタジオに予約が殺到しているという噂も聞きます。

●確かにずっと忙しいです。パンデミック以降、タトゥー熱が上がっているのは事実ですね。特に最近は若い人たちが以前にも増して、自由にタトゥーを楽しむようになっていると思います。インスタグラムで世界中のいろんなタトゥーを見れますから、日本に住んでいてもタトゥーのビジュアルはどんどん入ってきますよね。

――実際にタトゥーを彫る行為についての知識はどうでしょうか?

●若い人たちはインスタでビジュアル面では調べているんですけど、タトゥーを彫ることについての基礎知識はないですね。ネットでいいなと思っても、それを実際に身体に彫るとなると、どんなプロセスが必要なのかは理解していない。タトゥーの基礎知識については、日本にもタトゥー専門誌があった10年前の方が良かったですね。

――以前は、日本国内でもタトゥーイベントが盛んで、実際にタトゥーを彫る様子を見るチャンスがありました。ネットでいくら画像を見ても、実際に彫ることを想像できないのかもしれませんね。

●服を買うように、ネットで見た画像が先行しすぎて、そのままを彫りたいという人もいます。タトゥーデザインにオリジナリティを求める気持ちを高めてくれると、タトゥーをもっと楽しめると思います。

――現代のタトゥーは一点もののカスタムワークが基本で、彫師さんに相談すれば、オリジナルのデザインを作ってもらえるわけだから、そこもちゃんと理解して、自分だけのタトゥー作品を求めて欲しいですよね。具体的には、最近のお客さんはどんな感じでオーダーしてくるんですか?

●大きく2つのパターンがあります。ひとつは僕の作品をインスタで見て、僕の作風をある程度理解した上でオーダーしてくれるケース。もうひとつはネットで拾った画像を持ってきて、オーダーして

くるケースです。もちろん、僕の作風をわかってくれてオーダーしてくれた方が嬉しいですけど、希望のモチーフがあれば、サンプルがあった方が相談しやすい場合もあります。たとえば、打ち合わせの段階で、持ってきた画像がチープな印象だったら、ちゃんと説明して格好いいタトゥーに仕上げてあげることもできますから。

——タトゥーを自由に楽しむようになったと同時に、ファッション感覚で気軽に選んでしまう。

◉全部リンクしていますよ。みんな、インスタ見て、ビジュアルから入ってくるので、自分がどのように見えるのかを過剰に意識しています。絵としてのタトゥーのオリジナリティを重視してくれれば、スペシャルなタトゥーが手に入りますよ。

——NOBUさんの作風は、近年はどんな方向を目指しているんですか?

◉オーダーがあれば、ある程度なんでも対応していますが、奇人館というスタジオ名にもある通り、ホラー、不思議、グロテスクといった要素が多い作品を目指しています。たとえば、江戸川乱歩の小説からアイデアをもらったりしています。

——お任せというオーダーがあった場合はどうでしょうか?

◉この前、お任せのオーダーがあったときは、江戸川乱歩の『芋虫』をテーマにしました。最近の自信作のひとつですね。

——最近、意識している海外彫師は誰でしょうか?

◉モチーフ的に近いのはティム・カーン(Tim Kern)。ビジュアル的にはロバート・ヘルナンデス(Robert Hernandez)が好きですね。

——タトゥー技術に関して、新しい動きはありましたか?

◉僕は相変わらずマグネットでやっています。若い人たちはペン型やロータリーマシーンですよね。日本国内でも新しいマシーンが入っているので、昔のようにシーンや針のことで覚えなければいけな

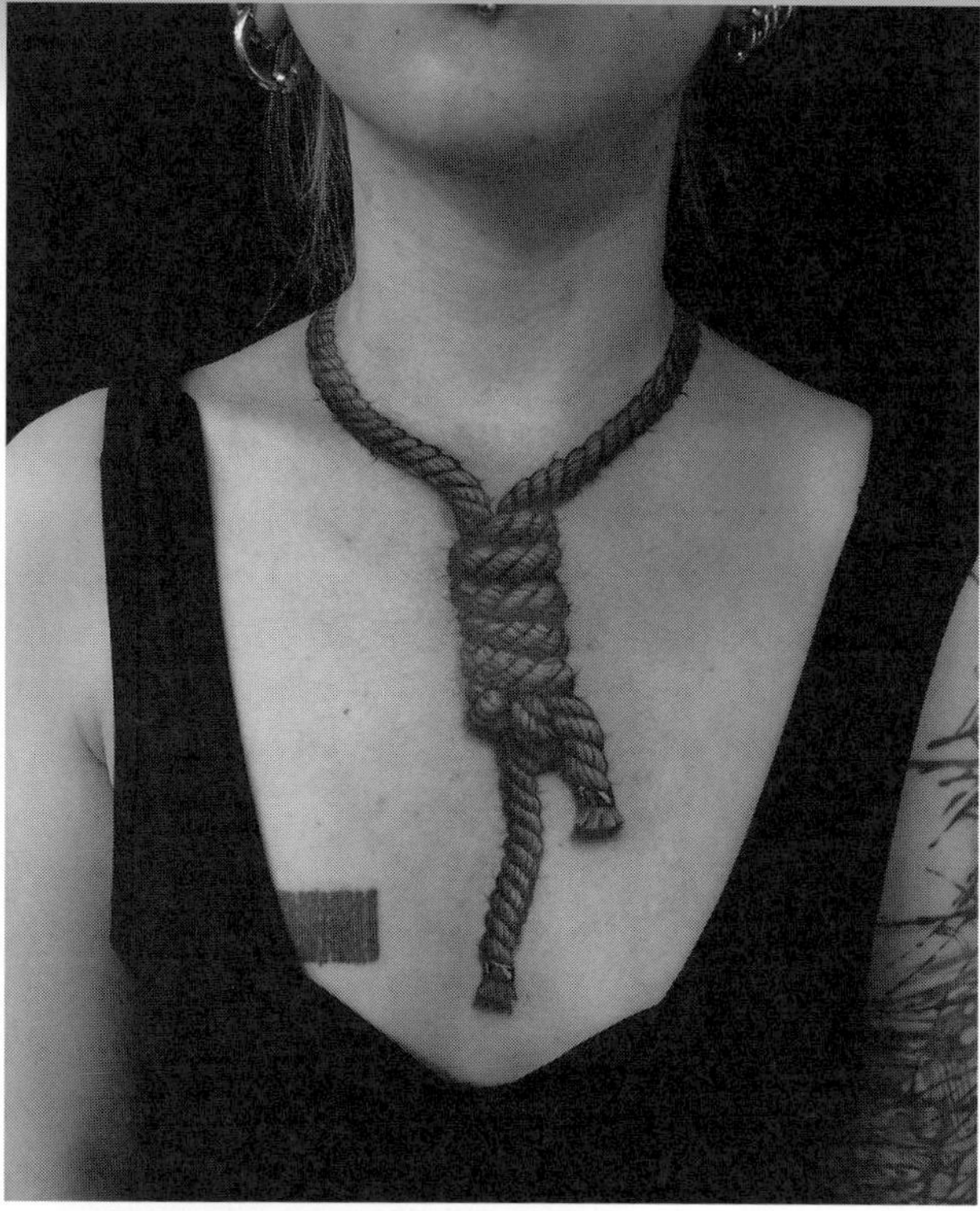

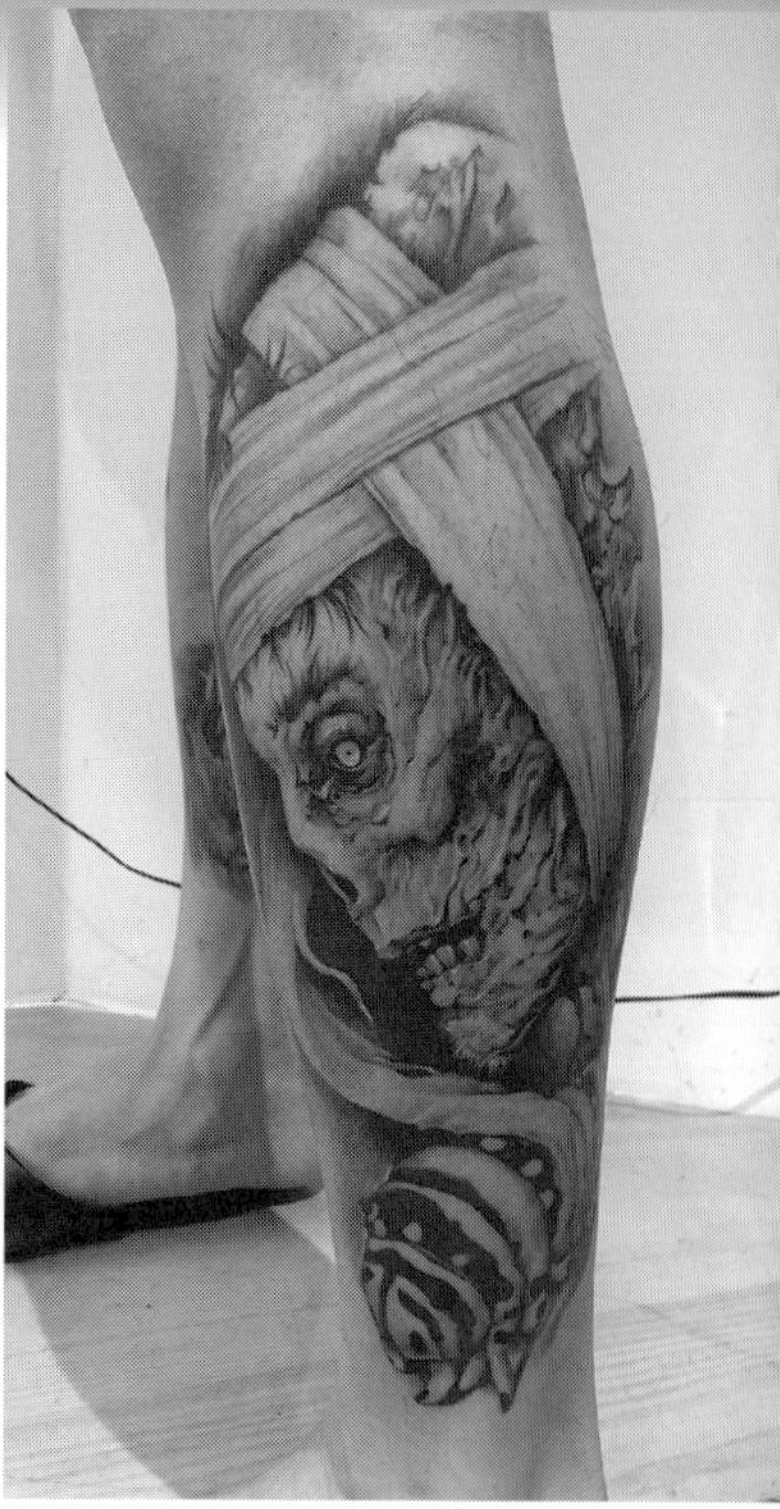

いというハードルはないですね。だから、デザインや絵がうまい人が人気を得ています。

——これから初めてタトゥーを入れようと思っている若い人たちも多いかと思います。タトゥーの選び方や楽しみ方も含め、ビギナーに向けてのアドバイスをお願いします。

◉自分の好きなものを入れてください。

——シンプルだけど、一番重要なことですよね。

◉とにかく、自分が何が好きなのかを先に考えて、それからインスタグラムでいろいろ探して、気になる彫師さんがいたら、まずは実際に会ってみて、話を聞いてみるのが一番いいと思います。

——頭の中で妄想を膨らますよりも、まずタトゥースタジオに行ってみるといいですよね。

◉特に初めての人は、彫師さんがどんな人か気になると思うし、彫師さんの意見も聞いてみて、一旦持って帰って、焦らずに探していけばいいんじゃないですかね。結局は、自分の仕事とか、生活にかかわるものからタトゥーデザインの題材を選ぶのが一番いいと思います。逆に自分に全く関係ない、ただ格好いいと思っただけのイメージにこだわってしまうと、その人なりの個性が出にくくなってしまう。まずは考えていることを一旦こちらに投げてくれれば、それをタトゥーとして格好良くビジュアライズできますから。それが彫師の仕事でもあるので、気軽に相談してくれると嬉しいですね。

NOBU（ノブ）

1986年愛知県生まれ。高校卒業後、外国語専門学校を経てアメリカ留学。シトラス・カレッジ・カリフォルニア州立大学ノースリッジ校卒。美術専攻で、在学中から友人の紹介でタトゥー・ショップで見習いを始め、プロとなる。2010年、大学卒業をきっかけに帰国し、日本を拠点に彫師として活躍する。「TOKYO HARCORE TATTOO」所属を経て、現在は自身のスタジオ「奇人館」を営む。

美術教育を基礎とする抜群のデッサン力を武器に、世界のタトゥーシーンで人気の「リアリスティック」「ブラック＆グレイ」を得意とする。海外有名彫師たちとも盛んに交流し、世界トップレベルの技術とオリジナリティで国際的にも高く評価されている。

▽NOBU ISOBE 奇人館（東京、神楽坂）
インスタグラム @nobuisobe666
メール nob_aka_55@hotmail.co.jp

自らの身体に美術作品を蒐集！

アートコレクターA氏のタトゥーコレクション

◉写真・文＝ケロッピー前田

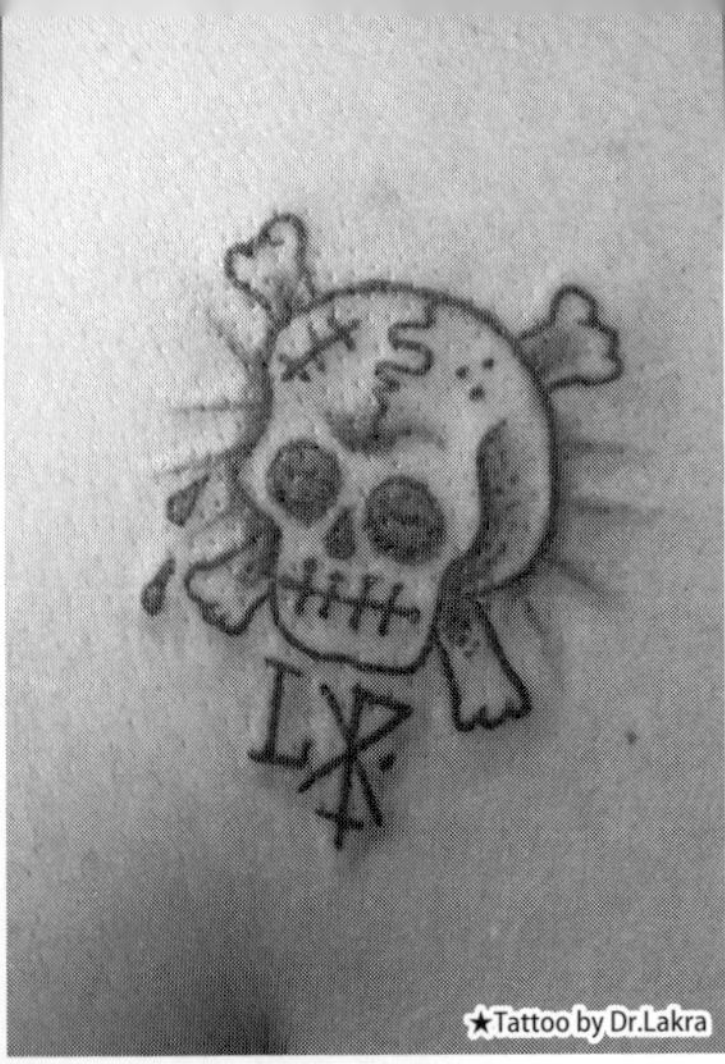
★Tattoo by Dr.Lakra

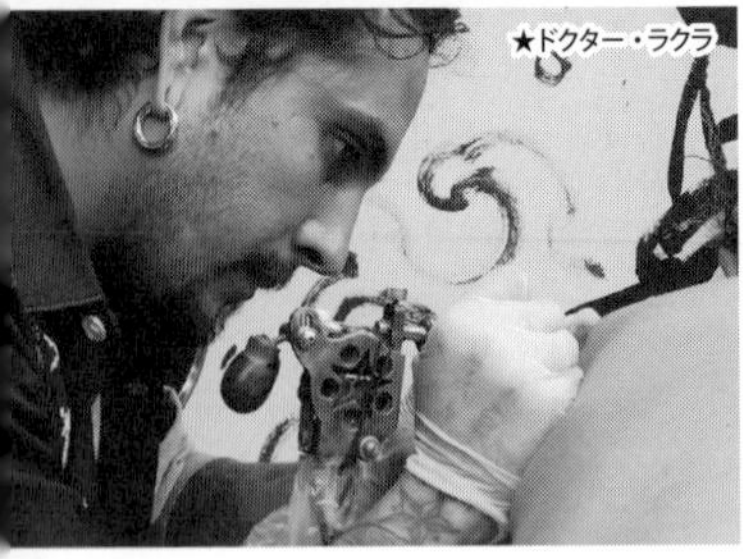
★ドクター・ラクラ

欧米諸国を中心に世界ではタトゥーはひとつのポップカルチャーとして幅広く定着し、一般の人たちに自由に楽しまれている。その背景には、海外では早くから趣味のひとつのジャンルとして自らの身体にタトゥーを収集する「タトゥーコレクター」と呼ばれる人たちが存在したことも大きい。

その歴史を振り返るなら、欧米タトゥーの基礎にあるのは「水夫のタトゥー」と呼ばれるもので、古くは水夫たちが長い航海を無事に過ごすためのお守りとして、あるいは有名な港に寄港した記念としてタトゥーを彫っていた。

現存する世界最古のタトゥー・ショップと言われるのは、デンマークのコペンハーゲンにある「タトゥー・オーレ（Tattoo Ole）」で、1884年にオープンした。店舗になる以前は、タトゥー・ショップと同じ（Nyhavn 17）にいまもあるレストランにおいて、ひとつのテーブルが港に立ち寄った水夫たちにタトゥーする場所となっていたと伝えられる。その港、ニューハウンは17世紀から栄えた港で、近代ビール「カールスバーグ」の発祥地としても有名だ。

また、オランダのアムステルダムも古くからよく知られた港街で、1980年代から国際タトゥーコンベンションの開催地としてタトゥーカルチャーをけん引し、タトゥーに特化した公立博物館「アムステルダム・タトゥー・ミュージアム」（現在は閉館）が水夫の時代から続くタトゥーの歴史を伝えていた。

ところで日本でも明治時代に、極東の楽園に憧れて長い船旅に挑んだ英国王室の王子たちの間で、来日の記念として刺青を彫ってもらうことがもてはやされた。小山騰氏の『日本の刺青と英国王室』（藤原書店）は、そんな知られざる歴史の事実を丹念な文献研究から解明している。

さて、英国王子たちも熱中した「タトゥーコレクター」という趣味は、誰もが世界各国を旅するようになって一般化した。さらに世界各国の彫師が一堂に介する国際タトゥーコンベンションが開催され、多種多様な作風から自分の好みのアーティストを選んで彫ってもらうことも可能となった。

日本では95年創刊の『BURST』（白夜書房／コアマガジン）がタトゥーカルチャーをけん引し、99年、本邦初のタトゥー専門誌『TATTOO BURST』が創刊されると、複数のタトゥー専門誌がそれに続き、05年に始まる「キング・オブ・タトゥー」を筆頭に、日本でも国際規模のタトゥーコンベンションが盛んとなった。その時期には「タトゥーコレクター」という趣味にハマり、世界各国の有名彫師たちの傑作を自らの身体に収集する愛好者も急増した。

日本のタトゥーカルチャーの黄金期ともいえる2008年、横浜美術館で開催された『ゴス展』に、最注目のアーティストとして招聘されたのが、メキシコの現代アートの美術家にして彫師としても活躍するドクター・ラクラ（Dr.Lakra）であった。彼は有名な画家フランシスコ・トレド（Francisco Toledo）の息子で、彫師として働きながらヨーロッパを旅して見聞を広め、美術家としての名声を得たのちも彫師としての活動を続けていた。

前置きが長くなったが、アートコレクターとして素晴らしいキャリアを誇るA氏が現代アートをタトゥーとして自らの身体に収集するタトゥーコレクションに開眼するのも、ラクラとの出会いがきっかけだった。

「現代アートの超一流のアーティストであるラクラの来日は、コレクターにとっては作品を購入する絶好のチャンスでした。しかし本人と話してみると、気に入った作品はかなりの高額で手が出ない。そこで彼にタトゥーを彫ってもらうことにしたんです。作品を買って壁にかけるだけじゃつまらない。僕はアーティストと交流するのが好きだし、いろんな形でコレクションを拡大していきたいと思っていたからです」とA氏は語る。

そんなA氏にとって、7番目のタトゥーコレクションとなったのが、森山大道氏の最高傑作《犬の町》であった。タトゥーの施術は、今号で紹介しているNOBUにお願いした。

「これまで、いろんな美術家にタトゥーのための絵を描いてもらったり、コンセプ

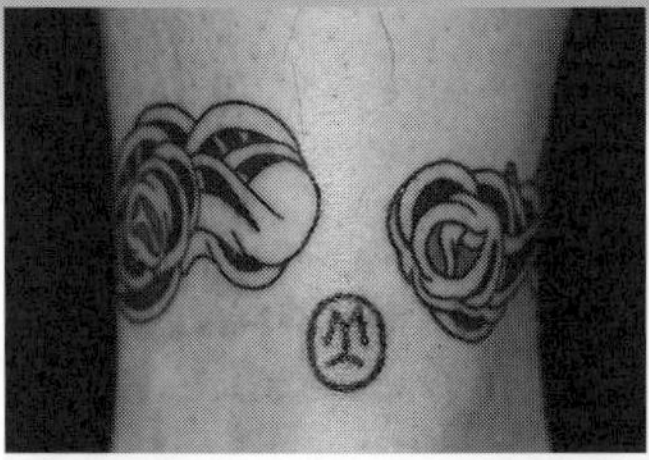

★Tattoo Designed by Jean - Luc Moerman
Tattooed by Nobu ※足首にぐるっと彫られた

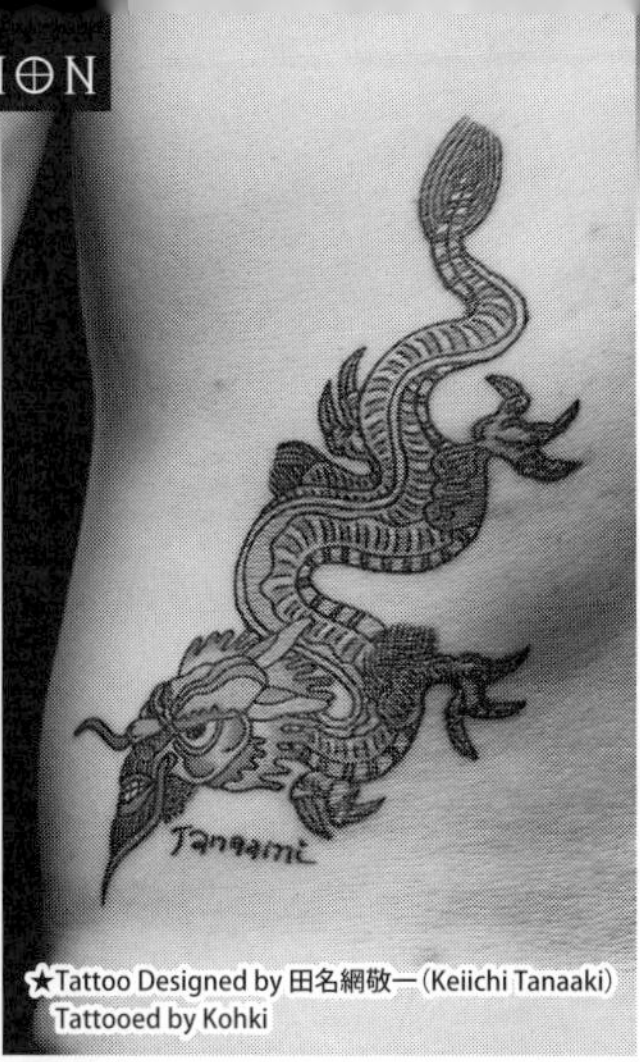

★Tattoo Designed by 田名網敬一（Keiichi Tanaaki）
Tattooed by Kohki

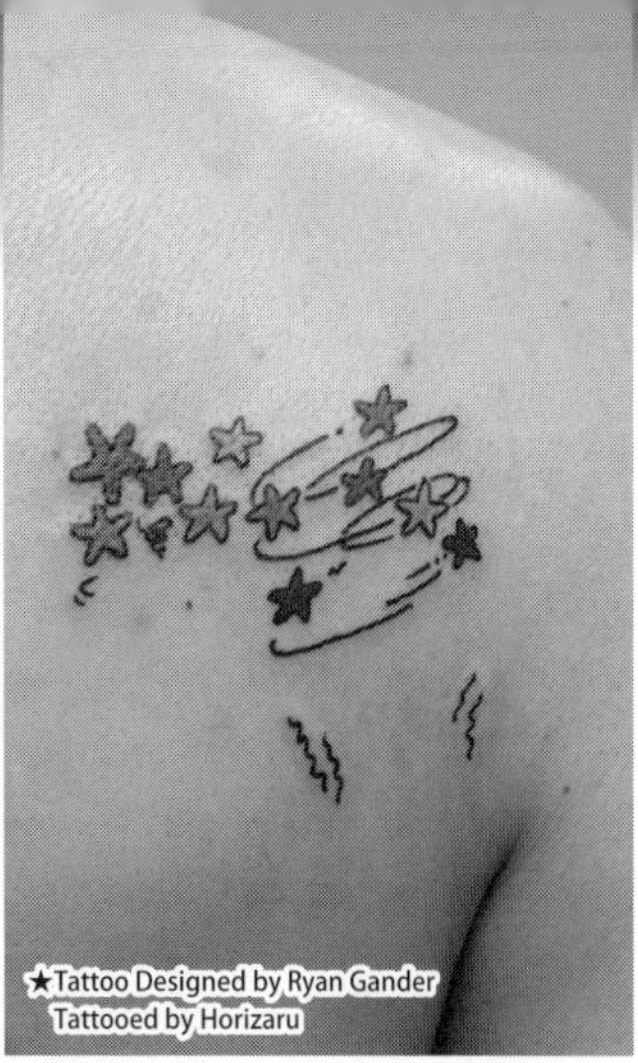

★Tattoo Designed by Ryan Gander
Tattooed by Horizaru

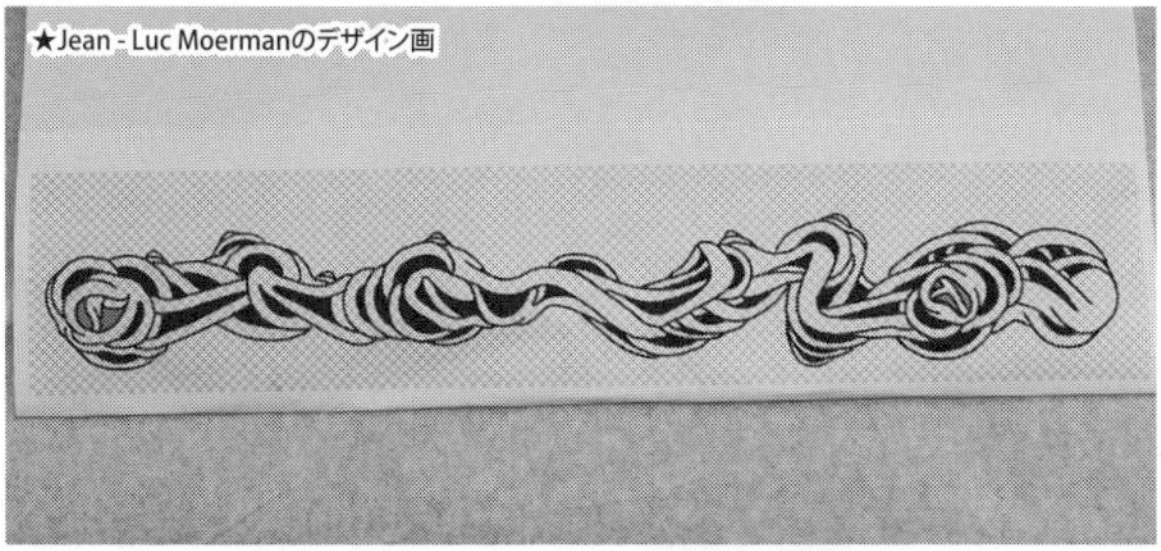

★Jean - Luc Moermanのデザイン画

★Tattoo Designed by Ozbolt Djordje
Tattooed by Nobu

★Tattooed by Nobu

トを考えてもらったりしてきました。自分でもタトゥーについていろいろと勉強して、『リアリスティック・タトゥー』というジャンルもあり、写真作品をタトゥーとして皮膚の上に忠実に再現することができることがわかりました」とA氏。森山氏からは「モチーフだけを切り取らず、写真作品であることがわかるように」という指示があり、それに対してNOBUは「エッジに影をつけることで皮膚の上に写真が乗っているように仕上げました」とコメントした。「森山さんの作品をNOBUさんがどのようにタトゥーとして仕上げるのか、作家と彫師の間に火花が散っていたところに興奮しますね」とA氏は感想を述べ、「作家が作品に命を懸けるように、コレクターも命懸けでコレクションする作品を選び、所有しているんですよ。そんな真摯な気持ちは、その作品を自らの身体に刻むことでますます実感しています」と締め括った。

長年、タトゥーカルチャーを追ってきた筆者にとっても、A氏との出会いは、「コレクター」という存在がどれほどアートやカルチャーを経済的かつ文化的に支えているものなのかを改めて気がつかせてくれた。A氏が語る「コレクター」という生き様の醍醐味は、アートに限らず、タトゥーにも共通するものなのである。

欧米タトゥーシーンの底力の強さを思うほど、「コレクター」の存在の価値を痛感する。出でよ、日本の新世代のタトゥーコレクターたち！

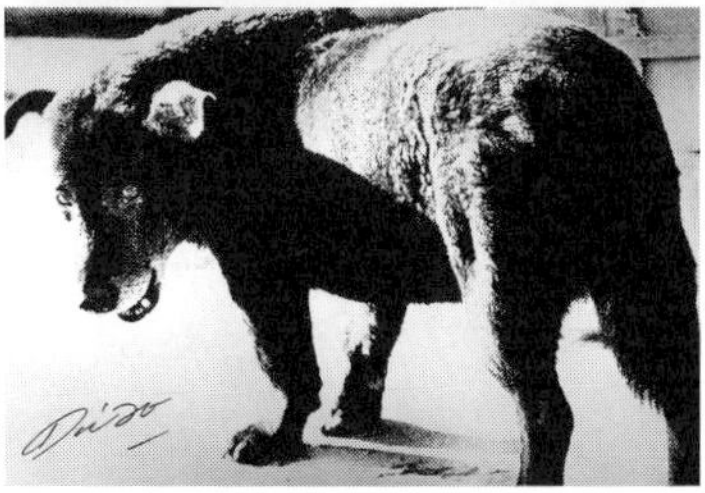

★森山大道《犬の町》

異端と幻想に彩られた女神たち

★杉本一文

★萌木ひろみ

★桑原聖美

京都・三条にある。アスタルテ書房。澁澤龍彥、生田耕作など異端系の文学に強い古書店であり、書斎をイメージした重厚な空間も訪れる者を魅了する。ギャラリースペースでは、やはり異端・幻想系の作家中心に展示がおこなわれ、11月には、妖しいエロスを放つ女性を描く、6人の作家のグループ展が開催される。例えば横溝正史の装画で知られる杉本一文は、その異端的エロスと幻想性は、ここで展示される銅版画でこそ色濃い。そうした異彩は、このアスタルテの空間において、より濃密に感じられるだろう。(沙)

★グループ展「魅惑の女神たち」

2021年11月19日(金)～30日(火) 木曜休 14:30～19:30 入場無料
参加作家／東學、杉本一文、桑原聖美、萌木ひろみ、相良つつじ、近藤宗臣
場所／京都・三条 アスタルテ書房
Tel.075-221-3330 https://librairie-astarte.com/

★「杉本一文銅版画集」好評発売中

★近藤宗臣

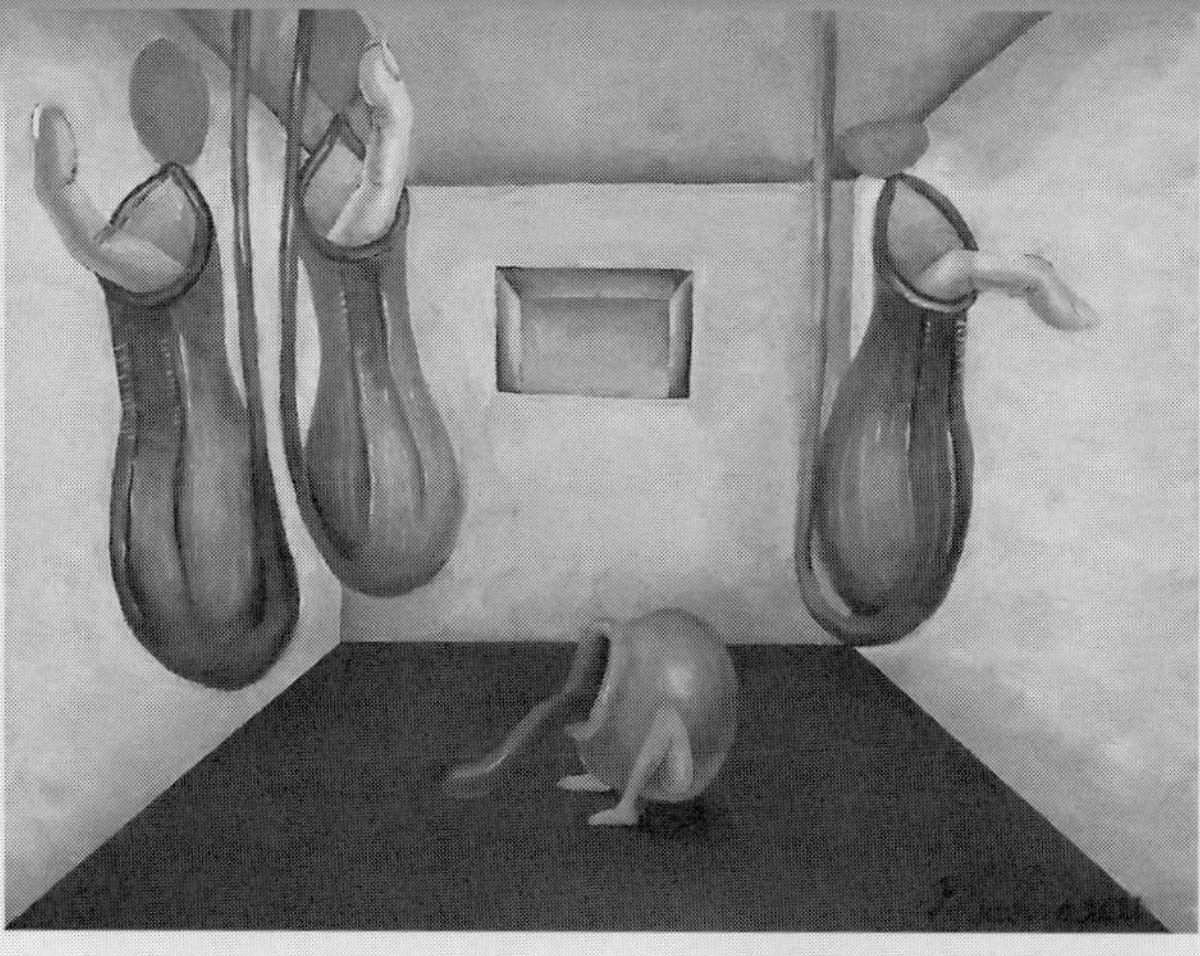

★（上3点）なかがわ寛奈

内面にうごめくものが見せる宇宙

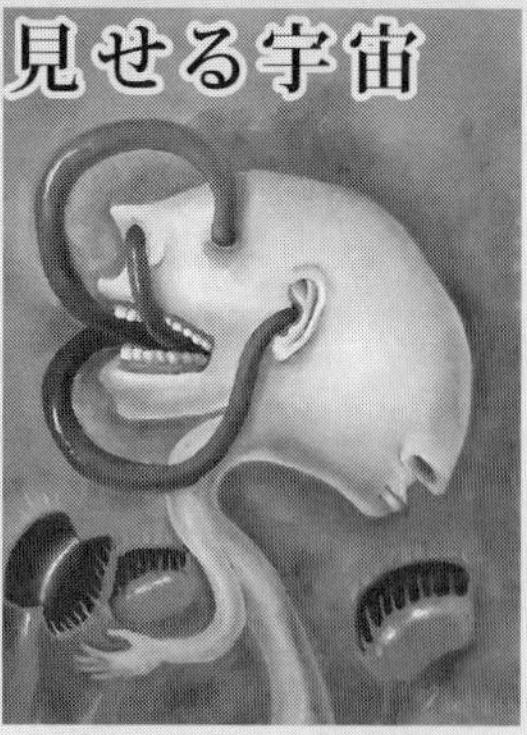

おそらく偶然なのだろうが、同時期にデザインフェスタギャラリー原宿で個展を開催する2人の作家からリリースが届いた。どちらも一風変わった、少々アクの強い作品を描く。

なかがわ寛奈は、「早くて便利な現代で、解決しないもやもやを感じてもらいたい」という。異様な図像は何が表現されているか戸惑わせるものだが、逆にそれが観る者に自問自答を促すだろう。

ういりおは、「自分の奥の奥へと潜り込んで見えた景色〝深世界〟」を描いているのだという。日々の感情、記憶と向き合い、曼荼羅にも似た深淵な宇宙を創出する。

いずれも内面にうごめくものと素直に対峙し、それをそのまま表現の糧にしている。その迷宮に迷い込みたい。（沙）

★なかがわ寛奈個展「なにか、いる。」West1-D

★ういりお個展「Doors～深世界～」West1-B

2021年12月22日（水）～28日（火）会期中無休
11:00～20:00（最終日～18:00）入場無料

場所／東京・原宿 デザインフェスタギャラリー原宿
Tel.03-3479-1442 https://designfestagallery.com/

★（下2点）ういりお

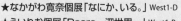

シリーズ・カウンターカルチャー狂気都市 解説

民族主義が文化を育む情熱の街 メキシコ・グアダラハラ

◉文・写真＝ケロッピー前田

RM
en San Pedro Tlaquepaque, del fresco sobre tablero transportable del excelente pintor Mexicano Don Diego
Esta pintura presenta un resumen de la historia de México y de la participación del artista en la

★リベラの名作《アラメダ公園の日曜の午後の夢》のレプリカ。メキシコの著名人や庶民がずらりと並んだなかには、中央にカトリーナ、リベラ本人、フリーダ・カーロも描かれている。

★ハリスコ州庁舎にあるオロスコの傑作《立ち上がる僧侶イダルゴ》

★オロスコの多数の壁画で飾られた世界遺産オスピシオ・カバーニャス

Tapatio
tour

★メキシコで人気のアイコン「カトリーナ」

★ハリスコ州庁舎の議会天井にあるオロスコの壁画

カウンターカルチャーの視点から世界のぶっ飛んだ都市を探索する当シリーズ。今回は、メキシコシティに続くメキシコ第2の都市グアダラハラを取り上げたい。

筆者がこの街を訪ねたのは、2018年、ギネスブックで身体改造世界一の女性とされるマリア・ホセ・クリスターナに会うためだった。その衝撃のレポートは、TBS系人気テレビ番組『クレイジージャーニー』で放送され、拙著『クレイジーカルチャー紀行』(KADOKAWA)でも詳しく書いているので、そちらを読んで欲しい。ここでは、グアダラハラという都市に焦点を当て、注目の観光スポットを含めたメキシコならではの楽しみ方、さらに踏み込んで筆者が見てきたカルチャーの現場をご紹介したい。

まず観光の重要なポイントは3つある。

ひとつは、「カトリーナ」として知られる〝ガイコツおばさん〟だ。これは、毎年11月2日に行われるメキシコ最大のお祭り「死者の日」のアイコン的な存在となっており、メキシコのお土産と言えば、「カトリーナ」をモチーフとしたガイコツ人形が人気だ。もちろん、メキシコでは、ガイコツそのものも人気のモチーフで、死を悲しむべきことと捉えない、メキシコ独自の死生観を反映している。

二つ目は、1930年代にピークを迎えたメキシコ壁画運動から生まれた数々の名作壁画である。メキシコの歴史を簡単に振り返るなら、16世紀にスペインにあっさりと植民地とされ、長く苦しむこととなるが、1810年には独立運動が始まり、その100年後の1910年にメキシコ革命が起こって、民族主義を重視する自主独立の道を開いた。だが一方で国内に大きな貧困問題を抱え込むこととなり、文字の読めない庶民にメキシコの歴史を教えるために巨大壁画を制作し、文化や芸術を広く解放していこうという風潮が高まった。

★最大サイズの黒曜石のナイフ。筆者は別の形状のものを購入

★文化市場にて Fray Antonio Alcalde, Rincónde La Agua Azul

代表的な壁画家には、女流画家フリーダ・カーロの夫で世界的にも名声を博したディエゴ・リベラ、世界を広く旅したダビッド・アルファロ・シケイロス、グアダラハラに多くの壁画を残しているホセ・クレメンテ・オロスコらがいる。

オロスコの壁画は、1810年にミゲル・イダルゴ神父が奴隷解放の宣言をしたハリスコ州庁舎で大迫力の傑作《立ち上がる僧侶イダルゴ》が見れるし、世界遺産オスピシオ・カバーニャスも多数の壁画で飾られている。壁画には歴史上の重要人物が多く登場するが、メキシコ史上、唯一の先住民出身のベニート・ファレス大統領（任期1858―72年）もその一人として覚えておきたい。また、壁画運動は、現代のストリートに溢れるグラフィティにまでつながるもので、メキシコのカルチャーの根底を支えている。

3つ目は、主に週末に盛大に行われる文化市場（Tianguis Cultural）だ。メキシコで最も手軽にカルチャーの現場に接したいならお勧めしたい。グアダラハラでは、アグアアズル公園近くで毎週土曜日に文化市場が開催され、多くの若者たちが集まり、野外ではバンドのライブ演奏が続き、所狭しと連なる販売ブースでは、メキシコ土産から雑貨、アニメやキャラクターグッズまで多種多様なものが扱われている。

驚くべきはピアスやタトゥーを扱うブースもあって、希望すれば、その場で施術もやってくれる。もちろん、衛生のためにちゃんと仕切られたスペースがあるが、文化市場にくれば、大抵のものは全部揃ってしまうところが凄い。ちなみに、筆者はそこで黒曜石のナイフを手に入れた。メキシコの古代文明の時代には金属

★メキシコは古代文明の時代から身体改造が盛んだった（グアダラハラの地域博物館にて）

★先住民の人形にも身体改造があった（骨董品屋にて）

は使用されていなかったので、黒曜石で生贄の心臓を生きたまま摘出して太陽の神に捧げていたとも言われる。当然、儀式での流血行為でも黒曜石のナイフが役立ったことだろう。

文化市場はいろいろなものを安価で手に入られる点で便利だが、ご存知通り、メキシコの治安は良いとは言えず、死因のトップが殺人だったときもあった国である。あらゆる意味で油断は禁物だが、基本的にメキシコ人は陽気で、生きることを楽しんでいる感じがビンビンと伝わってくるのが素晴らしい。そんなメキシコならではの生命エネルギーに触れられる場所だ。

ここで筆者が訪れた面白い現場を2つほど追加しておきたい。

ひとつは、改造人間マリアに顔面のインプラントなどを施している美容整形外科医のアレハンドロ・ゴドイに会うことができた。マリアは豊胸や、普通の意味での顔の美容整形も施している可能性もあり、この医師とは長い付き合いという。身体改造が広く受け入れられているメキシコでは、プロの医師もサポートしてくれることで、ますます過激な身体改造が盛んになっているのだ。

もうひとつは、身体改造アーティストのルーカス・トレスのピアス店で行われたパーティに参加できたことだ。このパーティで筆者が儀式的なスカリフィケーションを施してもらった様子は前述した『クレイジージャーニー』でも放映されている。しかし、ここで補足したいのは、貧富の差の激しいメキシコにおいては、入場無料、飲み物も食べ物も持ち寄りのプライベートパーティでは希望すれば儀式的な身体改造行為も受けられることである。つまり、お金がなくて身一つでパーティに参加した者にも、コミュニティの一員となるチャンスが開かれているのである。そこでは貧富を超えて、誰に対しても文化や芸術が開かれていることを実感させられた。

メキシコは、ぜひまた訪れたい国のひとつである。ご存知の通り、メキシコでは古代文明の時代から身体改造が盛んであったことから、タトゥーを含めて、身体改造が非常に盛んな国となっている。次回は、古代遺跡にもぜひ訪ねてみたいものである。

★ギネスブックで身体改造世界一の女性マリア

★ルーカス・トレスの店で行われたプライベートパーティ、そのフィナーレは、彼のライブペインティングとファイヤーショーだった

★身体改造もサポートする美容整形外科医アレハンドロ・ゴドイ
Dr. Alejandro Godoy
@Casa NHMH

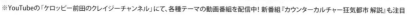

陰翳逍遥《第44回》

志賀信夫

不思議な抽象性―香月泰男

香月泰男といえば、一九四五年、敗戦時のソ連抑留体験で有名な画家だ。黒と茶色（黄土色）が中心の油絵で描かれた戦争の記憶、抑留の体験が切実に迫り、見る者の心を撃つ。

今回の展覧会は、その香月の作品が一三〇点以上、特に、有名なシベリア・シリーズの五七点がすべて揃った。

抽象から戦地へ

香月泰男（一九一一～七四）の初期作品には、明らかなゴッホの影響、そして印象派の要素を見いだせる。また、初の文展入選、ピカソの青の時代に似た《二人座像》（一九三六）も魅力的な作品だ。これらから次第にイメージがデフォルメされ、抽象化がはかられていく。それは、単なるイメージの変形にとどまらず、構図としても斬新なものがある。

それが顕著なのは、《雨〈牛〉》（一九四七）だ。右下に大きな牛の頭部、そして左上に犬の背後からの姿が描かれているのだが、一つの牛が右に上半身、左に下半身が見える不思議な構図で表現されている。実は、これが後に「シベリア・シリーズ」の最初の作品となる。つまり、応召して一九四三年に大陸にわたり、四五年の敗戦から二年間のシベリア抑留を経て、四七年に戻ってきてすぐの作品だ。当初、《雨》だったが、七〇年代に「牛」が加えられて、《雨〈牛〉》となった。

雨は画面の右上から左下に斜めに降っており、細長い水たまりに犬の脚と青空が映っている。つまり、一度雨がやんで生まれた水たまりに、天気雨が降っているということのようだ。香月が牛を多く描いているのは、大陸で見て親しんだからだろうか。そしてこの翌年の、同様に後に「シベリア・シリーズ」の一つとなる《埋葬》（一九四八）は、抑留時に亡くなった同胞、捕虜の埋葬を感じさせて、静かな衝撃がある。これには、セーヤ収容所の体験が背景にあった。

だが、この二つの作品は、黄土色で明るい。そして《埋葬》の原型は、戦地に赴く前年、一九四二年の《水鏡》と考えられる。コンクリート製の風呂もしくは水槽に顔を映す少年の姿だ。《埋葬》とは反対側に枯れた草が描かれている。トーンは青っぽく、こちらのほうがはるかに暗い。

このような日常の中の光景を描く香月も秀逸である。壷を載せたテーブルはためくテーブルクロスと、背中向きに座る少年を描いた《風》（一九四八）にも強い抽象性が見てとれる。これらは後の黒い「シベリア・シリーズ」に比べると、穏やかでユーモアさえ感じさせる。

この物と人と動物の関係が、構図として独特といえばいいのだろうか。おそらく実際に見えている現実から導き出されていながら、シュルレアリスム的な構図でもなく、現実にない不思議な光景を生み出している。

最初にあげた《雨〈牛〉》も、おそらく別々に牛と犬がいるロシアのホロンバイル草原で目にした風景なのだが、実際に描かれたものは、右の牛の後ろ姿が左にあるように見える。また、《埋葬》でも、手前のシャベル、埋葬される死体と左の埋葬作業する男、そして右の枯れた植物という取り合わせと構図が、広角レンズで見たように奇妙である。さらに《風》も、少年が上半身裸で海岸にいるらしいのだが、そこにテーブルクロスと壷という取り合わせは、きわめて変わっている。ピカソやピカビアなどの構図、あるいはキュビスムの影響があるともいわれるが、それだけでは説明がつかない不思議な感覚の構図だ。

この少年の後ろ姿というのも、香月の特徴である。早くに両親と離別し、祖父母に育てられた孤独感の表れともいわれるが、それだけだろうか。少年は彼自身というだけでいいのだろうか。全体を見ると、香月の作品では、女性を描いたものがきわめて少ない。初期に数点あるのみだ。また、多く描いた少年も初期のみである。そして五〇年代後半からの「シベリア・シリーズ」以降は、性別を失った作品がほとんどだ。それはおそらく、「人間存在」の「死と生」そのものに向き合い続けたからだろう。なお、香月が一九三八年に結婚し、二男二女をもうけた妻、婦美子さんは、香月没後四〇年の二〇一一年五月、一〇三歳で亡くなった。

シベリア・シリーズ

香月は、戦地にも油絵の具を持ち込んでいた。戦地で描いたものは残されていないが、そのときに原型を描いていて、帰国後すぐに描かれたのが、《雨〈牛〉》、そして《埋葬》なのだ。だが、《埋葬》以降十年間、シベリア抑留を描くことをやめ、日常の光景をモチーフに描く。そのため、「厨房（台所）の画家」と呼ばれるような時代が続く。だが、一九五六年の洋行をきっかけに、五〇年代末、再びシベリア体験を描き出すことになる。

それ以降の香月の作品の特徴は「木

炭」である。木炭による強烈な黒の画面、そこには類のないエネルギーがある。木炭、つまり「炭」の力である。木を燃やしてできた炭は、元素でいう炭素そのものだが、それがキャンバスに載った根源的な強さがある。木炭は森林、そして大地に直接つながる画材。木の建物が燃えて残るのも木炭だ。だから、単に描くための道具ではなく、木炭自体の力が生かされている絵画なのだ。

《涅槃》（一九六〇）の闇の中に横たわる死体、そして浮かび上がるいくつもの顔。これにも、木炭ゆえの力強さが生きている。横たわる死者は寝釈迦のようにも見える。これら多くの顔は、亡くなった人々の顔を、遺族に渡すために、デッサンして生まれたという。だが、単なる死体というよりも、死の闇から浮かび上がる生命を感じさせる。それは、彼が「死」を伝えるためではなく、その「生」を伝えようとしたからではないか。

もちろん、それは怨念を伴っているとも見えるだろう。だが、間違いなく生命感がある。収容所、ラーゲリ、シベリア抑留というと、どうしてもまず「死」をイメージして、鎮魂とか反戦という言葉が浮かぶが、香月の作品を注視すると、そこに生命力が感じ取れる。例えば《埋葬》でも、埋葬される死体だけでなく、埋葬する人を描くことに、生と向き合う香月が見えてくる。つまり、死者と向き合いつつ、生命を描いているといえるのではないか。また、《１９４５》（一九五九）で描いた皮を剥がれた死体は、香月には「赤い屍体」として記憶されているが、それを黒で描くことでニュートラルな存在感を示しており、右上に大きく「１９４５」と書いたことには、彼の激情が表れていると思える。

他方、日常の世界を描くことと、シベリア・シリーズはつながっていると感じられる。というのは、シベリア・シリーズでも、《鋸》（一九六四）やシャベルなどの「物」に着目して描いているからだ。そういった物に対する関心というのは、もちろん伴っている物語は異なるが、香月が物自体を正確に見る、同じ視線のように思える。

このように、「シベリア・シリーズ」も、じっくり見ると、強烈なエネルギーが感じられる。それは、執拗に描く香月のエネ

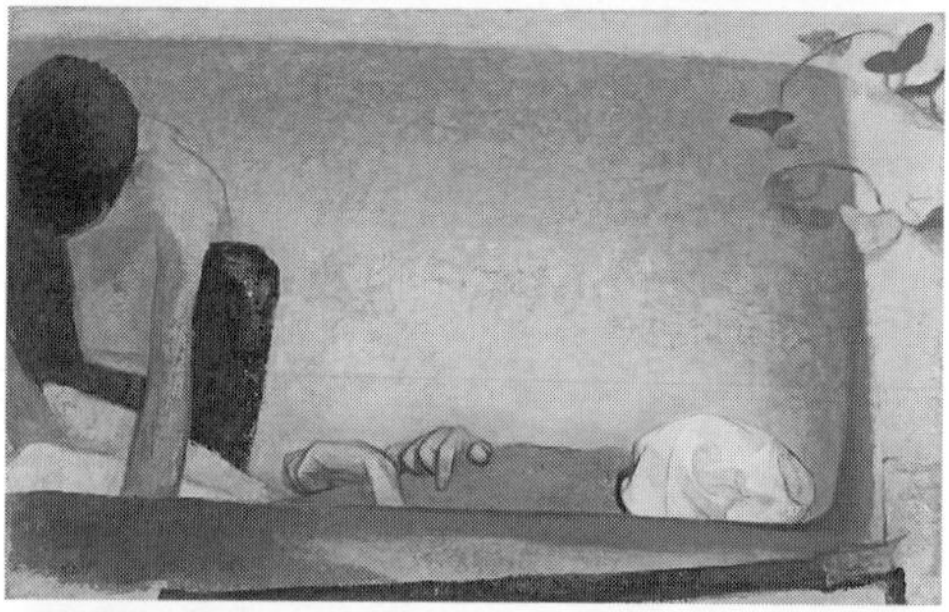

★（上から順に）香月泰男《雨〈牛〉》1947年 油彩、カンヴァス、山口県立美術館蔵
香月泰男《埋葬》1948年 油彩、カンヴァス 山口県立美術館蔵
香月泰男《風》1948年 油彩、カンヴァス、東京藝術大学蔵
香月泰男《涅槃》1960年 油彩、方解末、木炭、カンヴァス、山口県立美術館蔵

ルギーでもあるだろうが、生への強い思いでもあるのだろう。生と死は、もっとも明確な二項対立である。だが、《黒い太陽》（一九六一）を描く香月は、その逆転やアンビバレンツも意識しているはずだ。

　私たちが香月泰男の作品に惹かれるのは、体験した戦争や死を描いたからではなく、それを通して、生を描いており、そのエネルギーに生への渇望、そして希望を感じるからではないのだろうか。

▽「生誕110年 香月泰男展」／神奈川県立近代美術館葉山、21年9月18日～11月14日＝事前予約制、最新情報は美術館HPを参照のこと／以降、新潟市美術館、練馬区立美術館、足利市立美術館に巡回

いま、ボイスは

　ヨーゼフ・ボイスは、おそらく戦後日本で一番大きく影響を与えたドイツの美術家ではないか。フランス中心であった近代美術の流れ、そして抽象表現主義、ポップアートなどの米国の流れに対して、独自といってもいいドイツの文化、というかドイツ的抽象とでもいえるような表現と感覚が影響を与えたといってもいい。

　ボイスについては、十二年前、本誌№41に書いたように、一九八〇年ころ、青山の美術館、ワタリウムがギャラリーワタリだったときに、そのポストカードショップ・オンサンデーズで出会い、以降、ボイスを所蔵している若江漢字のカスヤの森現代美術館に通うなど、のめり込んだ時代がある。だが、今回、大規模なボイス展が約十年振りに開催されたため、少し考えてみることにした。

　日本でドイツ人美術家、ヨーゼフ・ボイスが受け入れられた下地は、近代日本がドイツ法、ドイツ哲学などを一つの柱として成り立っていたことと無縁ではないかもしれない。明治から昭和初期の学生、旧制中高生、大学生はドイツ語を学ぶことが、「硬派」の証でもあった。フランス文化はそれに対して「軟派」であったといえる。

　だが、第二次大戦を日独伊三国同盟で戦った同盟国ドイツが、ヒトラー、ナチスドイツにより世界の孤児となり、日本でのドイツ信仰も弱まった。そして、戦後ドイツ文化がホロコーストの傷とともに歩んだなかで、ボイスはそれらと一歩、切り離されたような存在として、新しいドイツの美術を展開したといえるのではないか。

　もちろんナチスドイツの航空隊に従軍し、撃墜されつつ繰り返し参戦したボイス自身の体験も、作品の背景にある。だが、多くのドイツの芸術家、文学者などがナチスドイツや戦争をテーマとするのに対して、ボイスはあくまで美術の抽象表現を追求している。それも、フランスから始まり欧米の中心となっている抽象表現とは、異なるものを求めていたように思える。レディメイド、オブジェといわれるような既存の事物を提示した作品でも、シュルレアリスムやデュシャンなどの文脈ではないところで、理解されるような作品といえる。

　もちろん欧米の流れとつながっていないわけではない。ジョージ・マチューナス（一九三一～七八）らのフルクサスへの参加は、国際的な美術運動への関わりだった。ただフルクサスは、ドイツで始まって、マチューナスの移住で米国を本拠としたことから、移民芸術家を中心とした運動ともいえる。リトアニア出身のマチューナスを始め、日本の小野洋子、塩見允枝子、靉嘔、韓国のナムジュン・パイク、その妻の久保田成子など、多国籍移民が多い。

　これは、シュルレアリスム運動の国際化を背景に、それを引き取るように起こったメールアートなどとともに、芸術運動の国際化の一つといえるだろう。なお、一時はあれほど盛り上がったメールアートも、現在では、日本のダダカン（糸井貫二、一九二〇～）くらいで、耳にすることはめったにない。

　ボイスはそうしたアートの国際化、運動化に意味を見いだしている。彼の「芸術＝資本」は、もちろんアートは金という意味ではなく、芸術が社会を変える、変革、革命を起こすという認識によるのだろう。それゆえに、ベルリン自由大学、緑の党などの社会・政治活動に参加し、マルティプルという、芸術の価値を問い、自由化する試みを行ったのだ。

ボイスの身体性

　今回の埼玉県立近代美術館での展覧会は、ボイスの弟子であるブリンキー・パレルモ（一九四三～七七）との二人展である。パレルモは一部で注目されていた美術家であるが、作品を見たのは初めてだった。

　一九六四年にデュッセルドルフ芸術アカデミーでボイスに学び、その後、米国のアーティストに影響を受け、七七年に三十三歳で早世した。既存の布をキャンバスに貼り合わせる布製絵画、多重に重ね塗りする金属絵画など、着想は面白いが、作品自体に引き込まれるものがなかった。ボイスとは、少し似たところがあるのだが、感覚はボイスとまったく異なるように思える。

　これは、以前も書いたのだが、筆者にとってボイスの魅力とは、身体性だから

だ。ボイスのアクションなどのパフォーマンスももちろんだが、蜜蝋、脂肪、フェルトなどの素材、ドローイング、オブジェなど、いずれも身体に関わるか、身体を感じさせるものが多い。パレルモの作品には、それがまったく感じられない。もの、物質だけであり、また、もの派のような、コンセプトを感じさせる雰囲気や意図もない。

実は、彼について書かれた文章を見ても、わからないけど惹かれるといったものが多い。それは、つまり好みということなのだろうが、筆者に響くものではなく、なるほどと思えるものも見あたらない。そのため、ここではパレルモの作品を論じない。

では、ボイスの作品についてはどうか。先述したように、惹かれる原因はその身体性である。それについては、一一年前の論考「ヨーゼフ・ボイスのトラウマ的身体性――極私的ボイス論序説」で書いているが、よくあることだが、序説といいながら、その後、展開していなかった。

それは、二〇〇九年一〇月から翌年一月に開催された、水戸芸術館の「Beuys in Japan：ボイスがいた一〇日間」を取材したものだ。ボイスが一九八四年に来日した日々に焦点を当てた展覧会で、筆者はそれに際して、ボイスの作品の身体性は、戦争体験を含めたトラウマ、精神的な傷などによって生まれたフェティッシュ、モノ、オブジェに対する独特の感覚によると考察した。それでは、今回の展示ではさらになにを見いだしたのか。

ユーラシアとボイス

それは「ユーラシア」である。欧州からアジアを含めた大陸を、ユーラシア大陸と呼ぶのは、よく知られている「ユーラシア（Eurasia）」は、文字通り、「ヨーロッパ（Euro）」＋「アジア（Asia）」であることからわかるように、欧州とアジアを一体としてみる視点だ。ボイスのユーラシアについては、一九九一年にワタリウムで、「ヨーゼフ・ボイス展―国境を超えユーラシアへ」が開催され、もちろんそれを見て、書籍も手にしているにも関わらず、ほとんど関心を抱かなかった。それは、ボイスの神話・伝説やシャーマン的要素のほうに惑わされていたからかもしれない。

アクションを行っていたためもあるが、ポスターや写真などで、ボイスの姿は多くの人が知っている。ダリやピカソ、ウォーホル以外に、これほど顔や姿が知られている美術家はいないのではないか。

いつも同じ薄いグリーンのフィッシングベストに白シャツ、ジーンズ、フェルトのソフト帽を被っており、そういえば、その姿でニッカのCFにも出ていた。上に毛皮などのコートを着た姿もあるが、基本は同じ。独特のファッションがトレードマークだった。そして眼が落ちくぼんだ憂いを含む表情を含めて、味わいがある顔といっていい。ウォーホルが銀髪でTDKのCFに出ていたように、二人とも自ら広告塔としての身体を晒してきた。そして、どちらも神話をまとっている。

ボイスが第二次大戦時、ヒトラーユーゲントに属し、ナチスの航空隊で出撃、墜落してタタール人に助けられたという、有名なエピソードは、ボイスの生み出した神話であることがわかっている。墜落して助かったのは事実だが、タタール人に助けられたわけではない。となると、フェルト、脂肪の話も信憑性が弱まってくる。

ボイスは、ルドルフ・シュタイナーの思想に大きく影響されているが、彼の思想は、神秘主義に基づく部分も大だ。ボイスは、社会活動家、アクティビストとして、環境保護や大学教育改革を訴え、実行したという現実的側面がある。だが同時に、シャーマン的、儀式的パフォーマンスを行ったこと、そして、自らの伝記的事実を神話化したことは、シュタイナーとの関係からも理解されるだろう。

ボイスのユーラシア思想も、東西をつなぐという社会変革に、ユーラシア大陸の自然や宗教、習俗や儀式への憧れ、つまり、欧州の合理主義に対する神秘主義への志向が重なっている。それは、子どものころにジンギス・ハーンに憧れたことも一因だろう。そして、戦後、東西ドイツに分かれて、西ドイツに暮らすボイスにとって、東ドイツとの統一は、両国民の多くと同様に、悲願だったに違いない。

ボイスとパイク

ボイスにとって、ユーラシア思想の実現にぴったりだったのが、ナムジュン・パイク（一九三二〜二〇〇六）である。フルクサスを通じてパイクと知り合ったボイスは、パフォーマンスなどをたびたびパイクと行っている。

フルクサスはリトアニア出身のジョージ・マチューナスを中心に始まり、多くの移民アーティストが参加していたが、パイクはアジア人として、ボイスのユーラシア構想にはぴったりだった。というのは、パイクは韓国生まれだが、香港を経て、一八歳から日本に暮らして東京大学で美学・美術史学を専攻し、その後、ドイツで音楽を学び、後に米国で日本人、久保田成子と結婚したからだ。

そして、二人ともピアノを弾き、ボイスはチェロも習ったが、パイクはチェリスト

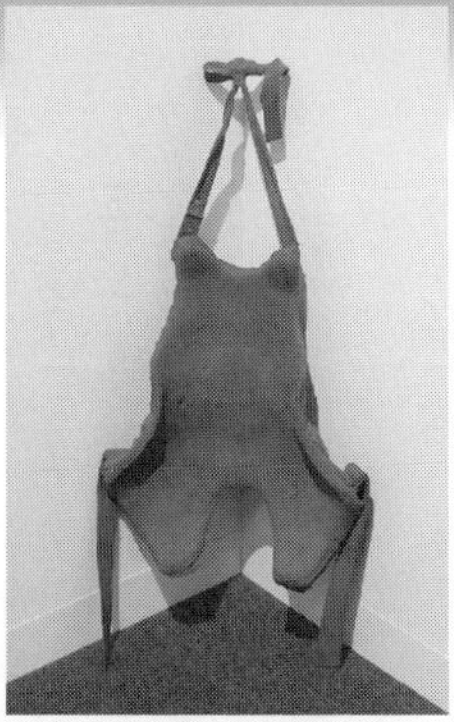

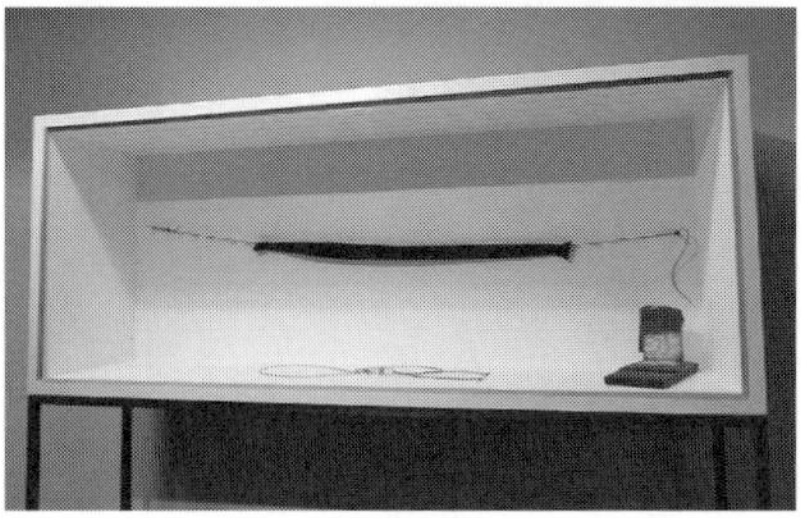

のシャーロット・モーマンとともに、有名な《人間チェロ》（一九六五）など、さまざまなチェロのパフォーマンスを行っている。

ボイスは子ども時代、チンギス・ハーンから遊牧民に憧れたが、パイクは、韓国、台湾、東京、ドイツ、米国と移住する自らを遊牧民と称する。

　そして、一九八六年、パイクは米日韓の衛星生中継番組《バイ・バイ・キップリング》を行ったが、これは、英国の詩人、『ジャングルブック』のキップリングが、「東は東、西は西、二つは決して一緒にならない」といったことに（「東と西のバラード」）、「バイバイ」しようというものだ。ボイスが亡くなった年の番組だが、八四年の衛星中継番組《グッドモーニング、

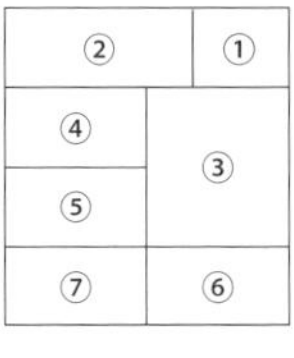

★①ヨーゼフ・ボイス《20世紀製 華奢な人のための背中用コルセット（うさぎタイプ）》1972、クンストパラスト美術館、デュッセルドルフ
②右からヨーゼフ・ボイス《フェルトスーツ》1970、フォーエバー現代美術館。《レオナルド・ダ・ヴィンチ『マドリード手稿』のためのドローイング》1975、国立国際美術館。《人物とフェルト彫刻》1964、モイラント城美術館、ファン・デア・グリンテンコレクション。《ブライトエレメント》1985、豊田市美術館
③ヨーゼフ・ボイス《ユーラシアの杖》1968/69、クンストパラスト美術館、デュッセルドルフ
④ヨーゼフ・ボイス《ユーラシアの杖：82分のフルクソルム・オルガヌム》1968.2.9
⑤ヨーゼフ・ボイス《シベリア横断鉄道》1970
⑥ヨーゼフ・ボイス《ヴィトリーヌ：チンギス・ハーンの玉座》1965-83、豊田市美術館
⑦ヨーゼフ・ボイス《小さな発電所》1984、国立国際美術館
※いずれも「ボイス＋パレルモ」展より

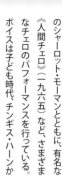

ミスター・オーウェル》の後継であり、パイクの東と西をつなぐというコンセプトは、ボイスも共有していただろう。

一九九三年にパイクは、ボイス追悼として《ユーラシアの道》というインスタレーションを制作した。それは、日用品と三台のビデオでユーラシア大陸の「北の道」を示すものだった。

ボイスとパイクが一緒に行ったパフォーマンスは、まず、二人が出会った翌年、一九六三年の《ピアノ・アクション》で、パイクのプリペアド・ピアノを、ボイスが予告なしに斧で壊している。また、ボイスが制作した《チェロのための等質湿潤（いわゆるフェルトチェロ）》を、一九七六年、パイクはビデオ作品《ガダルカナル鎮魂曲》に使った。そして、一九七八年のジョージ・マチューナス追悼コンサートでは、二人で《ピアノ・デュエット》を行った。さらに、来日した一九八四年には、東京・草月ホールの《コヨーテIII》で、パイクがピアノを弾き、ボイスがヴォイスパフォーマンスを行ったのだった。

ユーラシアの杖

今回の展覧会でも、ボイス作品の目玉とされるのが、《ユーラシアの杖》（一九六八～六九）と同名の映像作品（一九六八）である。

ボイスが、ユーラシアと名のつく作品を最初に発表したのは、一九六三年、ベルリンのフローベンシュトラーゼ・ギャラリーでの、フルクサスのメンバーとしての最初のアクション《ユーラシア――シベリア交響曲 第三二回フルクサスムーブメント》だ。さらに六六年、ギャラリー・レネ・ブロックで《ユーラシア――シベリア交響曲の第三二回ムーブメント》を行っている。そのときに、ボイスは黒板に十字架を描き、半分消して、そこに「ユーラシア」という文字を書いた。

今回展示された《ユーラシアの杖》は、一九六七年七月にオーストリア・ウィーンの画廊で、次に六八年二月にベルギー・アントワープのワイド・ホワイト・スペースで行われたアクションで、展示されたのは二回目の映像とそのときに使われた「杖」である。ボイスは、部屋の隅に脂肪を三角形に塗り固める。そうして、片足の靴底にフェルトをつける。その際に足をしばらく上げていて、それからゆっくり足踏みするのが印象的だ。さらに、脚立を使い、四本の柱を天井まで立てる。その柱は、フェルトで包まれた木で、それと銅の棒が使われる。そのアクションの際に、フルクサスのメンバー、ヘニング・クリスティアンセンがオルガンを弾く音楽が流れている。

ポーランドとシベリア

さらに、部屋の中を静かに写した映像作品《シベリア横断鉄道》（一九七〇）もその流れに連なるものだ。置かれた板や柱が列車や駅を示すらしいが、そうは見えない。時折、ボイスの姿が映し出される。このときボイスは、オランダに近い西ドイツの生地から、東ドイツを経て、もっと先のユーラシア大陸を渡る列車の旅をイメージしていたのだろう。

だから、一九八一年に、ボイスは《ポーレントランスポート一九八一》というプロジェクトとして、自ら数百点の作品をトラックに積み込み、家族とともに、自らハンドルを握って、ポーランドに向かうのだ。東西ドイツ国境を越え、ポーランド国境を越えて九〇〇キロ。ポーランド中部の街ウッジに着き、ウッジ現代美術館に作品を寄贈する。

このタイトルは、ポーランド人の強制収容所送りが連想される言葉だという。元ナチスドイツの軍人だったボイスがこのようにして、敢えて自らポーランドに向かうというのは、大変なことだ。そして、そのコレクションは、その後、ワルシャワ、クラクフを巡回し、ボイス死後の一九八九年に、ブタペストでハンガリー初のボイス展を成功させた。

前年に発表された《経済の価値》では、統一前の東ドイツの商品を棚に並べた。また、六五年～八三年のガラスケースの展示作品《ヴィトリーヌ：チンギス・ハーンの玉座》には、ポーランドの先の大陸、モンゴル遊牧民への憧れが表現されている。ちなみにモンゴル軍は、十三世紀にポーランドにも侵攻している。

虚構と幻想を超えて

この遊牧民への執拗なこだわりからすれば、墜落時にタタール人に救われたというのは、単なる嘘ではなく、願望を含めたボイス流の芸術的虚構なのだといってもいいかもしれない。

それがわかるのは、一九六四年のフルクサスのイベントで配布されたパンフレットのボイスの「経歴・作品歴」である。生まれた一九二一年にすでに「絆創膏で塞がれた傷口展」、一九二九年で九歳のときには、「チンギス・ハーンの墓前での展覧会」を開催したことになっているなど、メチャクチャであり、ユーモアに富んでいる。さらにその一九六四年には「ボイス、ベルリンの壁をあと五センチ高くするように推奨（よりよいプロポーションを実現するために！）」とある。このように、子どものころはモンゴルに憧れ、戦後、東西ドイツが分断されると、東西の統一と、より東に向かうことを希求していたことがわかる。それが、ユーラシア思想につながっているのだ。

　では、これは現在、どういう意味があるのか。

新たな視線

　二〇二一年はボイス生誕一〇〇年で、東京・青山のドイツ文化センターを中心に、「beuys on/off（ボイス・オン／オフ）」プロジェクトが行われた。その一環で、九月三日から五日、開催されたのが「フェルト、脂肪、そしてフィクション」展である。

　これは情報学者のドミニク・チェンとトルクメニスタンのセルビ・ジュマイェヴァのキュレーションで、中央アジア（ユーラシア）の現代美術による展示である。

　アーティストは三人。キルギス共和国ビシュケクのアルティナイ・オスモエヴァ（一九八八〜）は、熱した鉛をフェルトに注ぎ、そこに伝統的なイメージを重ねた。同じビシュケク出身でモスクワに住むチンギス・アイダロフ（一九八四〜）は、実験的映像作品を展示した。バシコルトスタン共和国ウファ出身のジリア・カンチュリーナ（一九九二〜）は、フェルトでモスクワ駅のホームレスに遊牧民を重ねた作品を生み出した。

　ジュマイェヴァは、中央ユーラシア人として、ボイスのユーラシア思想を批判的に検証する。例えば、それは欧州人の東洋幻想ではないか。また、ボイス以降数十年で何が変わったかなど。そして、ユーラシア人にとって一般的なフェルトや脂肪をハイアート化したが、それはどういう意味があるのかと問う。そのなかで、ボイスのマルティプル作品《フェルトスーツ》の一つがロンドン・テートギャラリーで、虫に喰われている現状を指摘する。このように、ボイスが虚構と幻想で希求したユーラシアは、実際に現地のアーティストなどによって、検証される時代になった。

　ボイスは以前から、そのシャーマン性や虚構性が批判の対象となった。それでも、ドイツの現代美術、さらに世界の現代美術に与えた影響は非常に大きい。そして、筆者にとっても、その魅力を失うものではない。今後、より深いボイス研究がなされていくことを、中央ユーラシアのアーティストたちの展示と発言は示しているといえるだろう。

▽「ボイス＋パレルモ」展／21年7月10日〜9月5日、埼玉県立近代美術館

▽「beuys on/off（ボイス・オン／オフ）」プロジェクト「フェルト、脂肪、そしてフィクション」展、21年9月3日〜5日、ドイツ文化センター

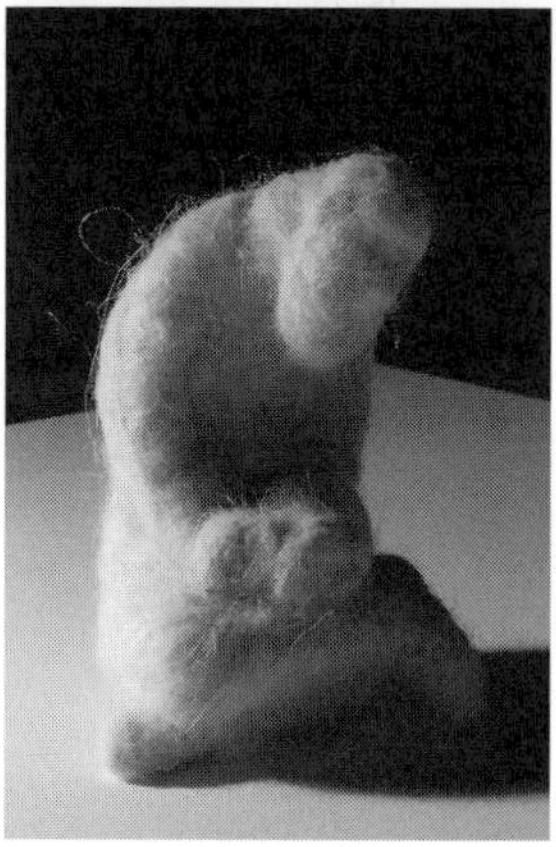

★（上から順に）
アルティナイ・オスモエヴァ《Sealing Felt Self》2021
チンギス・アイダロフ《ビストロフカ—ナベグ》2015-2017
ジリア・カンチュリーナ《ノマディック・ボディー》2021
※いずれも「フェルト、脂肪、そしてフィクション」展より

表紙＝たま《Endangered flower》 All pages designed by ST

CONTENTS

少年少女のシークレットガーデン
――「恐るべき子供たち」などに見る少年少女たちの死と再生

◎文＝浦野玲子（ライター）

少年少女（主義）は死の匂い

フィルム・ノワールの名匠、ジャン・ピエール・メルヴィル監督の映画に『恐るべき子供たち』（1950年）がある。原作はジャン・コクトー。思春期から青年期にさしかかる姉と弟、その友人たちをめぐり、近親相姦や近親憎悪、同性愛など、危険な香りが漂う物語だ。

ピュアやイノセントの反面、なにごとも曖昧にできない。感情を爆発させ、相手も自身も追い詰めてゆく少年少女ならではの残酷さ。この妖しく美しく、激しい少年少女たちの物語を映像にするのは、さぞかし大変だっただろう。

本作が日本で劇場公開されたのは1976年とのこと。そのころ、J・P・メルヴィルブームでもあったのか。『恐るべき子供たち』と、反戦・レジスタンス文学の『海の沈黙』（原作ヴェルコール、当時の文学青少年の書だったと思う）を同時期に観た記憶がある。両作品とも、主役の少女をニコール・ステファーヌという女優が演じている。

『恐るべき子供たち』を観た当時は、筆者も若かったせいか、主役たちは〝子供〟というには薹が立ちすぎ、いささか違和感を覚えた。ニコール・ステファーヌは『海の沈黙』では寡黙で意志強固なヒロインを演じていた。その印象が強かった。

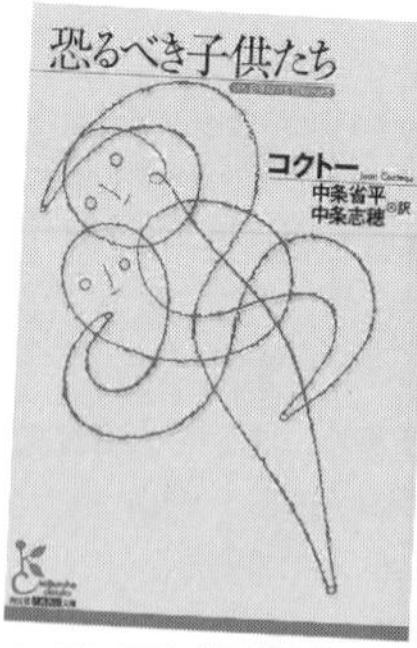

★コクトー「恐るべき子供たち」（光文社古典新訳文庫）

★「恐るべき子供たち」4Kレストア版ポスター

だが、一般的に外国人は日本人より老けて見える。原作でも弟は「15歳なのに19歳に見える」云々とある。それに、幼児に近いロリコン顔、目が異様に大きく顎の細いアニメ顔全盛の現代とは少年少女の概念も大きく異なるのかもしれない。

ただ、姉の「ギリシア彫刻のような端正な鼻梁にするため」と眉間を洗濯バサミで挟んだり、バレリーナよろしく脚を頭上まで振り上げたりするといった仕草は、稚気があり、小生意気な少女らしく見えた。

互いを愛しながら傷つけあう姉エリザベートと弟ポール。エリザベートを恋い慕う姉弟の幼馴染ジェラール。姉弟はベッドの上で寝食し、ビー玉やねじくぎの類など、子どもにしか価値がわからないガラクタを宝物として保管するタンスを除き、散らかり放題。永遠の「子ども部屋」という密室的シチュエーションを作り出している。そこで子ども特有の夢想、自分だけの空想世界に入り込む（これは、一時ジャンキーだったコクトーの幻覚に通じるのかもしれない）。そして、姉弟だけが共有する濃密な時空を死守するため、死亡遊戯とでもいうべき悪魔的な行為を繰り広げていくのだ。

ポールは中学時代に同級のダルジュロスという少年に心を奪われていた。彼は、ガキ大将であり、いわば悪のヒーローだ。やがて、ポールはダルジュロスにうり二つの女性アガートに出合い惹かれていく。映画では、ダルジュロスとアガートを同じ女優が演じている。

★「恐るべき子供たち4Kレストア版」全国公開中
フランス初公開70周年記念として、日本語字幕も一新した4Kレストア版が2021年10月より全国公開中。
上映館等は公式サイト https://www.reallylikefilms.com/osorubeki を参照

だが、エリザベートの奸計によってアガートはジェラールと結婚する。それを知ったポールの絶望。彼は、ポールを雪合戦で負傷させ、中学を退学させられた後、世界各地を渡り歩く謎の売人（アルチュール・ランボーやラディゲを彷彿とさせる）となったダルジュロスから贈られた毒物をあおる。雪玉の白と、毒物の黒い丸薬。いずれも、ポールにとっては致死性のものだった。

その有様を目の当たりにしたエリザベートは発作的にピストル自殺をした。ポールのいない世界は、彼女にとって生きるに値しない。原作ではこんなふうに表現される。

「あと数秒の勇気で、彼らは肉体が溶解し、魂が結びつき、近親相姦の存在しない場所に到達するだろう」（鈴木力衛訳『恐るべき子供たち』岩波文庫）

本作は、少年少女主義の典型のような作品といっていいのではないか。あるいは、エリザベートとポールという一心同体のような姉弟に仮託した自己愛、ナルシズムの極致を描いた作品というべきか。

そして、現実生活とは相いれず、残酷なまでにピュアな少年少女主義を貫徹しようとすれば、そこには破滅と死が待ち受けているということだろうか？

何が少女に起こったか？

ベティ・デイビスと、ジョーン・クロフォードという往年のハリウッドスターが競演した『何がジェーンに起こったか？』という映画がある（ロバート・アルドリッチ監督、1962年）。

あらすじは、かつて名子役として人気をほしいままにした妹と、長じてハリウッドの大スターとなった姉との鬼気迫る愛憎劇。

幼い時からヴォードヴィルの舞台に立ち、その愛くるしさから「ベビー・ジェーン」として名を馳せ、人形まで売り出された名子役のジェーン（ベティ・デイビス）。その陰に隠れ、鬱屈した思いを抱えて育った姉のブランチ（ジョーン・クロフォード）。だが、ジェーンが子役としての人気を失いかけたころ、美しく成長した姉のブランチが映画スターとして成功し、姉妹の立場が逆転する。

姉のブランチは落ち目になった妹をプログラムピクチャーの主役に売り込むなど、支援を惜しまない。だが、ジェーンは姉に感謝するどころか、酒に溺れ、自堕落な生活を送っている。

★「何がジェーンに起ったか？」

ところが、ある日、事態は一転。車の事故でブランチは下半身不随となり、映画界から引退を余儀なくされる。人々は、姉の人気を嫉んだジェーンが姉を轢き殺そうとしたのだ…と憶測したが、真相はうやむやになった。

それから幾星霜、世間から忘れ去られた姉妹だが、よほど財産があったのか古い豪邸に住み続けている。ジェーンは酒浸りの醜悪な老女となり、車椅子生活のブランチの世話をしている。

ジェーンは子役だった昔の夢を捨てきれず、しだいに異常な行動をとるようになる。姉の世話とは名ばかり。食事にネズミや小鳥の死骸を出したり、ベッドに縛りつけたり、殴る蹴るとやりたい放題。さらに、姉の預金を勝手に引き出し、売れないピアニストを雇ってヴォイストレーニングをしたり、幼女のようなしぐさで踊ったりと、カムバックをもくろんでいる。

ベビー・ジェーン時代を彷彿とさせるような、フリフリ、ひらひらのドレスを身につけ、甘ったるい声で歌う白塗り厚化粧のジェーン。その姿はグロテスクそのもの。これが少女の成れの果てか！

ベティ・デイビスは、その大きな瞳が特徴。1980年代に『ベティ・デイビスの瞳』という洋楽がはやったほどだ。たいして美人でもないが（沢村貞子さんに似ている）、若かりし頃は、その大きな瞳だけで美人女優のような印象があった。顔の中で大きな比重を占める瞳が、ピュアな幼児性や少女性のシンボルなのかもしれない。

彼女が主演した『黒蘭の女』（ウイリアム・ワイラー監督）という映画でも、情熱的なキラキラ瞳が印象的だ。本作は現代のコロナ禍にも通じる黄熱病を扱っている。また、後の『風と共に去りぬ』のスカーレット・オハラのような強い女性像をも彷彿とさせるものだった。

『何がジェーンに起こったか?』に戻ろう。異常な行動がエスカレートするジェーン。やがて、ブランチ監禁を目撃した家政婦をハンマーで撲殺。さらに、一連の事件の発覚を恐れ、衰弱したブランチを車に押し込んで家を出る。

翌朝、二人はどこかの砂浜にいる。ジェーンは失われた子ども時代を取り返すかのように無邪気に砂遊びをし、アイスクリームを欲しがったりする。

その有様を見た瀕死のブランチの告白。車の事故はジェーンを轢き殺そうとしたのが真実。操作を誤って自分が轢かれてしまった。いわば自業自得の事故なのだ、と。

いまとなっては、カルト映画としかいいようのない作品だが、子どもの世界から抜け出せない人間の空想世界、妄想世界は、『恐るべき子供たち』と同様、死をもってしか完結できないのではないかと思ってしまう。

本作で初共演したベティ・デイビスとジョーン・クロフォード。プライベートでは犬猿の仲として有名だった。毒舌家のベティ・デイビスは「ジョーン・クロフォードが使った後の便座にはぜったい座りたくないわ」と放言したエピソードも知られる。

そのせいかどうか、映画の中の二人の演技が超リアル。二人とも名女優だったことの証かもしれないが、ベティ・デイビス演じるジェーンの狂気、凶暴さ、そしてあどけなさ。また、彼女に猿轡をかまされたり、暴力をふるわれたりする際のブランチの恐怖の表情は真に迫っている。

少年少女のジェンダーレス宇宙

俗世間の慣習やしきたりに順応や適応ができず、いわゆる「大人」になれない人たちを「少年・少女主義」と持ち上げるのにはいささか抵抗がある。だが、一部、特権階級的に少年・少女の心性を持ったまま、ある種の社会的地位を獲得し、一部の人間にはリスペクトの対象にさえなってしまった人々がいる。

現代はLGBTQへの理解が進み（本質的には進んでいるとはいえないかもしれないが）、ひと昔前の感覚では、少年主義者といえば『少年愛の美学』の稲垣足穂。少女主義者といえば『贅沢貧乏』の森茉莉や、『第七官界彷徨』、『アップルパイの午後』の尾崎翠などが思い浮かぶ。彼らは、彼ら自身が老いてから真価というか、作品の得も言われぬ魅力を見出された人たちといえるのではないだろうか。

彼らの作品は、端的に言えば「浮世離れ」した世界観を持っている。男女の確執や犯罪や貧富の格差や社会の矛盾などを描く一般的な文学とは異なり、社会一般のしがらみが感じられない、いわば帰属性を持たない表現といえるのではないか。

稲垣足穂は、月や星やチョコレットなどへの偏愛を語る『一千一秒物語』がデビュー作だし、尾崎翠に至っては人糞肥料によって成就する〝薊の恋愛〟とか、人間以外の精神生活（?）まで描いている。

彼らの作品が再評価されるのは、日本が高

★稲垣足穂『少年愛の美学　A感覚とV感覚』（河出文庫）

★森茉莉『恋人たちの森』（新潮文庫）

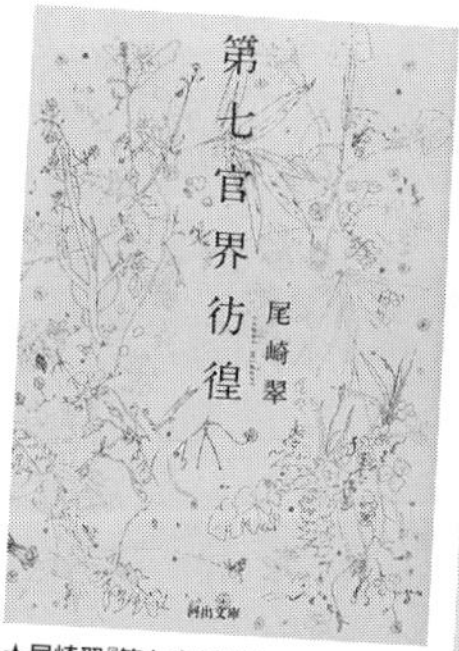

★尾崎翠『第七官界彷徨』（河出文庫）

度経済成長期を迎えた1970年前後。人々が食うに困らなくなり、お涙頂戴や甘ったるいメロドラマや人間の業を描くような表現にも飽きたころだった。つましい竹の子生活から脱し、贅沢や蕩尽という感覚が庶民にもようやく行き渡ったころだった。

ダボハゼのようなブサイクな風貌にかかわらず、「自分は精神的美少年」といって憚らなかった稲垣足穂。「蔵書は広辞苑一冊、冬でも火の気のない部屋で素っ裸にカーテンをまきつけて暮らしていた」などの極貧伝説が有名だ。だが、それに反比例するかのような、きらびやかな抽象世界、豪奢ともいえる宇宙観を提示し続けた。そんなことが、一億総中流の幻想に浸っていた一部の日本人の心を揺さぶったのではないか。

森茉莉もしかり。明治の文豪、森鴎外の愛娘でありながら、1950年代後半に発表した『父の帽子』が評判を呼び、三島由紀夫や澁澤龍彦らに評価されるまで極貧の生活を送った。『贅沢貧乏』などを読むと、カボチャが馬車に変わる魔法のような見立て力は素晴らしいが、最晩年まで決して裕福とは言えない暮らしぶりだったようだ。
たしか、眠狂四郎シリーズなどで有名な流行作家の柴田錬三郎が、たまたま見かけた森茉莉を「爪に垢のたまった浮浪者のような老婆が、森鷗外の娘だったと知って驚愕した」云々と語った。以来、森茉莉の恨みをかったのは有名だ。このエピソードを知り、思わず『何がジェーンに起こったか？』の老女ジェーンの姿を思い浮かべてしまった。

だが、森茉莉が湯たんぽで暖をとりながら万年床（ベッド）の上で紡ぎだした『恋人たちの森』や『枯葉の寝床』、『甘い蜜の部屋』などの作品は、田舎の垢ぬけない女子高生だった筆者にもおフランス映画を見るような甘美なイメージを抱かせた。

彼女の小説は1970年代の一部の女子にカルト的人気を誇っていた。筆者も『恋人たちの森』や『枯葉の寝床』の初版本を秘蔵していた。これらの作品は、たぶん、萩尾望都や竹宮恵子などの耽美的BL（ボーイズラブ）系作品にも影響を与えたのではなかろうか。

話は変わるが、1970年代初頭は、万博や三島由紀夫の割腹事件、あさま山荘事件、さらにオイルショックもあったが、田舎の書店にも「薔薇族」や「さぶ」などのゲイ専門誌が並ぶようになったと記憶する。それで救われた男子たちもいたかもしれない。

わたしは、内藤ルネが描く表紙（初期は内藤のパートナーが描いていた〝ルネもどき〟だったようだが）のイラストが気に入って、なんの気なしに手に取ったのだと思う。

★『内藤ルネ：少女たちのカリスマ・アーティスト』（河出書房新社）

内藤ルネといえば、1960年代から70年代にかけて少女雑誌の表紙や付録でひっぱりだこ。ルネ描くシールやカードの類は、昨今のポケモンカードに負けず劣らず、往時の少女たちのマストアイテムだった。マグカップや陶器の人形といったインテリア小物など、いわゆるファンシーグッズも内藤ルネのイラスト付きのものがダントツ人気だったと思う。

その彼が、「薔薇族」の表紙を手掛けていたのだ。そしてゲイだったという。中高生時代のわたしなど、内藤ルネは女性だと思い込んでいたというのに。

近年、内藤ルネの仕事が再評価され、展覧会も開催されるようになった。2002年から何回か内藤ルネ展を開催した弥生美術館学芸員の中村圭子氏の解説に、こんなくだりがあった。

「不思議なことに男の人と会ったという気がしなくて、ルネさんという人は十二、三歳くらいの女の子だったような気がする」と、中村に同行した弥生美術館の職員がつぶやいていたという（『内藤ルネ　少女たちのカリスマ・アーティスト』河出書房新社より）。

内藤ルネの作風は、「カワイイ」の先駆けだろう。日本の「カワイイ」は、キュートやプリティ、ファンシーはもちろん、ときには幼児性や脆弱さやグロテスクなものにまで向けられる。犬や猫などのペットはもちろん、老人たちのおぼつかない言動さえも「カワイイ」とみなされたりする。極論すれば性差や年齢差を無効化するほどのパワーを持つマジックワードではないか。「カワイイ！」に比べれば、昨今の「エモい」という表現はどこか薄っぺらい感じがする。

さて、最後にわたしが個人的に「少年少女主義」の見本のようだと思う映画を紹介しよう。『ハロルドとモード　少年は虹を渡る』（ハル・アシュビー監督）という1971年の作品だ。

これは、19歳の少年と79歳の老女の恋の物語。これが反対の立場＝19歳の少女と79歳のジジイの話だと世間にはありがちで、「紀州のドンファン事件」のようなゲスい話になってしまうところだろう。

映画は、大富豪の一人息子ハロルドの自殺ごっこから始まる。彼には自殺願望があり、つねに首吊りや溺死などの真似事をしている。そのうち、彼の自殺ごっこは母親をはじめ誰も真に受けなくなる。

そんなハロルドの新しい趣味は誕生日に贈られた高級車を霊柩車風に改造し、どこの誰とも知らない人の葬儀に参列すること。

ある日、ハロルドは同様の趣味を持つ老女、モードと出会い、言葉を交わすようになる。同じ匂い

永遠を夢見る少年少女の魂は、時代や性差、生死を超える

★「ハロルドとモード 少年は虹を渡る」

がしたのだろう。これが彼らにとって運命的な出逢いだった。

余談だが、モードを演じたルース・ゴードン。彼女は『ローズマリーの赤ちゃん』(ロマン・ポランスキー監督)で、悪魔の手先となる不気味な老女を演じ、アカデミー助演女優賞を受賞している。

モードは、ヨーロッパからアメリカにわたってきたらしい。手首には数字のタトゥーがあり、ナチスの強制収容所の生き残りのようだ。だが、そんなことを感じさせず、モードのやることなすことアナーキーで破天荒。尾崎豊ばりに「盗んだバイク」を乗り回したり、ヌードモデルをしたり、当時流行のヒッピーも顔負け。無邪気で怖いもの知らずの少女のようである。

モードはハロルドに、瞳を輝かせながら、若かりし頃のヨーロッパでの思い出を語って聞かせる。それはナチスが台頭する前の華やかなワイマール文化や、ナチスへのレジスタンス運動のことだったかもしれない。

こんなモードに心を揺さぶられたハロルド。いつしか恋心を抱くようになり、結婚を決意する。それを家族に報告すると、精神分析セラピーを受けさせられる。だが、彼の決意は固く、最後は精神分析医も匙を投げる。「母親とセックスしたいというのは分かるが、祖母とセックスしたいというのは聞いたことがない!」

やがて、ハロルドとモードは心身ともに結ばれる。それは「ロミオとジュリエット」のようにピュアで清らかだ。だが、その直後、モードは服毒自殺をはかる。もう、この世でやりたいことはやりつくした。自分は満足して死ぬのだ、と。ハロルドは後を追おうと、車ごと断崖から落下しようとするが……。

この映画を観て、わたしもずいぶん勇気づけられた。生きることは素晴らしい。老いることもそんなに怖いことではない。願わくば、稲垣足穂や森茉莉のように「精神の美少年・美少女」であり続けたい。他人からはどう見えようと。

ハロルドとモードの恋愛は、新海誠監督の『君の名は。』や『天気の子』をはじめ、近年はやりの「タイムスリップもの」にも通じるのではないか。それらは、大林宣彦監督の『転校生』(山中恒原作)や『時をかける少女』(筒井康隆原作)に遡ることができるだろう。

少年・少女のジェンダーが入れ替わったり、過去と現在を往来して、心を通わせ合ったりする。時代や性差を超え、生と死が交錯する。それは永遠を夢見る少年少女の魂の交歓、交感であり、死と再生の物語なのかもしれない。

◉文＝馬場紀衣（文筆家）

少女主義者たちの文学

――森茉莉、アナイス・ニン、シルヴィア・プラス

少女とは精神の貴族である

公園でたいそう美しい紫陽花を見つけた少女は、花壇からそのひと茎を摘みとりました。と、それが御守りの目につき、罰としてマロニエの大木の日傘の陰に座っているよういわれます。少女は、きらびやかな天蓋のもとで身の周りを眺めるのに飽きてくると、この青くて美しい塊を大きく開いた唇に近づけて食べようとします。「この花はお砂糖でできているのかもしれない」そう、思ったから――アナトール・フランスの『マリ』と題された3ページ足らずのこの短い物語は、1886年にパリの

LA JEUNE PÉNITENTE, IMMOBILE SOUS SON DAIS ÉCLATANT, REGARDE AUTOUR D'ELLE ET VOIT LE CIEL ET LA TERRE. C'EST GRAND LE CIEL ET LA TERRE ET CELA PEUT AMUSER QUELQUE TEMPS UNE PETITE FILLE. MAIS SA FLEUR D'HORTENSIA L'OCCUPE PLUS QUE TOUT LE RESTE.
BM

少年少女
アナトール・フランス作
三好達治訳
赤543-1
岩波文庫

NOS ENFANTS
PAR
ANATOLE FRANCE
Illustrations de M.B. de Monvel
HACHETTE

★アナトール・フランス『Nos enfants』（アシェット）
左の図版は同書より、ルイ＝モーリス・ブーテ＝ド＝モンヴェルによる「マリ」の挿絵。

右上は「マリ」を収録したアナトール・フランス『少年少女』（岩波文庫）

アシェットという本屋から出された『我々の子供たち（Nos Enfants）』の一編で、一読、わたしに妙な懐かしさと歓びを与えてくれた。

矢川澄子がある少女論でおもしろいことをいっている。少女が少女そのものとして作品に結晶するためには、「少女自身がよほどの早熟な文才に恵まれている」もしくは「少女期の体験の方が成人後の感銘をはるかに凌駕している」必要がある、と。ついでにいえば、少女論のなかには「精神の貴族」という表現が登場する。この言葉はマリのような少女にこそふさわしいと思う。人妻でも母親でもなく、悪女でも恋人にもなりえない、小さなレディ。マリは、社会的にも性的にも無垢で、非妥協的で、むきだしの女性そのものみたいな魂の持ち主だ。

わたしにはこの女の子の着ているお洋服も、柔らかそうな巻き毛も（あるいはリボンで束ねているのかも）年齢すら知りえない。けれど、それはまあどうでもいいことだ。すくなくとも、鼻の先に近づけた花に「息を吸いこんでみる代わりに」息を吹きかけてみたり、手に持った花を唇に近づけて「できるだけ大きく口を開き」食べてしまおうとするさまは、無邪気で純真な遊び心という感じで、〈幼女〉のそれというよりはむしろ〈少女〉という雰囲気がある。わたしはここに、生身でない、イメージとしての少女を読みとるのである。

少女時代は蜜の味

こうした少女の魂を考えるとき、わたしが決まって思い出すのが、アナトール・フランスの短編と同じ名をもつ、もう一人のマリ、茉莉のことである。文豪・森鷗外に溺愛されて育った森茉莉は、薔薇と菫の花びらを砂糖でからめた菓子が好きだった。彼女はたしか、桃の花も口にしていた。もしかするとそれは、もうひとりのマリとぴったり重なりあうような遊び心ではなかったか。

還暦を過ぎた森茉莉が、十年もの月日をかけて書き上げた長編小説に『甘い蜜の部屋』がある。作者いわく「父と娘の深い愛情を描いた、一種の恋愛小説であるとはいいながら、モイラというものすごく魅力のある若い女を描くことも主なテエマになっている」そうで、三島由紀夫に「官能的傑作」と唸らせた九百枚にもわたるこの大作の主人公モイラは、ほかの少女小説ではそうお目にかかれない曲者だ。

★森茉莉『甘い蜜の部屋』（ちくま文庫）

モイラは神にも似た絶大な権能をもつ父親の庇護のもとで、まるで肉食獣のように周囲の愛と讃嘆のまなざしを食い物にしながら育つ。モイラの歓びの源泉はただひとつ、父の汲めども枯れることのない、痺れるような愛情のみ。『甘い蜜の部屋』には、糖蜜のように甘やかされた森茉莉の幼少期の記憶があますことなく影をおとしている。

★森茉莉

とはいえ、まるきり同じというわけではない。モイラは天成の美少女という設定だし、悪魔めいた肉欲と色情の持ち主である。このおそるべき少女は思春期にさしかかると男たちの渇仰の対象になり、挙句の果て、自らの夫を自殺に追いこみさえする。このあたりは、小説ならではの演出だろう。

六歳の茉莉はといえば、肩まで垂らしたきれいな髪に銘仙の着物に紫の袴をはき、椅子に腰をかけてピアノを習っていた。広いお家に、外国から来た洋服と靴。鴎外の娘への溺愛ぶりがそうさせたのか、あるいは天成の気質のためか、この少女は装身具や宝石や花といった美しいものに貪婪だった。貪婪な心は愛情というきれいなものを欲しがった。イヴが失われたエデンの園を夢見たように、森茉莉は小説のなかで幼少時代を夢見る。そうして生まれたのが、潔癖なまでの少女性を忠実に模した魂のない少女モイラだったのかもしれない。

矢川澄子によれば、小説執筆の直前に親しくなった室生犀星が娘へと向ける眼差しに、森茉莉は父のそれと同質のものを感じたという。室生犀星晩年の傑作『蜜のあはれ』とおなじ「蜜」の字を共有する『甘い蜜の部屋』は、だからモイラというものすごく魅力のある若い女の成長を描くのと同時に、森茉莉の根源的な記憶にもとづくものなのだ。

少女主義者の不滅の世界

周囲の讃嘆の眼差しをむさぼってきたモイラのような美少女が現実にいる。奇しくも森茉莉とおなじ年に生を享けたアナイス・ニンだ。彼女を知る人は誰しも、そのなみすぐれた美しさを語らずには死ねない。しかし物語世界でなく現実に生きるニンは、悪夢のような美しさをもちながらも、長いあいだ自分の醜さに苦しんだ。はじめて人から容姿を褒められたときには「ばかみたい、ちゃんちゃらおかしい」と日記に打ち明けている。

ニンの容貌コンプレックスには、はっきりした理由があって、音楽家で審美家の父が幼い娘の病み上がりの顔を見てこぼした「なんてみっともないんだ」という台詞が原因らしい。父に見直してもらうため、父にふさわしい美しい存在になるため、この混血の美少女は己を磨きあげた。成熟した女性の美しさを全身に漂わせたニンの美貌は、どこか幽霊的で、見る者に悲哀感を引き起こす。

父が家族を捨てて家を去ると、ニンは日記を綴りはじめた。孤独な日々を支えてくれた日記はやがて少女の無二の友人として共に年を重ね、いつしか途方もない分量にふくれあがる。恋人のヘンリー・ミラーがルソーやアウグスティヌス、プルーストにも劣らぬとまで称賛したその日記には、十一歳のある日から晩年に至るまで、その時々の思いが記されている。

ニンはいくつになっても、日記を手放さなかったし、手放せなかった。『アナイス・ニンの日記』が今日まで文学作品として読み継がれてきた理由はここにある。矢川澄子の言葉をそのままかりるなら、日記には「少女の純情と、しだいに目ざめてゆく自信と、日記そのものへの沈溺」に満ちている。青ざめた少女のニンと、作家として、女として成熟したニンというきわめて精神性の高い、ふたりの存在がこの日記を文学たらしめているのだ。

★『アナイス・ニンの日記』（水声社）

永遠の少女《プエラ・エテルナ》

森茉莉やアナイス・ニンの少女性について考えるとき、得てして浮かび上がるのが

「父の娘」という概念だ。ここにわたしはドラマティックな自殺を遂げたアメリカの現代作家、シルヴィア・プラスも並べたい。彼女のたぐいまれなる詩的霊感もまた、父親との関係を通して得られたといってもいいだろう。

ユング派の女流分析家レナードは、大人になった女性たちの化粧顔の下の傷付いた自己や隠れた絶望感、孤独感の原因を娘と父親の関係と結びつけている。父親への複雑で神秘的な想いが女性たちをずっと父の娘——「永遠の少女《プエラ・エテルナ》」でいさせてしまうというわけだ。そうした少女性はたしかに、彼女たちの中にあるかもしれない（ことわっておくが、すべての少女は父の娘である）。少女主義者の少女性は、精神分析と共通するところがあって、わたしにはとても興味深い。ともあれ、セラピーの場でのことは精神分析医に任せておけばいい。

★シルヴィア・プラス『鏡の中の錯乱』(牧神社)

たしかに幼児体験は、芸術家の創り出す作品の傾向を決定するには十分な因子になりうるかもしれないが、それを世に送り出してやれる強靭な知性なくしては、それらは傷付いた者のつぶやきにしかならない。

「少女とは、自分の身が生殖・繁殖のために外に向ってひらかれていることを自覚していない女の謂なのだ。もしくは自覚したがらないといいかえてもよい」と書いているのは、前にも引用した矢川澄子である。わたしには、森茉莉やアナイス・ニン、シルヴィア・プラスのなかに棲む少女と、アナトール・フランスのマリが重なって見える。時代の塵に埋もれつつある少女主義者がお気に召さないようなら、おしゃまで無垢な、現代の小さな貴婦人たちを生みだした、江國香織や小川洋子のなかにも、少女主義的な匂いを感じるのだけど、どうだろうか。

少女主義者は、かつての甘美で幸福な時間を蘇らせてくれる。

普段は潜在意識下に沈んでいた過去が、ときに甘美で幸福な時間として蘇ることがある。芸術に触れたことのある人なら誰しも、遠い記憶に触れたような懐かしさと寂しさを味わったことがあるだろう。子ども時代とは誰にとっても魔法的である。少女主義者は、この地上の時間のなかで、かつて自分のものだったかもしれない、楽しんだかもしれない、ひとつの完璧な状態を日傘の陰から光のもとに照らし出してくれる。

人間の芸術活動のひそかな目的とは、失われた子どもの肉体を少しずつ発見していくことにあるというノーマン・ブラウンの言葉もついでに書き添えておこう。だからこそ、ある根源的な記憶にもとづいて創られた少女主義者の作品に、わたしは（かつて少女だった者はみな）ぞっこんなのである。

◎文＝梟木（ライター）

庵野秀明と宮崎駿
——少年の「成熟」をめぐって

はじめに

庵野秀明と宮崎駿。

　日本を代表する映画監督でありアニメーション作家である二人には、非常に多くの共通点がある。それぞれミリタリーや特撮の分野を専門とする、重度の「おたく」であること。宮崎駿の『風の谷のナウシカ』（一九八四年）の現場に庵野がアニメーターとして参加したことが縁となり、以来、二人の間に師弟のような関係を築いていること。そして評伝やインタビューなどを通してその「子どもっぽい」人柄が強調され、生活者としての破綻や職人気質に由来する幼児性が、半ば都市伝説的に語り伝えられてきたこと。とりわけ最後の点は重要で、彼らの作品が「庵野秀明」や「宮崎駿」という（どこかに少年の面影を残した）作り手の強烈な個性とともに受け入れられてきたことは間違いない。

　そのためだろうか。彼らの作品に登場する主人公たちは、しばしば自身の「成熟」に対し拒否的な態度を露わにしてきた。宮崎にとっての最初の監督作である『ルパン三世　カリオストロの城』（一九七九年）の有名なラストシーンにおいて、ルパンは作中のヒロインであるクラリスから愛の告白を受け、成熟した男女の関係性への変化を促されるが、彼は次元や五エ門とともに世界中を駆け回る少年のような生活を捨てることができず、彼女に思い留まるよう説得するとその場から逃げ去ってしまう。また「成熟」に拒否的な主人公といえば、やはり庵野秀明の代表作である『新世紀エヴァンゲリオン』シリーズの主人公「碇シンジ」を挙げないわけにはいかないだろう。

★「ルパン三世 カリオストロの城」

　誰かの役に立ちたい、そうすることで他の人から認められたいという純粋な（屈折した）思いから人型決戦兵器「エヴァンゲリオン」（通称「エヴァ」）への搭乗を決めた碇シンジは、しかし父親である「碇ゲンドウ」（幼少のシンジを捨てた張本人であり、シンジがパイロットとして所属することになる組織の長）への反抗心やコンプレックスに由来する精神の幼さから、人間関係の失敗を繰り返し、結果的に何度も人類終末のトリガーを引く役目を担ってしまう（『新世紀エヴァンゲリオン劇場版　Air／まごころを、君に』『ヱヴァンゲリオン新劇場版：破』『ヱヴァンゲリオン新劇場版：Q』）。庵野監督自身、幼い頃は家にいる父親が苦手でどう接していいかわからなかったと認めており、碇シンジというキャラクターにそんな彼と父親の関係性が重ねられていたことは、想像に難くない。

　宮崎駿のルパンに、庵野秀明の碇シンジ。

　彼らはなぜ「成熟」を拒むものであったにも関わらず、優れた時代のヒーロー（またはアンチヒーロー）であり続けることができたのか。それは「成熟」があくまで社会の側から（大人たちの勝手な都合で）要請されるものでしかなく、それを拒む「少年」には「少年」なりの正義や美しさがあることを、ひとびとが経験的に知っていたからだ。「成熟」が至上の価値とされる社会で「少年」的価値観に閉じこもることは、それ以外の方法での「生き残り」の道を模索していくための、立派な戦略でもあった。

庵野秀明の「転向」

だから二〇〇七年公開の『エヴァンゲリオン新劇場版：序』に始まる劇場版四部作の完結編『シン・エヴァンゲリオン劇場版:||』（二〇二一年）において、庵野秀明が劇中の碇シンジに対し曲がりなりにも「成熟」の道を示してみせたことは、筆者にとって大きな驚きだった。

『シン・エヴァンゲリオン劇場版:||』の公開から半年以上が経ち、大手サイトでの配信も始まっているのですでに視聴済みの方も多いかと思うが、あらためてそのストーリーの流れを確認しておきたい。

物語のクライマックス付近、シンジは人類を地球ごと無に帰そうとするゲンドウを追って、エヴァの機体に乗り込み「マイナス宇宙」へと入っていく。シンジはそこではじめて父親と腹を割って話す機会を与えられ、大人のように見えたゲンドウもまた幼い頃から対人関係に困難を感じてきたこと、そして妻である「碇ユイ」を事故で失ってからは深い孤独感に苛まれながら生きてきたことを知る。やがて自らその座を降りたゲンドウに代わって世界を改変する力を手に入れると、シンジは今ある世界をエヴァのいないものへと作り替え、自身もまた成長した大人の姿になって（母の似姿である「綾波レイ」でも、初恋の相手である「アスカ」でもない）新しい異性のパートナーとともに『エヴァンゲリオン』の世界を「卒業」していく。父親との和解、大人の身体への成長、そして異性のパートナーの獲得……。そんな絵に描いたような「平凡」で「まっとう」な成熟のプロセスが、上映時間の三分の二を過ぎたあたりから矢継ぎ早に描写されていく。

なぜ庵野は『シン・エヴァンゲリオン劇場版:||』において、あれほど回避したがっていた（ように見えた）碇シンジというキャラクターの「成熟」を描くことに決めたのか。それにはおおよそ、三つの理由が考えられる。

まずひとつは、庵野がどうしてもこの作品で『新世紀エヴァンゲリオン』の物語に決着をつけなければならない事情があったこと。ここで（いつものように）誰も救われず成長もしないまま中途半端に作品を投げ出せば、またいつか『エヴァンゲリオン』という作品に戻ってこなくてはいけなくなってしまう。それを避けるためには無理やりにでもシンジを大人へと成長させ、時間の止まった『エヴァ』の世界の外へと送り出す必要があった。

★「シン・エヴァンゲリオン劇場版:||」

ふたつめは、単純に仕事場やプライベートでのさまざまな経験を通して、庵野自身の内面もまた「社会化」されつつあったのではないか、ということ。TVアニメ版の『新世紀エヴァンゲリオン』の放送開始年である一九九五年から、すでに二十年以上の時が経過している。その間に庵野の「成熟」に対する姿勢に何らかの変化があったとしても、不思議はあるまい。

そして最後に、社会の「成熟」に対する考え方そのものが、この十年の間に大きく変化してきたこと。俗に「シラケ世代」とも呼ばれるように、若者の一部はすでに「成熟」を当たり前のこととして受け入れており（そうでなければ、貧困と格差に支配された将来の日本社会を生きていけない）、いつまでもその前で立ち止まり反抗し続けるような少年の姿はもはや共感の対象にはなり得ない。特撮映画の『シン・ゴジラ』（二〇一六年）を東日本大震災の記憶と結びつけるかたちで描いてヒットに導いたことからも明らかなように、時代の「無意識」とシンクロすることに長けた庵野がそのような若者の意識の変化を汲み取って自作へと反映させた可能性は、大いにあるだろう。

宮崎駿とその他の映像作家たち

それでは最後に、庵野以外の作家が二十一世紀に「成熟」という主題とどのように向き合っているかを見ていくことで、この短い文章の締めくくりとすることにしたい。

『風立ちぬ』(二〇一三年)は、小説家の堀辰雄と実在の航空技師である堀越二郎の半生をもとにして創られた、宮崎駿監督の長編アニメーション作品だ。主人公の「二郎」は、監督である宮崎のイメージにも重ねられるような、少年のようにまっすぐな心を持った青年。幼い頃から飛行機への憧れを抱いていた彼は、東京帝国大学で設計学を学び、晴れて企業の航空設計士となる。しかし戦争という時代の大きな流れのもと、二郎は自らの思い描いていた牧歌的な世界像とは裏腹に、戦闘機の設計を任されることになり……。

二郎は知っている。自身が設計した飛行機が、紛れもない「兵器」であることを。そしてそれが完成すれば、搭乗者を含め多数の死者を生み出すであろうことを。だがそれでも二郎は飛行機に対する憧れを失うことなく、戦闘機作りに没頭していく。少年時代の夢を忘れない二郎の純粋さ

「成熟」を拒み、少年に留まろうとするエゴが世界の破壊に荷担する

★「風立ちぬ」

が、ここでは国家による戦争という最大の「悪」へと接続されてしまう。

「成熟」を拒み、少年の側に留まろうとするもののエゴが世界の破壊に荷担することもあるということを、宮崎はその「引退作」として知られる作品の中でまざまざと描き出した。それは初監督作である『カリオストロの城』から一貫して「成熟」を拒む存在の美を描き続けた宮崎の、ある意味では「矜持」であり、同時に自らの夢に巻き込んでしまったものたちへの「贖罪」でもあっただろう。

ほか、庵野と宮崎を除いたところでは、若者からの絶大な支持を集めるアニメーション作家である新海誠もまた、少年の「成熟」に対して否定的な距離を取るもののひとりだ。監督デビュー作である『ほしのこえ』(二〇〇二年)や二〇一三年の中編『言の葉の庭』をはじめとして、新海の作品では互いに惹かれ合いながらも性的に結びつかない(「成熟」しない)まま終わる男女の関係を描いたものが少なくない。そして興行的なロングランが話題となった『天気の子』(二〇一九年)のラストでは、主人公の「帆高」がヒロインの少女を空から助け出すことと引き替えに、世界(の一部)を水に沈めるという、誰にとっても「間違った」選択をしてしまう。それは帆高の人間としての「未成熟さ」が引き起こした事態であるにはちがいないのだが、劇場用アニメとして異例のヒットを記録した『君の名は。』(二〇一六年)の次の一手として時代の流れに逆らう成熟拒否型の主人公を堂々と描いたところに、筆者は新海誠の作家としての誠実さを見た。

もちろん新海誠と同じ「ポスト宮崎駿」の世代に属する作家でも、「成熟」の描き方に対する姿勢は人それぞれだ。『時をかける少女』(二〇〇六年)や『サマーウォーズ』(二〇〇九年)など、多くのヒット作を世に出したことで知られる細田守は、一貫して「成熟」を描くことに前向きな姿勢を示している。まあ、だからといって四歳の男の子が駄々をこねるたびに時空を超越させて「お兄ちゃん」としての自覚を無理やり持たせたり(『未来のミライ』)、狼男と人間の女性のハーフとして生まれた子どもたちに十歳の段階で進路を決めさせ親元から自立させる(『おおかみこどもの雨と雪』)のはさすがに「やりすぎ」な気がしないでもないが、あるいはそれがリアルに子をもつ親の本音、といったところだろうか。「成熟」に対する向き合い方でお気に入りのアニメーション作家を見つけてみるのも面白いだろう。

美少年たちに囲まれて破滅したい

◎文＝日原雄一（精神科医）

ただ愛でたい少年たち

ずっと不思議に思っていた。ジャニーズやハロプロ、その他の事務所の稽古風景がテレビで流れるたび、なんでこんなに可愛い少年少女が苦行させられているのかずっと謎だった。この少年、少女、その人たちそれぞれ可愛く素敵な魅力があるんだから、それだけでいいじゃないか。私はこの少年たちが踊りくるうダンスより、ふだんの教室での笑顔とか、家でくつろぐ姿とか、自室でオナニーする姿が見たい。

最後だけウッカリ劣情が出ちゃいましたが。たとえば神木隆之介くんでいえば、二十四時間ずっとみていたいですよね。映画の撮影やテレビの収録場面だけでなく、私生活もすべてみていたい。ただのストーカーだなそれは。神木くんが演技の稽古に何ヶ月も費やして、とかいう話を聞いて初めて、そうかあのジャニーズとかの子たちも、見事なダンスがしたかったり、歌がうまくなりたかったりするのかもナと、ようやくきづいた日原さんだった。でも神木くんなら、歌が下手でもダンスが下手でもぜんぜんいい、むしろ下手ならなおのことよいのに、とおもう。実際はめちゃ達者なわけですけど。

たとえが神木くんだけなのはどうかとおもいますが。天才てれびくんに出てて、なにこのむちゃくそ美少年、とおもっていた瀧澤翼くんが、いまでも『円神』のリーダーとして芸能活動をつづけてくれているのはすばらしいことだ。グループの写真集やアクリルスタンドもでて、でるたびに買っちゃいますよね。この瀧澤翼くんとか、『原因は自分にある。』の小泉光咲くんとか、もちろん羽生結弦くんとか、生きててくれるだけでありがたいかたがただ。

★右野マコ
『田舎の美少年』
（KADOKAWA）

神木隆之介を人間国宝に！

右野マコ『田舎の美少年』では、田舎に越してきた転校生が、クラスでめちゃめちゃ美少年・伊田くんを見つける。めちゃめちゃ美少年なのに、特に男女にモテてたりする様子もなく、伊田くん自身もきづいてない。クラスで一番かっこいいのは、別の昭和熱血リーダー顔の男子、という風潮だったりする。伊田くんに将来の夢をきくと、「親の後ついで漁師かなー」ってフツーに答える。転校生くんは「最低でも人間国宝」ってプランを練ってるのに。

このように美少年は、気取らず自然体で十分なのである。

にもかかわらず、私は神木隆之介を早急に人間国宝に指定するべきだと思っているのだけれど、Youtube の神木くんのチャンネル『リュウチューブ』では、はじめしゃちょーとコラボしたり、さまざまな企画に挑戦してくれている。俳優や服飾ブランドなどさまざまな活動をされている八田拳・みこいすさんも、Youtube では「踊ってみた」ですっごいダンスを披露したり、みこいすさんが素敵な声でみんなの悩みを癒やしてくれるメンタルクリニック動画をあげてくれている。ただ神木くんの、みこいすさんの日常生活を流してくれればそれでいいのに、手間暇かけてくれるのである。

対して。神木くんの親友でもある、本郷奏多のチャンネルはすごい。『本郷奏多の日常』は、「日常」をテーマに、本郷奏多が普段している趣味や遊びを発信するチャンネルだという。プラモつくったりポケモンカードやったり、自分が好きなことしてるだけである。そう、本郷奏多はそれでいいのである。もちろん神木くん、羽生くんもそういうかんじの動画ばかりみたい。

生きているだけでいい、という意味でいえば。人間国宝のほかにも、皇族のみなさまもそうだ。悠仁さま、生きて成長する姿を見せてくださるだけですばらしいのに、先日は『小笠原諸島を訪ねて』という作文で表彰されて、おことばまで述べられていた。

いわゆる「帝王学」を悠仁さまも学ばれているのだろうが、そんなものはいいから、このたぐいまれなる美少年には、旅や和歌など趣味に生きた大正天皇のようになってほしい。いや、短命であられたことについては避けてほしいのですが。須永朝彦は『美少年日本史』で、「美少年は幼な神・小さ神の末裔として見られていた」と書いた。これはまさしく、悠仁さまにあてはまることである。もちろん神木隆之介くんや、羽生結弦くんもそうだし、滝澤翼くんや小泉光咲くんやみこいすさんや……日本は神々が多い国である。

自分の美しさを知るきみは最強だ

一方、自分が可愛く美しい存在であると、自覚のある美少年は最強だ。ヤドクガエルの同人誌「要くん」シリーズの要くんは、自分が蠱惑的な美少年であることを自覚してる。JKの制服着て、大勢の大人たちを誘惑して手玉にとり、「俺はただ女の格好で犯されるのがたまんねえだけだよ」とうそぶく。

押見修造の新連載にして大傑作、『おかえりアリス』では、洋平くんと仲良かった男子の「慧ちゃん」が転校してしまう。そして、年月を経てもどってきた時には、慧ちゃんは美少女になっている。

そして慧ちゃんは。自分が美少女であることを知っていて、幼馴染の洋平くんを誘惑する。もちろん、性的に。おなじく幼馴染の美少女・結衣ちゃんにキスしたあと、洋平くんにも抱きついてキスして、「たった?」ってわらう。そして翌日学校で、「思い出してオナニーした?」って耳元で訊いて、顔を真っ赤にする洋平くんに、慧ちゃん、「僕はしたよ」と。めっちゃエロくてビビりますね。

月子『トコナツ』の宮沢くんは、さいしょはカチューシャつけさせられて、「男がこんなのつけててキモいだろ?」とか不機嫌そうにしてたのに。いつのまにか仲良しの増田くんに、「俺で勃起してんじゃねーよ」とか言い出して、自分の可愛さに自覚しだしてきて最高だった。びみ太『田舎に帰るとやけになついた褐色ポニテショタがいる』の褐色ポニテショタ・圭くんもすごい。いや、色白ショタも好きだけど、日焼けしたショタだってなかなかいい感じなのに、そのうえポニー

自分が可愛く美しいと自覚のある美少年は最強だ

★ももせしゅうへい『向井くんはすごい!』(KADOKAWA)

★びみ太『田舎に帰るとやけになついた褐色ポニテショタがいる』(KADOKAWA)

★月子『トコナツ』(幻冬舎コミックス)

★押見修造『おかえりアリス』(講談社)

テールなのである。しかもへいきで丸ハダカになり、一緒にお風呂に入ってくる。むぼうびに膝に乗ってきて、頭をなでられると、満足そうに微笑む。この褐色ポニテショタ、可愛さの攻撃力がすごすぎるんである。

ももせしゅうへい『向井くんはすごい!』の主人公・ゲイの向井ゆうきくんは、陽キャなイケメンで、スポーツもできて成績優秀で、自分が「すごい」ことを知っている。明るくて快活で何でもソツなくこなせて、確かにすごい。どこかひとつでも、自分も見習いたいとおもいますね。

そんな向井くんだから。セクシャルマイノリティに関する勉強会でも、スタアにまつりあげられる。「すごい」向井くんをインタビューして、全校生徒の前でスピーチすることになる。のだけれど。物語が進むにつれ、すごいだけの向井くんだけでないこともわかってしまう。バスケ部の更衣室で、部員たちの着替えを盗撮していたり。「ノンケ盗撮」ってアカウントの主で、その写真もフツーにSNSに投稿しちゃうから、向井くんは度胸もすごい。

何度でも、神木隆之介に殺されたい

いつかの旅番組で。神木くんは、「僕はどこでも嫌われないのでー」と話していた、ような気がする。完全に記憶だけで書いてますが、神木隆之介ならそんなこと言っても許されるのである。このひとは自分のこともわかったマジで小悪魔な神だ完璧かよ、と膝を打ちました。映画『妖怪大戦争』では、ヒーローの麒麟童子だった神木くんは、十七年後『妖怪大戦争ガーディアンズ』で、日本を壊す妖怪の黒幕になってる。数シーンしかでてないのに、迫力とインパクトとカッコよさがものすごいんだ。映画『神様の言うとおり』でも、容赦なく暴力をふるい同級生を殺してく、ワルな神木くんの色気がスゴイ。ダークキャラ演る神木くん、ホント魔性すぎて最高なんだ。

高橋睦郎の『悪い夏』には、こんな一節がある。「そうだ殺すことが必要なのだ／殺すという行為だけが倦怠しきった／ぼくらを美しい恋人たちにするのだ」。神木隆之介に殺されたい、と私はこれまで何度も書いたが、「寄せては返す波の音」で今回も書く。何度でも何百ぺんも、神木隆之介に殺されたい。

佐伯順子『美少年尽くし』によると、男色は生活維持型よりも破滅型に走る、とある。折しも新型コロナ禍のさなかである。TOKYOオリンピックという陽キャの祭典は終わった。さあ、私たちの祭りをはじめよう!と、勇ましく拳をふりあげてみても、さいきんおもしろいことはなにもない。リュウチューブの更新も、あんまりなくなってしまったし。ツイッターでハッシュタグ「美男美女さんと繋がりたい」、「裏垢男子」とかで検索してみるくらいである。数多の少年少女たちが、自撮りしてすがたを見せてくれていて、疲れた身にはちょうどいい。そうした画像を見ていると、やはりこのまま破滅してしまっていい気分になる。

山崎俊夫の『夕化粧』でも、「うつくしいものの早く廃れ、愛せらるるものの早く亡ぶる」という。しなやかな少年たちは、「そういう素性のものは、みんな若いうちに死んでしまうのがおきまりなんだとさ」とうそぶく。このツイッターの少年少女たちも、そのような運命かとおもうと切ない。須永朝彦は山崎俊夫の小説について、「江戸情緒を思わせるもので、ウエットな感覚に支えられています」と評している。

須永朝彦も、小沢信男も、坪内祐三もいないこの地上だ。須永先生には不躾ながら、この『トーキングヘッズ叢書』をお送りしたことがあった。楽しく読んでくださったとうかがい、たいへん恐縮だったのだけれど。須永先生には、今回の特集のトーキングヘッズ叢書はぜひお渡ししたかったと、しみじみおもいかえしている。

台風のせいで雨続きで、八月なのにだいぶすずしい。どちらかというと肌寒いくらいで、動く気もあまりおこらない。晴れた日は隣の中学校から、部活の青春の声がきこえてくるのだけれど、この雨ではもちろんそれもない。小人閑居して不善を為すというから、私も為したい気分である。あの学校のなかにも、ツイッターで素敵な写真をあげてくれている生徒がいるのか、いたらいいなあとおもう。いなかったらこっちが更衣室に盗撮にとか、そんなところは向井くんの真似しなくていいんだ。

シャッフルされるコドモたち
――荒井チェリー『むすんで、つないで。』論

◉文＝高槻真樹（SF評論・映画研究者）

時間軸から、シャッフルされた時間軸へ

「サザエさん時空」という言葉をご存じだろうか。長谷川町子のマンガ・アニメ化作品である「サザエさん」の世界では、何年経っても登場人物の年齢が変わらない。「サザエさん」に限らず、マンガ・アニメでは、よく知られる人気作品ほど時間が停滞しがちで、ファンが揶揄気味に「サザエさん時空に迷い込んだ」と語る光景は、しばしば見受けられる。

サザエさん時空は意図的か

押井守監督のアニメ映画「うる星やつら2　ビューティフル・ドリーマー」（一九八四）は、この現象を自覚的に作品中に取り込んだ、非常に早い時期の一例と言えるかもしれない。ラムとあたると仲間たちの、終わらない文化祭前日と、そこからの脱出を描く。仲の良い友人たちとの楽しい日々は、いつまでも続いてほしいと、誰もが思う。だがそれは決してかなわぬ夢であり、そこから一歩踏み出す勇気を持たなければならない。

反響はとても大きく、後を追う作品も多数生まれた。先日完結したアニメ「新世紀エヴァンゲリオン」シリーズは、まさにその代表例だろう。変化しない世界を、自閉や現実逃避として断罪する。

だがここで疑問がひとつ。「サザエさん時空」は、意識的に作り出されるものなのだろうか？長谷川町子は最初から、終わらない家族の物語を描こうとして、「サザエさん」を始めたわけではないだろう。

おそらく話は、まったく逆だ。「サザエさん時空」とは、意図せずして迷い込むものなのである。日常を克明に描写し、うまくはまるほどに、時間の概念は逃げていく。

マンガ表現にとって時間とは何なのか。この解明に挑んだ野心作が、ベテラン四コママンガ家・荒井チェリーの最新作『むすんで、つないで。』（芳文社）である。二〇二〇年に第一巻が刊行されたばかりの本作品では、時間軸をシャッフルされてしまった少女たちを、ひとつの場に集めて、物語が始まる。異常な世界の日常会話は、自分を縛り付ける「時間」について考えざるを得ないものとなっていく。

日常四コマと時間の落とし穴

思い返せば、荒井チェリーの代表作『三者三葉』（芳文社）も、「サザエさん時空」に迷い込んだ作品のひとつだった。連載期間は、二〇〇三年から一九年まで、一六年もの長きにわたる。マンガ雑誌に掲載された四コマ作品としては、破格の長寿といえよう。

大食い少女・毒舌委員長・没落お嬢様という、個性派女子高生三人組の日常を描いた作品で、

★（右）長谷川町子『サザエさん』（朝日新聞出版）
（左）「うる星やつら2 ビューティフル・ドリーマー」DVD

コドモたちは、停滞する

★荒井チェリー『三者三葉』(芳文社)

カラッとした毒舌の応酬が新鮮だった。二〇一六年刊行の第一二巻末近くまで一二年間、三人娘は一年生のまま、四季が巡り過ぎて行った。

こうした特に何の事件も起きない作品は、時に「日常もの」と呼ばれ、「逃避的」「毒にも薬にもならぬ」と批判されることも多い。だが、荒井も最初から、逃避的な世界を作ろうとしたわけではない。読み切りのつもりで持ち込んだものが好評だったため連載化され、少しずつ設定を考えながら描き進めていったのだという。そして気が付けば一三年。

これは何を意味するのか。ひょっとして、日常四コママンガという表現形式には、時間を知るための、思いがけない手がかりが隠されているのではないだろうか。

そもそも私たちは、どのようにして時間を知覚するのだろう。

「時間を受容する特定の感覚器官は存在せず、それを処理する固有の脳領域もありません。

ヒトが感じる時間とは、脳が外界からの入力を手がかりに、複数の領域のグローバルネットワークとして機能する結果生み出される『認知の産物』と考えています」(光藤崇子「脳の中の時計――錯覚で解明する時間知覚判断の注意と意思決定の右半球ネットワーク」academist journal)

つまり、私たちは五感を駆使して時間を感じ取っている。そして、朝昼晩という一日のリズム、春夏秋冬という四季のリズムも、時間を認知するための重要な要素となる。一方で、自身の体調次第で、時間は伸び縮みする。これは誰しも思い当ることだろう。

漠然と「体内時計」という言葉は昔から存在するが、その時計がどうやって針を刻んでいるのかは、長らく謎だった。東京大学の四本裕子准教授の研究によれば、ごく短い時間を感じ取る脳内の物差しは、周波数で測定できるのだという。これが脳内のペースメーカーにあたる可能性がある。このペースメーカーは、外界のリズムにつられて、時折測定を誤る。これが、時間が伸び縮みする原因と思われる。しかも、視覚と聴覚のペースメーカーは、周波数帯が違う。

「聴覚と視覚に同時に刺激が与えられて、それぞれの効果がバッティングした場合はどうなるか。四本さんの研究では、聴覚の方が勝つことが多いそうだ」(川端裕人「研究室に行ってみた。東京大学 認知神経科学・実験心理学 四本裕子 第三回 ヒトの脳はどのように時間を知覚しているのか」ナショナルジオグラフィック日本版サイト)

『三者三葉』に話を戻そう。今回まとめて最初から読み返してみて、納得した。そこには、外界のリズムが満ちあふれていた。朝昼晩という一日のリズム、春夏秋冬という四季のリズム。もっと言えば均等に割られた四コマのリズム。しかもそこには視覚だけがあり聴覚はない。私たちは思わずそのリズムにつられ、リアルを錯覚してしまう。それが、日常もの四コマというものの正体だ。よくできた作品ほど読者の共感を呼び、「平穏」が強固になるほどに、そこに変化を持ち込むことが難しくなってしまう。かくして、四季のリズムがループを描く、「サザエさん時空」が完成する。

荒井は、そろそろ「このままではいけない」と考え始めていたのだろう。表現の多様性を重んじる、掲載誌の編集方針も働いたと思われる。一二巻末で、三人娘は唐突に、二年生に進級する。だが進級だけでは何も変わらず、『三者三葉』は一四巻で完結となる。仕切り直しの必要性を感じたのだろうか。荒井は久々の新作に着手するのである。

シャッフルされるコドモたち

「停滞する時間」に手を焼いたから、かもしれない。時間そのものをテーマにした、奇妙な四コマ作品『むすんで、つないで。』がスタートする。

　小学生の頃、仲良しだった少女が神隠しにあってしまう。それから六年。引っ込み思案だった主人公・つなぐは自立を余儀なくされ、女子高生となった今では、クラスの人気者だ。だがかつての親友の影を追い求め、心は今も六年前のまま。そこに、ひょっこり戻ってくる少女・花ノ子。かくれんぼをして、顔を出してみれば六年が過ぎ去っていた、という。小学生の時のままの姿に、つなぐは喜ぶが、花ノ子は、見知らぬストーカー女だと警戒するばかり。花ノ子が家に帰ってみれば、妹・白百合は同い年になっていて、妙によそよそしい。突然変わってしまった関係性に悩む少女たちだったが、そこに妙におばさん臭い世慣れした少女・薗部苺が現れ、すべてが回り始める。彼女も神隠し経験者で、五日後に発見されたのだという。ところが苺は、実は異世界で一度人生をまっとうし、死後気が付くともとの世界の五日後だったという、人生二周目の人なのだった……。

　人生二周目も時間スキップも、個々のアイデアとしてはありふれているかもしれない。ただ、そうした設定は、普通は「人生をやり直したい」という願望充足的な方向に用いられるはずだ。だがこの作品の場合、時間軸のシャッフルによって発生したのは、よく知る人物が突然理解しづらくなってしまった、というギクシャク感でしかない。にもかかわらず、よくある「日常もの」四コマの文脈を頑なに守って、非日常的な日常が描かれていく。

　ここで絶妙な緩衝材として機能しているのが、人生二周目の薗部苺である。妙に大人びた発言をして飄々と立ち回り、少女たちのギスギスを取り除いていく。本当は人生の大先輩のはずだが、見た目は小学四年生なので、構えずに耳を傾けることができる。

　神隠しに遭い六年分の時間を失った花ノ子、おかげで姉と同級生になってしまった白百合、高校生になった今も花ノ子を崇拝し「精神年齢小四」と自分を卑下するつなぐ、そして人生二周目の苺。それぞれ事情の違いはあるが「みんな小学四年生です！」と誇らしげに語る苺に促され、少女たちはおずおずと手をとり、歩み始める。お互いに「小四」であることが、理解の足掛かりとなるのだ。

　改めて注意したい。これは最終巻ではなく、第一巻なのだ。シャッフルされた少女たちに、待ち受けている明日はどんなものだろうか。九月末には第二巻も刊行された。変な目にあったけど、みんな仲良くなってめでたし、ではなさそうだ。少女たちは、思いがけない形で時間と格闘していくことになるのだろう。閉ざされた独自の時間を刻むどころか、揺れ動く溶解した時間軸は、私たちの時間認知を大いに揺さぶる可能性がある。虚構に閉じ込めるのではなく、現実を揺さぶる可能性を秘めた四コマ。悪くない幕開けだ。

★荒井チェリー『むすんで、つないで。』（芳文社）
一番下の図版は同書より。

夢見る少年の昼と夜、そして子供の領分

——福永武彦とベルナール・フォコン

◉文＝並木誠（美術・舞踊批評）

『子供の領分』といえばクロード・ドビュッシーが、1908年に作曲したピアノ組曲で、子供だけが感じることのできる無垢という名の少年少女の王国の領域を表現した詩的な世界である。ロベルト・シューマンのピアノ曲『子供の情景』（1839）にも通じる。また少年の季節というものは、少女のそれよりも遥かに短く繊細でエフェメラルである。夢見がちな少年の心象風景。性というには、あまりにも淡い母親への思慕と異性への初恋的想いの混濁。

そんな少年という王国の領域を、福永武彦の小説『夢見る少年の昼と夜』と、鳩山郁子の描く少年のように清澄で鉱物的な世界観のベルナール・フォコンの写真を通して逍遥してみよう。

＊　＊　＊

1954年に発表された福永武彦（1918-79）の短編小説『夢見る少年の昼と夜』。主人公は、仕事帰りの父を、女中のお鹿さんと待つ夢見がちの少年、遠山太郎。その太郎の夢想と幻想が織り成す白昼夢的な世界が、映画のシークエンスのように矢継ぎ早に展開し、福永のロマネスクな美文調の文体が少年の夢想と現実の世界を清澄に描いていく。

それは清澄であるが、フロイト的な性に目覚める一歩手前的の心象スケッチ。太郎の好きなギリシア神話的な世界に象られた無意識下の夢想。また太郎は「ケレドモ僕ハ、キット十八デ、死ヌダロウ」と考えている。『夢見る少年の昼と夜』には、その通奏低音として此岸と彼岸、あるいは生者と死者といった、メメントモリ的な寓意が常に流れる。

「鳩時計が今や時刻を告げようとして、発条のひきつれる掠れた金属性の音を響かせ始めた」。そして「クックウ、クックウ……」と十二、鳴る鳩時計は、夢の世界へ通じる符牒。太郎はその鳩時計に初恋の相手の「アイチャンニ会イタイ」と願いを掛ける。また太郎の夢の王国たるミクロコスモスの箱庭の玉手箱「秘密の丸い大きな罐」。その中には、夢の宇宙誌たるオブジェの数々、「父親の懐中時計の銀の鎖。古くなって少し錆びついている」だの「桜貝、綺麗な透きとおるような薄い貝殻、九十九里浜で拾った」「指貫。ピーターパンガ指貫ノコトヲ間違エテ「キス」と呼ンダ」、或いは、「古い博多人形の折れた首。顔面の塗が半分ほど剝げ落ちて、男とも女ともしれぬ異様な表情に見える」といったものが入っている。そして太郎が独自に蒐集した言葉を閉じ込めた「単語帳」の中に記載された、羅馬、希臘、埃及、屋久貝、鸚鵡貝、アネモネ、ヒヤシンス、羅針、などの言葉と共に息衝く、ペルセウス、メドゥサなどの希臘の神々など綺羅星の如くの言葉たち。

★福永武彦『夢見る少年の昼と夜』（新潮文庫）

太郎は、担任の村越先生から転校関係の書類を受け取るために訪れた職員室で青山先生に偶然出会い、若く美しい女性の青山先生の乳房を母親のそれと不意に勘違いして触れてしまう。太郎の母親は、彼が小さいときに早世していたのだ。こうした悲しくも儚い、少年期特有の未

分化な瑞々しいエロティシズムが作品の端々に馥郁と立ち昇っている。

ある日、遠くで花火の音がする。「花火ハ縁日ダカラアガッテイルンダ」。そして「縁日ニ行ッタラ、愛チャンニ会エルノジャナイカシラ?」。と例の鳩時計との約束を思い出す。お父さんはまだ帰らない、お手伝いのお鹿さんが居眠りしている隙に、太郎は家を飛び出す。縁日の見世物屋の呼子にお代はタダと招き入れられると、「パンツ一枚の大きな男が、横を向いて鉄の棒を器用に操っている。サムソンダナ。サムソンガ百人力ヲ見セテイルノダナ」。サムソンは、旧約聖書のヘブライの怪力の英雄。そこで忽ち太郎の中で、サムソンは、担任の村越先生に、袖から走ってきた肉襦袢一枚の女、悪女ダリラは青山先生に変容する。

そのダリラに挑発されるなどしながら、サムソンとダリラの後を追い舞台の裏手にいくとダリラはアンドロメダに、そしてアンドロメダはあぶくちゃんの姉・好子さんに変貌し、太郎は以前、ギリシア神話をあぶくちゃんに語っていた時に、好子に話を邪魔された事の腹いせに、好子を苛めようと鞭を振り上げるが、「アンドロメダヲ苛メタノハフィネアスダ。フィネアスハ石ニ変エラレタ」。ギリシア神話の故事を思い出し、鞭をすて、天幕の外に飛び出す。

愛ちゃんの親友の三代ちゃんに出会い、愛ちゃんが一か月前に亡くなったこと、夜中に墓地に行けば会えると教えてもらう。太郎は意を決っしてお寺の山門の石段を登り墓地へと向かう。「ペルセウスは空を飛ぶ」の呪文の効力で蘇った、お母さんやおじいさんや飼い猫のミミイや、初恋の愛ちゃんに再会、夜の女王が出現し石に変えられそうになる刹那、直ちゃんに逃げ道を教わり、鳩時計が十二まで鳴る度に今までの出来事が走馬燈のようにフラッシュバックしながら、最後の十二で鳴り止むと物語は終わり、太郎は眠るのだった。

綺麗な余韻と共に、淡いエロティシズムに彩られた少年の夢想が美しくも儚い世界観を醸成した作品である。

＊　＊　＊

『夢見る少年の昼と夜』の清新な少年性の生と死を抱合した祝祭的イメージは、ベルナール・フォコンの少年とマネキンによる夢の修辞学ともいうべき黙劇的な祝祭のイメージにもつながる。

ベルナール・フォコンは、1950年、南仏プロヴァンス地方のアプトに生まれで、ソルボンヌ大学大学院修了で哲学の修士号を持つ。地元アプトの骨董屋で出会った古いマネキンに触発され、絵画から転じて、独自に収集したマネキンと少年を題材にした写真作品を制作し、『飛ぶ紙』、『夏休み』などの写真集を出版。89年のフランス芸術大賞受賞を契機に、マネキン撮影を辞め、コレクションのマネキンを売却。以後は光と少年に焦点を当てた写真作品を制作。『愛の部屋』、『偶像と生贄』、『イメージの終わり』、『世界でもっとも美しい道』、『世界でもっとも美しい日』、『聖文』、『冬の客室　ゴールデンルーム』、『燃える雪』などの写真集を発表する。

フォコンの写真集『夏休み』は、「微睡」、「宴」、「ヨット遊び」、「プールサイドでの戯れ」などの夏の長期休暇を愉しむ少年達とマネキンが醸し出す、人工楽園、あるいは架空庭園のような雰囲気で、白昼夢に塗れた生気の失われた人工感とその独自な乾いた少年愛的なエロティシズムの芳香のようなものがその根底には存在する。然し、不思議と少年への不穏な欲望というよりは、その世界観は、マネキンの少年の瞳を通して観た、ある種のマニエリスティクな箱庭の迷宮といった形容が相応しいだろう。

マネキン以後はよりコンセプチュアルな作品になり、啓示、祝祭や秘蹟のような宗教的な感覚を秘めた作品も少なくない。また錬金術などの魔術的な雰囲気と日常が併存するような神秘的で澄清な雰囲気を有するのもフォコンの写真の特徴であろう。

写真集『愛の部屋』は、モデルの少年の体温を感じさせる、ある行為の事後性あるいは余韻といった風情を醸し出している。また『聖文』シリーズの文字のアフォリズム作品「夢を実現する人は、虚無を捨て去る人である」に見られる、テランバーグ或いはゲニウスロキとの対話といった哲学的側面にも注目すべきである。『冬の客室　ゴールデンルーム』の不在の風景の様な不可思議なイメージや、『偶像と生贄』の赤い液体の浸食による神秘性と固有な場所性への異化効果的な美しさも印象深い。

こうしたベルナール・フォコンの写真作品が持つ穏秘学的な知の体系や、福永武彦の少年の幻想には、須永朝彦や稲垣足穂、澁澤龍彦の耽美的な世界知の王国にも似た感慨を抱く。その少年の王国こそ、子供の領分なのだ。それは「夢見る少年の昼と夜」の太郎のような世界の破片の収集品が織りなすミクロコスモス的な世界観であり、ベルナール・フォコンのような少年愛的なエロスとは微妙に距離を取りつつ形成される鉱物のような純粋性なのである。まさに、鳩山郁子『青い菊』（青林工藝社）のような少年性への純粋な観想性が美しい。それは永遠の少年性へのユートピア的指向であり、生と死が息衝く、仮死の祭典である。そこには許らずも成年してしまった大人たちから見た、神聖不可侵のユートピアたる少年という王国——子供の領分という絶対領域への憧憬があるのだ。

永遠の少年性を夢見た耽美な王国

★ベルナール・フォコンの作品集
（左上）『Bernard Faucon』（洋書／Actes Sud）
（左下）『Jours D'IMAGE　ベルナール・フォコン作品集』（トレヴィル）
（右上）『SUMMER CAMP』（洋書／XAVIER MOREAU）
（下中央）『La fin de l'image（イメージの終わり）』（洋書／William Blake & Co）
（右下）『Love Chambers（愛の部屋）（洋書／William Blake & Co）

●文＝軒端蒼一（イラストライター）

少女のイコン
―私の手元に渡ってきた1枚の写真

19世紀の後半にアメリカで撮影された、死んだ少女の写真がある。おそらく病気かなにかで若くして亡くなったのだろう。コンパクトなサイズである事と、ケースがかなり傷んでいる事から、その死を悼んだ家族（両親なのだろうか）が、きっと肌身離さず大切に持ち歩いていたのだろう。

時代は1851〜1900年頃。写真はアンブロタイプ（コロジオン湿板法）で、紙に写される手法が開発される以前の、ガラスに写されたもの。この時代、このような写真が数多く撮影された様で、死んだ家族、男性や女性、赤ん坊などを良

く目にする。未だ死亡率が高かった時代である。新しい技術であるカメラが登場し、残された者が失った者の姿を留めておきたいと望んだのは、当然だったのかも知れない。

　この写真もそんな思いの一つであり、生きていた少女の面影を、自分たちの記憶に永遠に残したいと考えた、祈りにも似た行為であり、慰めを求める家族にとってイコンにも近いものだったのだろう。

　100年後の今、少女の両親はもはやこの世には無く、彼女の名前を知る者さえもいないだろう。ただ少女の生きた証だけが残されて、遠く日本の私の元へと渡り、永遠にと願った家族の思いだけを伝えている。アメリカの大地で、おそらく少女は今も両親とともに同じ墓地の下で静かに眠りについているのだろう。だが、家族の枠から離れたが故に、この写真は肉体を持たない少女と言うイメージのみに昇華し、死という止まった時間の帯びる不安定な影を色濃く映し出しながら、見る者に物語を問いかける。儚い少女時代を切り取った、憧憬にも似た幻の様な物語を。

　生きている者にとっては、年月とともに少年少女の時間は過ぎ去ってしまうが、心の中に眠る、思い出の中の自分に問いかけるこの物語は、逆説的に少女性という存在の永遠を思い起こさせることだろう。そして、この少女は、いつか私の手を離れ、次の時代にも永遠の少女という物語を語ってゆくにちがいない。

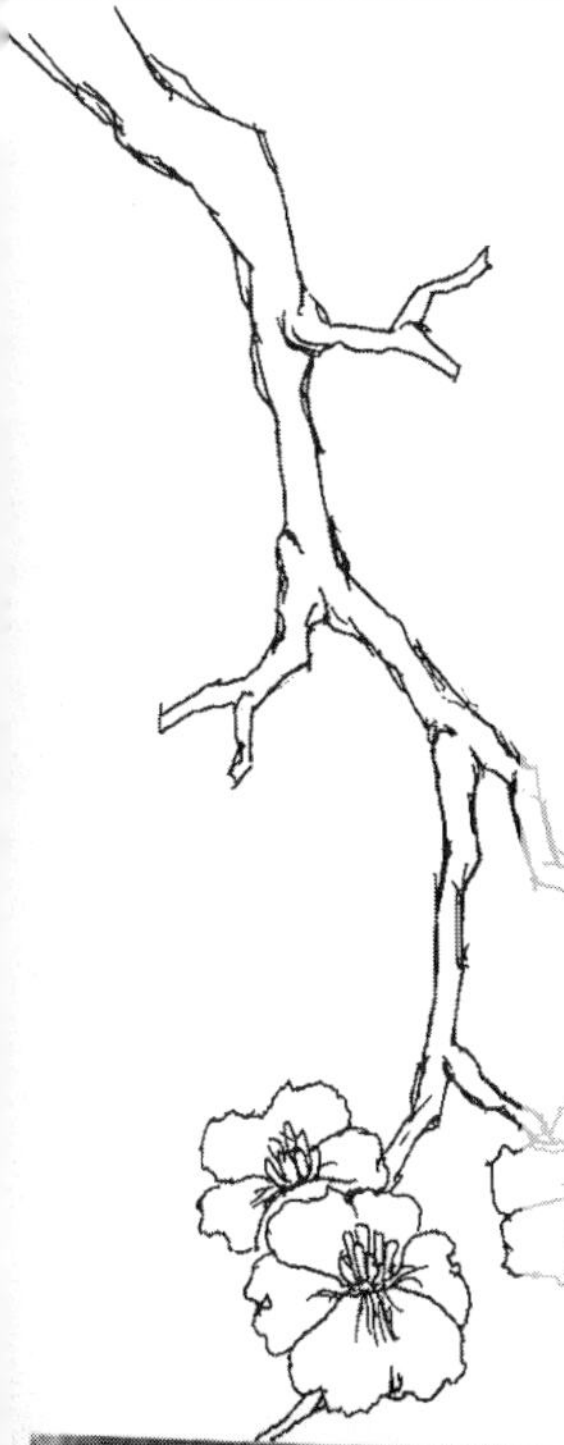

●文＝べんいせい（音楽家）

少女という領域

――「不思議の国のアリス」の姉をめぐって

アリスの姉

「不思議の国のアリス」という話の初めと終わりにはアリスの姉が登場する。なんとなく優しそうな感じの姉で、この物語の見守り手のような役割を果たしている。特に終わりの箇所では次のようにアリスをいたわる。

話し終って姉はアリスの頬に口づけすると、「変わった夢だったのね。ほんとうに。さあ、早く走っていってお茶になさい。遅れてしまうわよ」と言いました。それでアリスは起き上がって走っていきました。なんて素晴しい夢を見たんだろうと思いながら。（Alice's Adventures in Wonderland (Books of Wonder 版、意訳抜粋)

この姉の存在は、アリスにとってどれだけの安心感をもたらしたことだろう。ウサギの穴に落ちて以来、ずっと孤独で緊張のうちに冒険を続けて来たアリスが、姉の存在によってその孤独から開放され、お茶を煎れ待っている家族の存在を知らされる。この一節があることでアリスと行動を共にしてきた読者もほっとするのである。この姉の存在は、「不思議の国」と「現実の世界」を繋ぐ大きな役割を果たしただけでなく、その両方を輝かしいものにする力を担っている。

ところが話はさらに1ページ以上も、読者にとっては不要と思われる箇所が続く。少し複雑なので内容を箇条書きにしてみる。

①お姉さんは夕日を見ながらアリスやアリスの不思議な冒険のこと考える。
②お姉さんは夢を見る。
②―1、自分に甘えるアリスのこと。
②―2、アリスの見た夢に出てきた登場人物とシーン。
②―3、目を開ければ現実に帰ることを意識している。
②―4、その現実とは日常の変わり映えのしない世界が次々出てくる。
③お姉さんはこれからアリスはどうなっていくだろうかと考える。
③―1、大人になっても子供時代のシンプルな優しい心をずっと持ち続けているだろう。
③―2、子供達に面白い話をしてやっているだろう。不思議の国の話もしているだろ。
③―3、子供達のシンプルな悲しみ、喜びを共にしながら、自分の子供時代、楽しかった夏の日を思い出すだろう。

僅かな行数の中に盛り沢山なことが書かれている。これは物語を書き終えたルイス・キャロルの心情吐露と考えて間違いないが、姉をキャロル自身と置き換えれば更に理解が深まる。①の部分ではキャロルがアリスと共に描いた物語を定着させ、②ではその物語中のアリスをいつまでも維持して欲しいという願望が表される。この部分は「あとがき」にするのが普通と思われるが、キャロルは地続きに書いているのである。

★「地下の国のアリス」より、アリスとその姉

　このことは「不思議の国のアリス」の前出版といえる『地下の国のアリス』にもっと素直な形で書かれている。

　まず、太い二重線が置かれ、ここからは本文ではないことが示される。
A、お姉さんは夕日を見ながらアリスやアリスの不思議な冒険のこと考える。
B、お姉さんは夢を見る。
B―1、町の傍に、蛇行する川が平野をゆっくり流れ、ゆっくりと漕ぎ上る舟、舟の中には陽気な子供達がいてその話し声や笑い声が音楽のよう響く。
B―2、その中にアリスがいて、お話を眼を輝かせて聞いている。その中身はさっきの話。
B―3、明るい夏の日差しの下をゆっくりと進む。子供達の話し声や笑いが音楽のように聞こえる。
B―4、舟はある曲がり角でふと消える。
C、お姉さんはこれからアリスはどうなっていくだろうかと考える。(まるで夢の中で夢を見ているように)
C―1、大人になっても子供時代のシンプルで優しい心をすっと持ち続けているだろう。
C―2、子供達に面白い話をしてやっているだろう。不思議の国の話もしているだろう。
C―3、子供達のシンプルな悲しみ、喜びを共にしながら、自分の子供時代、楽しかった夏の日を思い出すだろう。
　Bの部分が大きく書き換えられていることがわかるが、この部分は『不思議の国のアリス』では、巻頭の詩に吸い上げられている。つまり、この7月4日の黄金の昼下がりは、さらに輝きを増し詩へと昇華させたということになる。惚れ惚れするような乙女チックさ加減である。

キャロルとアリス

　それでは本題に入ろう。どうしてキャロルは自分自身のことを姉として登場させたのかという問題である。

　作中人物のアリスは現実に存在したアリス・リデル若しくはエレン・テリーであったかも知れないが、自身が姉に擬態することでこの世の男女関係を持ち込みたくなかったと言えなくもない。つまりキャロルは「性に目覚める前」の根源的状態の少女性に関心があって、「性に目覚めた後」の男と女のレベルで考える以前のシンプルな状態こそ、いつまでも保持して欲しいものとして提示したのではないかと推測される。これこそがキャロルが姉の姿で登場した理由ではなかろうか。キャロル(おじさん)とアリス(少女)の異性関係として表現してしまっては不具合なのである。

　ところが「不思議の国のアリス」に、或いはキャロルの中に性的なものを嗅ぎ取ろうとするのが後世の穿った解釈である。性的、精神分析的、シュールリアリズム的アリス解釈において、ユング的な解釈を借りれば男にとってはアニマ、女にとってはアニムスが根底にあるとするなら、キャロルにとっていつまでも保持したいのは自分の中の少女性に他ならない。だから後世の人々が自分の性的幻想を展開する縁《よすが》をこの作品に求めてしまうのはある意味滑稽としか言いようがない。キャロルの思いは男女を認識する以前の「少女型意識」、彼は繰り返しシンプルという言葉を使っているが、そんな原初の世界に留めて置きたい願いが、彼が姉として登場した理由なのではないかと考えられる。

少女性とは

「少女趣味」と混同されがちだが、それとは異なる心性を「少女性」と呼ぶ。「少女趣味」とは様式であってこれが成立してしまうこと自体が少女としての自己規定に縛られることになるので、性を越境する「少女性」とは分けて考える必要がある。少女自身が「少女らしく」あろうとし過ぎる場合それは却って少女の意識を圧迫してしまうので、少女の意識を保つためには「少女趣味」という限定的な連帯に寄りかかってはならない。この「少女性」が保つ意識、すなわち「少女型意識」というのはより普遍的な、「少女」ではない我々にとっても親近な心性であろう。

実のところ「少女型意識」すなわち、「少女性」が求めるものとは「自由」と「高慢《プライド》」であり、それ故に「少女性」はこれを持つ人格を押さえ付けようとする圧制的な力と相性が悪い。少女性はそうした支配的な原理への鋭い批判と自己主張を抱き、そこから逃れたい「自由」を渇望し、押さえ込もうとする枠に自分だけは納まるまいと懸命に抗う。支配的な原理とは、男性権威主義的な社会原理にあることが多いのかもしれない。押さえ込もう、束縛しようとするあらゆる力に屈しないという「高慢」こそが「少女性」の本質であり、このような性質は「少女」を扱った多くの小説や文学の中に見い出すことができる。

「少女型意識」「少女性」とは、意識はいかなる形を取ることもでき、何にでもなれるという感覚であり、自己が多様であり得るという感覚、それが外部から固定されず、自在に選択できるという感覚、また次に何が自己であるかさえ予期できないという感覚である。これらを押えつけられない状態を「自由」であると認識し、その「自由」を追い求めようとする。やがて妻になり母になることを強制しようとするシステムに対して決定的に批判的であるし、自我の多様性、多重性、可能性を何より尊ぶことによって、その自由を阻害し完璧であり得る筈の自分をただ一箇所に収斂させようとする外からの圧力すべてに反発する。

「少女性」とはまた、世間的に好ましいとかつて思われていた女性のあり方、母、妻としての役割を引き受けることで、個としていられなくなることを恐れる感覚でもある。そのような世間的な役割から抜け出そうと試みるために、「異端」「変人」というレッテルを張られてしまうこともある。

「少女性」を持つ女性（少女と呼ばれる年代とは関係なく）は「母」という役割に押し込められることを恐れるが余り、「子どもを産む」ということに拒絶を示す。論理的には無論、子を産んだからといって「母」という役割に占有されるわけではないが、社会はどうしても子を産んだ女性に「母」という役割を与えたがるのである。配偶者を持つ女性には「妻」という役割を与えたがり、本来は固有の名前を持つはずなのに代名詞を与えることで個を排除するのである。

「少女性」とはこのような無個性化を認めない批判的な態度であり、抑圧されればその圧力に対して必ず反抗し、あらゆる他律的な限定を避けて逃亡しようとするのだ。

このような「少女性」にとっては、制御できない自己の身体でさえ、「他者」、「抵抗するべき外的な力」になりうる。自分を「女」にするまい、「女」になることを恐れる心性が「少女性」の本質の一つであることは間違いないだろう。すなわち、意のままにならない女性としての身体、時がくれば初潮を迎え自身理解し得ないところで子を孕む、そのような自分自身の制御し得ないものへの畏怖でもあるだろうし、またそこから押し付けられる社会的な役割への恐怖もあるだろう。どちらも「少女性」を備える自我の自由を失わせるものだ。

少女型意識とは

ところで「少女の意識」は肉体的に少女である者にしか備わらないわけではなくむしろ、肉体的には少女であったとしてもこのような意識を持たない者も存在する。そしてそれとは逆に肉体的には異性、少年またはおじさんやおじいさんであるにも関わらず「少女の意識」を持つ者が存在する。それは肉体の所為ではなく、社会的に「少女」という立場にいることが好条件であるからに他ならない。その意識の有様を「少女型意識」と呼んでみた。

「少女型意識」を言い換えれば近代人の最も基本となる願望であり、これは基本的で融通のきく「美的センス」の問題ともいえるので、本物の少女でない者にも宿っている。ここで「少女」という言葉を使うのはその性質上、少女というポジションにいる者に最も現れやすい現象と思われるからで、この意識には先述したように「自由」ち「高慢」が内包される。

そしてこのふたつが合わさったものを「素敵」と表現する。これは、自由と高慢が最も望ましい割合で組み合わさった場合に発出されるキーワードといえるかもしれない。

以上のように「少女性」は、何ものからも自由でありたいと切望するがゆえにその身に起きる現実、世界をすべて掌握していなければならず、だからこそ世界を自分の支配下に置くことを切望する。それ故に「少女性」において禁忌は禁忌足り得ず、容易にその則を踏み越えてしまう危うさを併せ持つ。この地に足の着かない浮遊感こそが、「少女性」のまた一つの特質であるとも解釈できるかも知れない。

「少女性」は時に極めて無邪気であるが、それは「不都合なことなどこの世界に起こりえない」と一心に信じられる、そのような心性に依るものと考えられる。そしてこのような心性は「高慢」である。「少女性」はそれを取り巻く世界隅々にまでその意思を行き渡らせたいと切望するが、これはまったく神の所業に他ならない。思い描く万能像、絶対的な理想像に「なりたい」と憧憬し、その意味においても「少女性」とは「神になりたいと憧憬する」心性と考えてよい。

ゆえにキャロルは、姉である必要があった。アリスの世界はキャロルの心因世界と同義なので、自己の分身である作中のアリスとその語り部たるキャロル自身(姉)というインナーサークルに他ならず、大人の世界の理屈が完全に抜け落ちている。これはキャロル自身の「少女性」が遺憾無く発揮された神の所業であり、なりたい絶対的な理想像への憧憬であり、神になりたいと欲する心性なのである。

アリスの話が今なお多くに読み続けられるのは、この「少女型意識」というリーチに引き摺られるからではなかろうか。

少女性とは、何ものからも「自由」になりたいという「高慢」な心性だ

いつも不機嫌な陽子さん（仮名）

◉文＝本橋牛乳（物書き）

陽子さん（仮名）は、明日やってくる誕生日で70歳になる、現役の教師だ。もっとも、本人は70歳を機に、今年度で教師はやめるという。まあ、70歳まで教師をしているということだけでもすごいと思うが、あるいは学校現場の迷惑になっていないか、とも思ったりもする。

もっとも、教えているのは書道だ。学校に書道の教師がいるのか、と思われそうだが、高校だと学校によっていることもある。高校のカリキュラムでは、芸術分野を1つは履修しなきゃいけないことになっている。分野は4つあり、音楽、美術、工芸、書道、となっている。だいたい、音楽か美術というのがふつうなのだろうが、陽子さんによると、

「今は墨をすることもないし、墨汁で紙に字を書くだけだから、とりわけ問題生徒の多い学校にとっては、書道は楽なのよ。それに、保護者にとっても、書道をやれば、心がまっすぐになると思っている人もいるし」ということだそうだ。

「でも、書道と習字はちがうんだけどね」とも。多くの人は書道を理解していないと、ちょっと不機嫌になったりもする。

書道の教師というのは少ないし、それだけで常勤の教師を雇用するわけにはいかないので、非常勤講師としての書道の教師というのは、けっこう需要がある。それで、この歳まで教師を続けることができた、ということらしい。

陽子さんはかつては高校の国語の教師だった。書道にはおぼえがあるので、書道も教えていたけれども、国語を教える方が多かった。まあ、常勤の教師としては、あたりまえではあるが。担任を持ったり、部活動の顧問をしたり、それ以上に実は雑用みたいなことが多かったという。

「生徒指導とか、そんなことまで面倒見切れないわよ」

でも、定年退職を機に、非常勤講師となった。70歳までは現役の教師でいようと思う、ということだが、実を言うと、教師という仕事が好きなわけではなく、70歳まではきちんとお金を稼ごうということだったらしい。それでも、書道の講師が必要とされていたので、今から考えると幸運だったということになる。

陽子さんは、そもそも教師になるつもりはなかった。小学生のときに、書道教室に通い始めた。陽子さんによると、親は陽子さんのまがった性格を直すために、書道がいいと思ったそうだ。どんなふうにまがっていたかというと、子どもの頃はいつも不機嫌だったということらしい。それは、親の目にはわがままに映る。

「世界は自分を中心にまわっているはずなのに、そうではないことにぶつかると、誰だって不機嫌になるものでしょう」

陽子さんはそう話すけれども、そういうものでもないとも思う。それはまあ、そういう子どもだったということだ。

書道教室は最初は通うのが嫌だったらしい。陽子さんは右利きだから良かったものの、左利きの子どもも右手で筆を持たなきゃいけなくて、不合理に感じていた。でも、同時に、上級の高学年の子どもが、草書で書くことにはあこがれていたという。何て書いてあるのか読めないけれども、簡単に読めない文字がそこに存在することがまぶしかったという。

書道をやめるのも、親に対してくやしいという気持ちがあって、結局のところ、続けてきたわけだけれど、それ以上に書道教室の女の子どうしがとても仲良かったから、というのが理由。新しいお菓子を分け合って食べたり、とか、そんなことが楽しかった。

いろいろな書体の文字を書くうちに、ある瞬間、たががはずれたらしい。

「たぶん、何でもそうだと思うのだけれども、型があって、それを身につける過程で、型を壊すことを覚えて、自由になっていくものだと感じたの。書きたい言葉を書きたいように書くことができれば、それはけっこう楽しいんじゃないかなって」

中学のときに、都心の書道の道場に通うことになる。師範はいたけれども、自由に書かせてもらっていたし、展示会ではそこそこの賞もいただいたとのこと。

高校の進路指導で、担任の教師には「書家になりたい」って言ったらしい。まあ、それはそれとして、当面はどうする、進学しておくか、と返されたということだけれども。書家に近いということで、大学は教育学部の中学校教員養成課程国語科に進む。なのに、就職先は高等学校。書道の授業があるから、と。高校の国語の資格もついてきたし、日本書作家協会の書道教師の資格認定試験に合格すれば、書道の教師もできた。

書家で生計が成り立つということは、ほとんどない。多くの人は、別の仕事を持っている。いろいろな会社のサラリーマンがいたし、派遣社員をしながら書道を続けているという人もいた。教師は他にもいたし、塾の講師もいた。書家の息子もいた。世襲制かと思うけれども。おもしろいのは、展覧会の作品を撮影する写真家もまた、世襲制だったという。当時はまだ若い二代目が撮影していたけれども、最近では三代目に代替わりしているらしい。あとそれから、結婚して収入の心配をせず、自宅で書道教室をしている女性にたいしては、正直なところうらやましいと思ったとのことだ。

「やりたいことを仕事にしても生活できないし、世の中、不平等すぎると思わない?」

学生の頃はあまり気付かなかったけれど、男というのはろくなものではない、ということを展覧会で学んだという。

「だいたい、大企業のサラリーマンとか、年長の男性は、若い女の子には上から目線で話すし、展覧会のあと、合評のときなんか、お酒も入ってくると言いたい放題。結局、気付くと酒席でも何でも、女性だけで固まったりしていた。もっとも、一人だけ、精神科医の男性がいたけれど、彼だけはあまりそういう態度をとらなかったので、女性に受け入れられていたなあ」

最初は付き合いで酒席にも出ていたけれど、だんだん理由をつけて参加しなくなったという。展覧会への応募はするけれども、まあ、そういった人間関係もあるのかもしれず、あまりいい成績ではなかったらしい。その分、女性だけで画廊みたいなところを借りて、グループ展はしてきた。個展まではむずかしいし、仕事が忙しくて、準備も大変だったけれども。

でもそこで在廊していると、中高年の男性が近寄ってきて、わけのわからないことを言うことには閉口したらしい。

「うちのオフィスに飾る書をお願いしたい。その相談もかねて、一緒に食事したい、とかそんな感じ。それで仕事をもらえた試しがない」

今でも思い出すと腹が立つとのこと。

でも、もっとくやしいのは、社会に対する怒りを書にしたときに、あまり受け入れてもらえなかったことだそうだ。

「不合理な世界に対して、わたしは常に怒っている。それは今でも変わらない。ただ、社会に対する怒りということだけが、作品に込められた感情として受け入れられなかった。そのことでわたしはさらに怒ったものよ」

思い出すと、今でも不機嫌になる。

後に、政権を批判した書がアイコンとしてあちこちで使われたことがあったけれど、みんなそんな想いで書きたいと思っていたということだ。

教師としての仕事も似たようなもので、学校という閉鎖的な社会で、楽しいことはあまりなかったらしい。40年前の地方の高校なんて、新任の女性教諭はお茶くみとか机を拭いたりとか、そんなことをさせられるし、生徒もわけのわからない校則で死んだような目をしているし。高校はまだ良くって、人事交流で中学校で勤務したときは、坊主刈りの男子中学生ばかりで気持ち悪かったという。

「学校にくるとすぐにジャージに着替えて、それで1日過ごす。さすがに、そんな変な学校はなくなったと思うけど、あまり衛生的とも思えなかったわ。ジャージだと、背中に名前が書いてあるから、生徒をチェックしやすいということ」

でも、逆に高校ではジャージで授業を受けている生徒に対して怒る教師もいて、いいかげんなものだ。

さすがに、女生徒に手を出す教師はほとんどいなかったが、卒業後、転勤してから結婚するというケースはあったという。でも、それ以上に、若い女性教師に対するセクハラは多かった。それから、どこの学校でも3、4組の不倫カップルがいたという。地方では自動車通勤があたりまえだけど、同乗して通勤することができるので、そうなりやすいらしい。

「二人とも既婚者というケースが多いけど、女性のみが既婚者というケースが次に多い」というのが、陽子さんの見たところである。地方も都市化するにしたがって、減っていったとも。陽子さんも誘われることはあったが、それでどうなったかまでは話してくれなかった。

「30歳を過ぎて、子どもを産んでからは、誰も誘わなくなった」ということなので、男女のことは距離をとってみることができた。結局のところ、教師だって人間だし、学校は世界が狭いから、というのが結論。書の世界があって助かったのではないかとも思う。

陽子さんは20代の後半に最初の結婚をしている。職場の同僚だったそうだ。職場でいろいろうんざりしていた時期、この人だったらまあ、まともだろう、という判断だったらしい。美術科の教師ということで、話も合うだろうとも思った。でも、一緒に暮らしていると、あまり他の男性と変わらず、かえって負担は増えるし、職場の他の男性教師と一緒に仕事をすることが、やりにくくなるし、あまりいい結婚生活ではなかったそうだ。思い出したくないことの1つでもある。結局、陽子さんは30歳を機に離婚するのだけれど、その直後に男の子を出産している。法律上は、結婚相手の子どもということになっているが、実際にはそうではないということだ。誰が相手なのかは、陽子さんは話してくれない。同僚の教師なのか、書道関係者なのか、あるいはまったく違うのか。

離婚して母子家庭になったことで、かえって親戚とは疎遠になることができた。

「何の助けにもならないくせに、いろいろうるさい人たちとは付き合わなくてすむようになったのは楽だった。どうせ、顔を見せないところで悪く言われているのだろうけど。だからこそ、もう関係ないって」

とりわけ、元々母親は夫の実家とは仲が悪かったので、ほぼ絶縁状態になるが、それはそれで楽でいい。

陽子さんは、男の子を一人で育てることにする。結婚相手からは多少の慰謝料ももらえたこともあって、育児を甘く見ていた、という。

「育児が大変だって、もっとみんな教えてくれればいいのに。みんな幸せそうに子どもを育てるから、勘違いしたわ」

それでも、陽子さんは息子に不条理な怒りをぶつけることはほとんどなかったらしい。息子がどう感じているのかはわからないから、らしい、のである。

「私の母親が夫、というか私の父親の実家でその親兄弟と同居していたとき、自由にならないことが多く、子どもに怒りをぶつけることがあった。そのあとも、母親は娘を自分の思い通りになるものと思っていたらしいのよ。その反動で、子どもは子どもの好きにさせるのが一番いいと思っていたし。子どもに対して理想を持たなければ、一緒に散歩したり、一緒にごはんを食べたり、一緒に昼寝したり、そういう暮らしはけっこう幸せだったのよ」

母子家庭で、正規で採用されている教師だから、あまりひどい暮らしではなかったけれど、それでも楽なわけでもなかった、と話す。

書家として、作品を制作できないときもあったし、それも仕方ないとも思ったというが、

「でもまあ、書家としては失われた20年だったかもしれないな。あの時期に、もっと書いておけばよかった、という後悔はあるよ」

と、話す。

男の子で良かったともいう。

「女の子だったら、きっと自分の考えを押し付けたかもしれないし、そのあげくに、お母さんみたいな人生は送りたくない、って言われたんじゃないかな。私が自分の母親に対して感じたように」

そう言ったかと思うと、「でも、自分の考えを押し付けたけれど、少しも聴いてくれなかったのかもしれない」

そんなふうに、前言を撤回してみる。まあ、娘であっても、母親に押し付けられた考えを拒否する、ということもあるだろう。陽子さんがそうであるみたいに。

さて、その息子はもう40歳近い。二人の娘がいるということだ。陽子さんは、孫娘を見ると、やっぱり女の子はかわいいし、育ててみたかったという。言っていることが矛盾している。

教師として、生徒に接していても、どこかで自分の理想を押し付けていたのかもしれない、と、反省もしている。特に、息子が反抗期になってからは、生徒にとってはあまりいい教師ではなかったかもしれない。結局のところ、息子は勝手に育つし、その代償を生徒でまかなおうとしていたの

かもしれない、そんなことも思う。

自分の進路を決められない生徒、自分の将来をないがしろにする生徒に対しては、うまく接することができなかった。進学校で、生徒をベルトコンベアに乗せて大学に送りだすのは、まだましだった。入学した生徒の半分近くが退学する学校に赴任したときは、こたえたという。大学に進学した自分の息子と比べてしまう。どうしてそんなことができないのか、と。

保護者と話すことも、似たようなものらしい。子どもに無関心な親には腹が立つし、子どもを支配しようとする親にも腹が立つ。

「結局のところ、常に正解がないところで、怒っていたのよ」

陽子さんは非常勤講師になってから、一度だけ、小学校に赴任したことがある。病休している教師の代行だ。国語以外は、他の教師のサポートを受けながら、対応してきた。小学校で教えていて、学んだことは、ケアという考え方だったという。国語はともかく、算数も理科も社会科もみんな、中学にいけばリセットして学び直すことができる。そのことを前提として教えればいい、と若い同僚に言われた、ということもある。大事なことは、まだ幼い子どもたちをケアすることだそうだ。

自分もかつて、幼い息子を育ててきたはずなのに、そのことをすっかり忘れていた。もっと早く小学校で教える経験があれば良かった、と感じたらしい。

息子が高校を卒業して地方の大学に行くようになり、自分の時間ができてくると、もう少し作品を制作できるのではないかと思っていた。でも実際にはそんなことはなく、時間が空いた分だけ、仕事が忙しくなったという。

もっとも、制作が進まなかったのは、フィットネスクラブに通うようになったから、というのもあるという。

「さすがにね、年をとると、身体は重くなってくる。教師はけっこう身体を動かす職業だとは思うけれど、それもたかが知れている。50歳になったのを機に、一人暮らしにもなったことだし、仕事帰りに週2回くらい、身体を動かすことにしたの。休日に動けばいいって思うかもしれないけれど、休日は書に取り組みたかったの。結局、休日は疲れていて、ぐったりしているのだけど」

それでも、50代の10年間は、自分を取り戻す助走だったという。

「健康診断の結果だって、ほめられたものじゃないし、そんなの自分じゃないって思ったわよ。息子も自立していったし、自分を取り戻そうって思ったの」

古文の授業で「源氏物語」の解説をしているとき、「ああ、まだこんな話ができる自分がいるんだ」と発見したらしい。明るいうちから下半身に節操のない光源氏の話をしているというのは、とても平和なことだそうだ。

陽子さんは、還暦を機に、再び結婚する。相手は、50代のときにフィットネスクラブで知り合った男性だそうだ。クラブのプールで下手にばかみたいに泳いでいる、美味しいものが好きな太ったおじさんというのが、なんだか子どもみたいだったらしい。年齢が同じということもきっかけで、フィットネスクラブ帰りにビールを飲みながら、陽子さんは学校のいろいろな不満を相手に話してきた。不機嫌な陽子さんにとっては、多少なりとも機嫌を直す時間ができたのは良いことだった。

太ったおじさんの仕事はというと、単身赴任のサラリーマンといったところだ。弱小建設会社の管理職ということで、仕事はほどほど、身体を動かしても体重は減らない、という現状にいた。単身赴任というのもいろいろ大変らしい。週末に家に帰るたびに変化がある。子どもが大学生になったのを機に、奥さんという人は介護の仕事につき、いつのまにかケアマネージャーの資格を取得していたとか。だんだん、居場所がなくなるんだよ、と話していたとのこと。子どもが受験などで大切な時期に、一緒にいてあげられなかったという負い目がある。

陽子さんとしては、最初はこの太ったおじさんと結婚するとは思っていなかったということだ。けれども、還暦になったときに、もう人生は一周回って二周目に入ったわけだし、また少女に戻ってもいいんじゃないか、と思ったら、急に結婚したくなったという。少女には少年が必要だ。都合がいいことに、太ったおじさんも、いつのまにか離婚していた。60歳を過ぎたら定年延長はいいけれど、給料は少なくなるし、奥さんという人も専門職として自分の人生を生きたいので、もう別れてもいいよね、ということで、もはや単身赴任ではなくなっていた。だったらまあ、このあたりでもう一度結婚してもいいか、ということだ。陽子さんは息子から「お母さんも幸せになってください」と言われて、ちょっとほろっとしたという。太ったおじさんの息子と娘も祝福してくれたし、まあそれは良かったのだけれども。

もちろん、こんな歳になって結婚なんかして、と、きっと陽子さんの親戚はまた、悪口を言っているのではないかと思う。でも、気にしない。気にしても不機嫌になるだけだ。

もっとも、新婚生活が万事順調だったわけではない。太ったおじさんの給料は60歳を過ぎていたので思ったより高くはなかったので、それはいいのだけれども、アウトドアに忙しく、あまりお金を節約してくれないので、ちょっと困ったらしい。そして65歳を機に、このおじさんは年金生活に入る。まあ、家事がひととおりできるのは助かるし、身体を動かすのが好きなので、うちでごろごろしていないだけでも、ましなほうかもしれないけれども、その家事が雑で困る、という。

「せっかくの新婚生活、もう少し楽しいと思っていたのに」

陽子さんはとても不満だ。でも、定年を機に、朝からお酒を飲む生活となり、すぐに亡くなるというのもよくある話だから、太ったおじさんがそういう人ではないというのは、まあいいことだ。年金制度にとっては、すぐに亡くなる人の方が都合はいいのかもしれないけれど。

明日70歳になる陽子さんは、とりあえず今年度いっぱいで教師をやめて、書道に専念する。書きたいと思って書けなかった文字がたくさんある。自分の中で、文字として固まっていかなかったものがたくさんある。

「一周まわってようやく十代、書道教室の入口に戻ってきたのよ」

ということなのだが、実際のところ、どうなるかわからない。時間ができたからといって、いい作品が書けるとは限らない。太ったおじさんと一緒に、アウトドアに精を出しているかもしれない。友人からは、書道教室を手伝ってほしいということも言われている。干支が自分に近い小学生とつきあうのも、悪くないと少しは思っている。

少女にとって、世界は自分を中心に回っているものだという。自分を中心から排除しようとするものには怒りを感じる。自分の思い通りに回ってくれないものにはいら立ちを感じる。一周回ってみて、やっぱり世界の中心に自分がいるんだと思う。

岸田尚一コマ漫画 ◉コラージュ＆文＝岸田尚

固有性としての少年少女期
——荒地派と吉増剛造

◉文＝石和義之（文芸評論家）

他者の欲望から身をかわす

誰かが言っていた。人の欲望は他者の欲望を模倣するのであって、自発的な欲望の純粋性というものは存在しない、と。まったくその通りだ。幼児は最初に対面する他者である母親に望まれようと、健気に母のご機嫌をとろうとする。その母自身も他者の欲望に影響されているのだから、幼児の肉体は周囲の大人や社会の思惑に取り囲まれている。

しかもたいていはそのことを自覚していない。幼児の無意識はすでに制度に横領されていて、制度が用意するお手本としての理想化された少年少女像が無意識の中にドカッと腰を据えているが、時として人生には偶発事件が起こり、一般的な文化コードと異なる運動を演じることがある。本稿では一九四〇年代と一九六〇年代に登場した詩人の姿に、制度とすれ違った固有な無意識を確認してみたい。

荒地派の場合

日本の戦後詩史に登場した荒地派と呼ばれる詩人たちが特異なのは、彼らがそれまでの日本の詩歌とは、まるで異なる表現方法、反抒情詩ともいえる方法を開示したことだ。荒地派の詩人たちが感受性を育んだのは、一九三一年に始まる一五年戦争という厳しい時代であった。

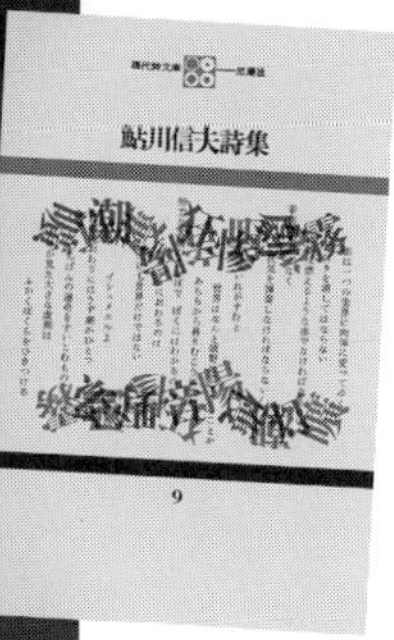

メンバーの一人鮎川信夫は、「動的な思想、或は生理的な放蕩的な感覚は出来るだけ避け、死人のように"荒地"を見つめること、そこに一切が賭けられてある。『死人のやうに』——僕はこの言葉を忘れぬやうにして、芸術家はまづ死人でなければならないといふことに従つて生きてゐた。『正確』——それが僕の嗜好に適する唯一のものであつた」（「鮎川信夫戦中日記」）と、三〇年代の社会情勢に対する彼の反応について書いている。「死人のやうに」「正確」という言葉は独特なニュアンスを含んでいるが、ここではそれを日本的感性をあえて殺して、生者の生理を自明視することなく現象を吟味する態度と解釈したい。

こうした姿勢は「日本的な」精神傾向への批判を孕んでいる。鮎川を取り巻く、当時の（そしておそらくは現在にも当て嵌まる）状況は、戦前とさして変わらぬ同調圧力に満ち満ちた「日本的」風景と呼ぶほかないものだったからだ。

その風景の中には戦前に活動した四季派の表現者たちがいた。四季派の表現者は、名前の如く、批評意識のないところで自然と癒着するように抒情詩を紡いだが、戦時体制の前にはついに無力であった。吉本隆明は、そのような日本的主体の在り方を次のように説明している。「『四季』派の抒情詩の感性的秩序が、現実社会の秩序を認識しようとする場合、はっきりとした自立感と遠近法をもたず、したがって現実の秩序と、内部の秩序とが矛盾・対立・対応がなされる以前に融合してしまっているところに、問題があるとかんがえなければならない」（「『四季』派の本質」）。ここには「はっきりとした自立感と遠近法」を持った主体が存在していない。甘美な自然に埋没した子供じみた子供がいるだけだ。それはまた、社会学者リースマンの言う「他人指向型」という社会的性格に似ている。このタイプは他人に承認されたいという欲望がすべての基準となるので、戦時期の大勢に躊躇なく同意してしまう。

それとは逆に荒地派は、自然から締め出され、寒々

★『鮎川信夫詩集』（思潮社）

しい「荒地」で「死人のやうに」、不幸を克服する大人びた子供であった。生き延びるために知的な成熟を強いられた戦時期の子供は、何も考えずに「故郷」のような自然な環境を謳歌する戦後においては普通とされた子供の時代の幸福から疎外されていた。幸福な子供としての生を断念し、獰猛なまでに世界を明視しようと、頭でっかちとなってモノクロームな世界を死者のように覗き見る。彼らは他の感覚を抑圧し、視覚だけの存在と化し、その視線は常に地上から離れた虚空から俯瞰する。

その大人びた子供は、フロイトが「快感原則の彼岸」を見出したきっかけとなった、母の不在という不幸を一人遊び（糸巻遊び）を通して克服し、超自我と自我の二重構造で自律した「自己」を確立したフロイトの孫の姿に似ている。精神分析の創始者であるフロイトはそうした孫の姿に、超自我と自我の二重構造で自律した「自己」の確立を見、ひいては「快感原則の彼岸」という著名な概念を確立したわけだが、こうした孫の姿勢はまた、リースマンの言う「内部志向型」と重なる。このタイプは、容易に伝統や他人に動かされることはなく、「内部の秩序」に従って行動する。

荒地派の少年期は不幸な色合いに染まっているが、不幸を通過することで開ける倫理的な地平というものもある。それでは、視覚過剰の荒地派以降の詩人たちはどうだろう。

吉増剛造の場合

「もはや戦後ではない」と、一九五六年の「経済白書」は宣言したが、戦後の安定期に入ると、「世界からの意識的で全体的な孤立」を武器に「現実と深くかかわりながらしかも極端に観念的であろうとする」（粟津則雄）詩的言語を展開した荒地派の表現は、高度経済成長の出発点となった「五五年体制」以降の日本社会においてその存立基盤を失うことになる。絶望と背中合わせの彼らの言葉はリアリティを失い、代わって、「時代の肯定的な要素が言語表現上の可能性となって鮮やかに刻印された一時期」（添田馨「戦後ロマンティシズムの終焉と詩の未来」）が到来する。年代としては一九五五年から一九七五年までの約二十年間で、その期間の詩群の底流に「戦後ロマンティシズムといった思潮」があったと添田馨は考えている。

五〇年代に登場した大岡信は「詩というものを、感受性自体の最も厳密な自己表現として、つまり感受性そのもののてにをはのごときものとして自立させるということ」（『蕩児の家系』）を、自分たちの世代の方法論だと説明している。安定した豊かさと右肩上がりの好景気を背景として、新しい世代は荒地派がなし得なかった「感受性の祝祭」を打ち出したが、とりわけ六〇年代に登場した吉増剛造は、それ以前の世代とは根底から異なるパフォーマンスを繰り広げた。

ぼくの意志
それは盲いることだ
太陽とリンゴになることだ
似ることじゃない
乳房に、太陽に、リンゴに、紙に、ペンに、インクに、
夢に！　なることだ
凄い韻律になればいいのさ　（「燃える」）

吉増の自註とも呼べる作品である。「凄い韻律」となって、「本質的にロマンティックな盲目であることへの強い意志」（添田馨）を響かせることが詩の唯一の動機となっているし、盲いて韻律過剰であることは反荒地派的ともいえる。このようなロマンティシズムはこの時代にしか存在できなかっただろう。まるで少年ジャンプのかつてのヒット作『男一匹ガキ大将』（本宮ひろ志）の戸川万吉のようである。「太陽系の誕生の日／祝いの宴席で／龍巻のように鋭く巻いたおれの毛髪は／暴君たちとともに／宇宙の岸辺を激しくたたいた」（「希望」）という詩句は、万吉の生存感覚である。吉増の「男一匹ガキ大将」の肉体には次のような原光景が記憶されている。

少年の頃、化石ハンマーを持って一日中山を歩きまわり、手にした水成岩を一撃して、まっぷたつに割れ

★『吉増剛造詩集』（思潮社）

たその中心に巨大なウニの化石を発見したときの感激、それがぼくにはいまだに謎だ。以来ぼくは、あの奇蹟を求めて、すべてを化石のように、掌にのせてハンマーで割ろうとしてきたのか。唯一の正義がその行為にあるかのように、そこに輝く中心があるかのように……世界を掌にのせて言葉の剣で斬る、それがぼくの希望の発生点とでもいおうか。
（「中心志向」）

「少年」「ハンマー」「一撃」「正義」「輝く中心」「希望の発生点」吉増の詩的言語の運動を構成するものとして、以降語られるようになるすべての要素がすでに出そろっている。六〇年代における吉増を評する枕詞に「疾走詩人」という呼称があったが、吉増の詩的運動は破壊と創造をひとつの身振りとして演じるものであった。一種の火の玉が物凄い速度で風景を横切りながら、風景にエネルギーを注入し炎上させて狂気の宴を出来させるかのようであった。

「私の肉体を丸木舟に仕立てて見知らぬ焔を発火せよ!」（「飛舟」）。「たがのゆるんだ生命線に火柱をたおせ」（「続祭火」）。「狂気への彫刻刀は振りあげられた」（「波のり神統記」）。「ぼくの眼は千の黒点に裂けてしまえ／古代の彫刻家よ／魂の完全浮遊の熱望する、この声の根源を保証せよ／ぼくの宇宙は命令形で武装した／この内面から湧きあがる声よ」（「疾走詩篇」）。

ここで詠われるのは盛んに燃え上がる焔の姿である。そして焔が演じる運動は疾走こそがふさわしい。と同時にその焔は高炉の中で金属を鋳造するための創造の身振りも演じる。少年期の吉増が手にしていたハンマーは、創造性と同時に過剰な暴力を内包し、六〇年代という時代と共有できるものを少なからず含んでいたのである。

制度から離脱し「男一匹ガキ大将」として時代を疾走する

当時の基幹産業は鉄鋼業なのだから、吉増のハンマー必ずしも時代から逸脱したものではなかった。六〇年代の日本の経済を大きく押し上げ、時代を沸騰状態に湧きあがらせたのは、製造業であり、また製造業はリースマンの分類によれば「内部志向型」の時代である。

吉増的ハンマーは、時代のうねりとぴたりとフィットしていた。ただし、一点、時代との同調と決別するのは、自己を抹殺して制度に同調する成人労働者であることから離脱し、あくまでも「少年」を作品世界の担い手としていることだ。異様なスピードで右肩上がりに急成長する日本経済の運動やそれと見合う昇りゆく太陽を模倣する東方感覚と同調しながらも、「男一匹ガキ大将」として、吉増的少年は、その六〇年代という時代精神がもたらしたイケイケ感覚を振り払うように、さらにそれを上回る疾走で宇宙へと突き抜け、朝日には狂気を忍ばせる。

彼岸の少年は消えもせずさらに茫茫と燃えるが如く、巨大な火炎の壁となって、走り続けている。
（「夏の一日、朝から書きはじめて」）

ぼくは詩を書く
第一行目を書く
彫刻刀が、朝狂って、立ちあがる
それがぼくの正義だ!　（「朝狂って」）

吉増は、勤労者よりも詩人にふさわしく、自分の固有の韻律と狂気に肩入れする。吉増が「狂気」という言葉を連発するのは、安定という同調圧力へ荒地派とは違うスタイルで批評を演じるためだ。ただし、それは瞬間的なアナーキズムでしかない、という弱点がある。

老獪な制度に抗うために

「詩人」という言葉は今では死語となった。かつてはその言葉に畏怖を覚えるほどに状況は若かった。令和の我が国は年老いて、六〇年代的なアナーキズムを鼻でかわすほどに老獪だ。むしろ荒地派的超自我のほうが戦法的には有効であろう。今や制度に抗うには散文的な老獪さが要求されるが、その戦略の根本には固有性を開示できる少年少女が不可欠である。

◎文＝阿澄森羅（小説家・シナリオライター）

運否天賦の才能
――『神童』たちの光輝と蹉跌

1 異世界チートと神童幻想

以前から定番の設定だったが、ここ最近「タイムリープ」や「タイムトラベル」を扱う作品が目立って多い。「過去に戻ってやり直したい」事柄は誰にでもあるだろうし、何度か失敗しただけで軽々と行き詰る現実への異議申し立てとして、共感を得やすいネタだというのもわかる。一方で「現在の中身のまま幼児期に戻りたい」との願望を叶える、人生を特典付きでリセットするパターンもある。

この設定で有名なのは『ドラえもん』15巻に収録の『人生やりなおし機』だろう。勉強も運動もダメなのび太が、ひみつ道具で能力はそのまま四歳に戻って天才児として大活躍するが、何の努力もしなかったので成長と共に元のダメさになってしまう、といった展開になる。インチキで得た能力や名声の虚しさを描いた内容は、発表から四十数年経っても色褪せない――のだが、現在このパターンはインチキを肯定するような形で人気ジャンルを形成している。

ラノベに興味がなくとも、本屋の棚やネット広告で「異世界転生」や「異世界転移」の作品は目にしているはずだ。この手の作品の主人公は、高確率で「チート」と称される類の特殊なチカラを有する。チートとはインチキや誤魔化しを意味する言葉で、コンピューターゲームでの不正行為や違法改造がそう呼ばれていたのが転じ、尋常でない能力や恵まれた環境などの表現に使われるようにもなった、という経緯がある。

パッとしない主人公が若返り、規格外の能力を駆使して無双する物語が

★山本茂『神童』（文藝春秋）／渡辺茂夫の伝記

支持される理由は様々あるだろうが、「神童への憧れ」が大きな割合を占めているように思える。古来「若き天才」や「奇跡の神童」は世間の注目と人気を集める存在で、新約聖書のルカによる福音書二章で神学者に教えを授ける十二歳のキリストから、次々と将棋界の史上最年少記録を更新した藤井聡太まで、神童の行動は人々の好奇心を掻き立てて止まない。

そこで今回は、天賦の才能を発揮した子供たちのエピソードを追いながら、神童とは何なのかについて考えてみたい。

2 アートにおけるチート

現実でも転生チート主人公に近い存在は出現し、そうした子供は大抵が「ギフテッド」と認定される。アメリカ教育相の定義によれば「知性・創造性・芸術などの領域、或いは特定の学術分野で高い素質を示し、その能力を発達させるサポートを必要とする子供」となっている。学術系の才能は「ギフテッド」、芸術系の才能は「タレンテッド」と分類されるのだが、まずはタレンテッドを見ていこう。

才能の有無が判定しやすいのもあり、音楽や美術の分野には神童が高頻度で登場する。音楽家でとりわけ有名なのはモーツァルトだが、ベートーヴェンも八歳でコンサートに出演し、十一歳で『ドレスラーの行進曲による9つの変奏曲』を作るなど、神童と呼んで差し支えない記録を残している。ベートーヴェンと同時代を生きたシューベルトも、二十歳頃までに六百以上の曲を作っている。かの有名な『魔王』は、彼が十八歳の時の作品だ。

そんな天才たちと比肩する才能の片鱗を見せながら、十全に発揮することなく表舞台から姿を消した渡辺茂夫という人物がいる。音楽家の

父（養父となった伯父）の過酷なレッスンに耐えヴァイオリンの才能を発現させた茂夫は、七歳だった48年に読売ホールでのリサイタルで本格デビュー。数あるヴァイオリン協奏曲でも屈指の難曲であるパガニーニの協奏曲1番ニ長調すら見事に弾きこなし、天才少年として賞賛を浴びた。

その後、世界的ヴァイオリニストのヤッシャ・ハイフェッツにも才能を認められた茂夫は、ジュリアード音楽院への推薦入学が決まり十四歳で渡米。しかし、ホームステイ先での軋轢や師匠との不和、周囲の嫉妬や日本人差別などの積み重ねで心を病み、留学二年目には精神科での治療を受けることに。

一度は回復したかに思えた茂夫だが、再び精神のバランスを崩し、遺言めいたメモを残して大量の睡眠薬を服用（失恋が原因との説もある）。命は助かったが脳に障害が残り、二度とヴァイオリンを手にすることなく四十余年後に亡くなった。成功の約束された花道を歩んでいても、ちょっとした偶然で破綻してしまうのは誰にでもあり得るが、茂夫の場合は落差が極端で苦さも際立っている。

美術界でも、後に巨匠と呼ばれる人物の殆どは神童として世に出るか、少年時代に特異な作品を残している。ピカソが八歳で描いたとされる、緻密なデッサンに驚いた記憶がある方も多いだろう。ただ、人物や風景の絵なら素人でも巧拙が大体わかるが、ラクガキとの境界が曖昧な抽象画の場合が少し困る。

とはいえ専門家なら価値が理解できるようで、幼児の絵に数百万の値が付くのもザラなのだが、技術より感性が重視されるジャンル故に、現代アート界隈の神童は思わぬ騒動を巻き起こすことがある。近年では、マーラ・オルムステッドがその代表だろうか。00年生まれのマーラは「四歳の天才少女」という触れ込みで世に出て、作品は高評価を得たものの、程なくして「本人が描いているのか？」との疑惑が囁かれるようになる。

安定したクオリティも然ることながら、作品を描き上げる行程を家族以外の誰も見ておらず、TVの企画でマーラの創作風景を一ヶ月間撮影しても、まともに絵を描いている様子は記録されない。更には父親が無名な芸術家だったのも疑惑を深める方向に作用して、真相が解明されることなくマーラは表舞台から姿を消した。

こうした「本当に子供が作ったのか」疑惑は、創作系の神童とは切り離せないのだが、それが特に顕著になるのが詩や小説といった文芸ジャンルだ。

3 文壇は双葉より如何わし

55年に出版された詩集『木 わたしのお友だち』は、作者ミヌゥ・ドルゥエが九歳の少女だったことでフランスを混乱に陥れる。有名な作家や評論家はミヌゥが「本物の天才か」で論争を繰り広げ、マスコミは彼女の関係者を執拗に探り、果ては心理学者の検査や専門家の筆跡鑑定まで行われた。

ロラン・バルトは『神話作用』でこの件に触れ、「天才とは時間を有効に使うことであり、普通は二十五歳ですることを八歳ですることである。単に時間の量の問題で、他者より早く進むだけなのだ。従って、幼年期は天才の特権的な場所となる。（中略）ミヌー・ドルーエの奇跡は、子供なのに大人の詩を作り出したことである」と語っている。バルトの視点は、作品のクオリティより「何歳で書いたか」が重視される、文芸分野にありがちな「十で神童、十五で才子、二十過ぎれば只の人」問題とも直結している。

作者の低年齢が話題になった本だと、日本では『天才えりちゃん金魚を食べた』（岩崎書店、91年）の知名度が高い。作者の竹下龍之介が六歳の園

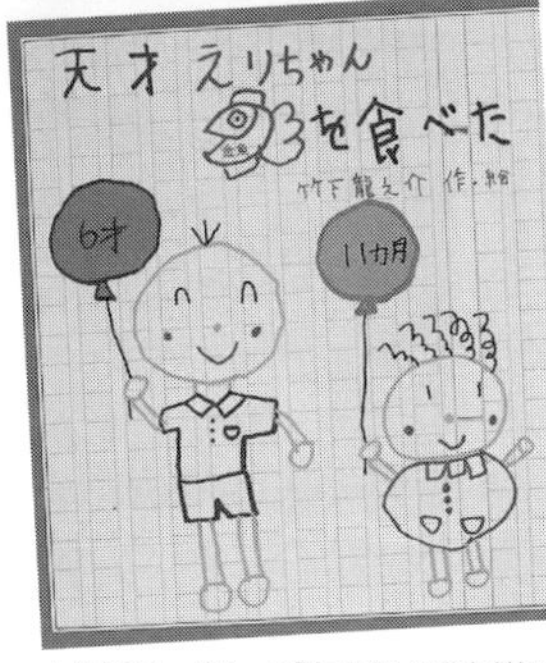

★（上）ミヌー・ドルーエ『木 わたしのお友だち』（ダヴィッド社）
（下）竹下龍之介『天才えりちゃん金魚を食べた』（岩崎書店）

児で、しかも第8回福島正実記念SF童話賞を受賞、ということで龍之介の天才児ぶりはメディアに繰り返し紹介され、『えりちゃん』は続編も含めて順調に版を重ねた。ただ、授賞については選考委員の意見が分かれ、北川幸比古は「六歳児の作品はエンターテイメントにはなりえても、児童文学では絶対にありえない」と公言して主催団体である少年文芸作家クラブを除名され、その処分に抗議する形で賞の創設者である内田庶(宮田昇)も退会している。

本作を高評価した選考委員の光瀬龍も「最初は大人の書いたものかと疑った」と語っているように、『えりちゃん』は妙に整っている。低学年以下には難解で中学年以上には幼稚すぎる内容なので非常に評価しづらいのはさて措き、絵日記とエッセイと創作を混淆させて筋の通った物語を構成する手腕は間違いなく非凡だ。

母親である竹下眞由美の著書『龍之介 竹下家の子育て日記』を読むと、龍之介の文才には早期の幼児教育の効果が大きいとわかるが、『はれときどきぶた』を常に手元に置いて書いていた、という創作裏話までが堂々と記してあって困惑する。真似ただけでは書けないにせよ、数年で引退状態となった原因はこの辺りにありそうだ。ちなみに現在の龍之介は、弁護士として活動しているらしい。

似た例としては、第4回『このミステリーがすごい!』大賞で特別奨励賞を受賞した『殺人ピエロの孤島同窓会』(宝島社、06年)の水田美意子が、十二歳の女子中学生だった件がある。選考委員の評は「展開も仕掛けも甚だ荒っぽい」「二次選考落ちレベル」「受賞する完成度に達していない」等々かなり辛辣だったが、委員の一人である大森望の猛プッシュと、十二歳の作者という話題性の利用価値もあって押し切られたようだ。

中身については「全てが拙い」の一言で終わるが、とにかくハイテンポでイベントを起こし、読者を飽きさせまいとする姿勢には好感が持てる。問題は、普通のミステリーやサスペンスでは「ここぞ」のタイミングに用意される大きな見せ場が、5ページに1回くらいの密度で出現するのでメリハリが死滅している点だが。

二年後に出版された『着ぐるみデパート・ジャック』(宝島社、08年)も、未だ商業レベルとは言い難い。失敗の要因は多々あるが、大人の言動や思考が理解できておらず、登場人物の大部分にリアリティ皆無なのは致命的だ。これは作者の能力よりも、等身大の舞台設定(小中学生を主役にした物語)で書かせなかった編集の責任だろう。その後、作者の長編は発表されていないが、時々宝島社の短編アンソロジーで名前を見るので、現役の作家ではあるようだ。

4「科学の子」の天国と地獄

天才がどれだけ新奇な音楽や美術や小説を生み出そうと、それが社会や世界を変革するのは稀だが、科学分野では話が変わる。神童が才能を伸ばし続け、常人が辿り着けない領域での発明・発見をするかも、と野次馬的な興味を超えた期待が寄せられるようになる。

半世紀ほど前、韓国の大学生が日本中を驚かせた。三ヶ月で喋り、八ヶ月でチェスを覚え、一歳で漢字を読み、三歳で著書『星にきいてごらん』を出版し十万部を売り、ＩＱ210がギネスにも認定された、当時四歳のキム・ウンヨン(金雄鎔)だ。67年11月、『万国びっくりショー』の初回に登場したウンヨンは、東大生を相手に積分の難問早解きで勝利し、お茶の間に絶大なインパクトを残した。

だが数年後にウンヨンの足跡は途絶え、ギネスからはＩＱの記録が削除される。大橋義輝『韓国天才少年の数奇な半生 キム・ウンヨンのその後』(共栄書房、11年)での本人の説明によると、70年に渡米しコロラド州立大の大学院で博士号を取得、75年からはNASAの研究員となったが、研究漬けの生活に疲れて78年に帰国。その後は大学を再受験して水理学と土木工学の専門家となり、取材当時は韓国の開発公社の広報部長や大学講

★大橋義輝『韓国天才少年の数奇な半生 キム・ウンヨンのその後』(共栄書房)

師などを兼任し、妻と二人の子供と暮らしていたそうだ。ちなみに、ギネスから記録が消された理由は謎のままである。

高い知能を持つ子供たちが辿った数奇な運命

最後に、同じような状況からスタートし、まるで違う運命を歩んだ二人を紹介しよう。幼少期から化学に興味を持ち、中学時代には独学でニトログリセリンを合成するに至ったデイヴィッド・ハーンは、有毒物質を漏洩させたり爆発事故で病院に搬送されたりを繰り返した末、両親から自宅での実験禁止を厳命される。

それでも化学への熱意を止められないデイヴィッドは、やがて「独力で原子炉を作る」というアイデアに取り憑かれ、父と離婚した実母の家にある小屋を借りると、そこで放射性物質を集めながら実験を重ねる。だが十七歳だった94年の夏、たまたま職質された際に危険な化学物質を車に積んでいたのを発見され事態が発覚。調査によって多量の放射能漏れが確認された結果、実母の家が有害物質汚染地区に認定される騒動に発展してしまう。

十年ほど後、デイヴィッドの事件が『The Radioactive Boy Scout』という本にまとめられたのだが、これを十歳の誕生日プレゼントに貰った化学好きの少年テイラー・ウィルソンは「自分ならもっと上手くやれる」と確信し、核物理学に傾倒していく。テイラーの実験は理解ある家族のサポートによって徐々に本格化し、ギフテッド向けの教育環境で専門的な知識や技術も獲得、十四歳だった08年には史上最年少で核融合を成功させる。

その後も、核を使ったテロを防ぐための安価な放射能検出装置の開発や、安全性と燃料効率の高い小型原子炉の設計などを行い、テイラーは科学者として順調にキャリアを積んでいる様子だ。一方のデイヴィッドは、事件後まもなく母が自殺し当人は鬱状態に。大学卒業後は海軍に入隊するが、統合失調症を発症して除隊。やがて世間から忘れられた状態になり、16年に死去。死因は不明だが、被爆による健康被害が深刻だったという説もある。

才能の差があったにせよ、あまりに異なる人生に眩暈がしてくるが、「何故こうなるか」に対する研究者の見解は概ね一致している。ボストン大学の心理学教授エレン・ウィナーは、ギフテッド研究をまとめた『才能を開花させる子供たち』の中で、才能ある子供が創造性を発揮するには、当人の能力だけでなく「人知を超えた巡り合わせ」が必要だと語る。天才児研究の第一人者である、タフツ大学の児童心理学者デイヴィッド・フェルドマンはより身も蓋もなく、高い知能を持つ子供たちが成功を得るのに不可欠なのは「運」である、との結論を出している。

時代や家庭や教育など環境の問題もあれば、性格や意欲など個人の問題もあるが、要するに恵まれた条件が幾つも重なる幸運がなければ、どんな素質があろうと何者かになれる確率は極めて低い、ということだ。

恵まれた条件を得られる確率が6面ダイスで1を出すのと同じだとしても、五つの要素で全て1が出る確率になると0・01%ちょっと、まさに万の一つになってしまう。一人の成功の影に無数の可能性の残骸が埋まっている――この酷薄さこそが神童たちの才智を輝かせ、興味の尽きない存在にするのだろう。

★トム・クラインズ『太陽を創った少年 僕はガレージの物理学者』（早川書房）／テイラー・ウィルソンの伝記

★Ken Silverstein『The Radioactive Boy Scout』（Villard）

『スタンド・バイ・ミー』と『大魔神逆襲』
——束の間の少年だけの王国

◉文＝八本正幸（小説家・映像作家）

　翻訳家・柴田元彦は、マーク・トウェイン『ハックルベリー・フィンの冒険』について、「ハックはまだ下半身が目覚めていない」と述べている（村上春樹との共著『翻訳夜話2　サリンジャー戦記』二〇〇三年、文春新書）。まさに言い得て妙、って感じだ。そう、男の子には、まだ下半身が目覚める前の、イノセントな少年だけの世界が存在する。それは、思春期に突入して、男同士の約束をドタキャンしても、女の子とのデートを優先するようになる（それはまあ、生物としてのまっとうな成長ではあるのだが）前の、わずかな時間にしか存在しないものなのだ。

　映画『スタンド・バイ・ミー』（ロブ・ライナー監督、一九八六年）は、まさにそんな、束の間の輝かしい時間を真空パックしたような作品として忘れがたい魅力を放っている。

　物語は、オレゴン州（原作ではメイン州）の片田舎にある架空の街キャッスルロックに住む四人の少年たちが、行方不明になっている少年の死体を探すために、小さな冒険旅行に出るという話である。一二歳の少年たちは、大人ぶってタバコを吸ったりするが、他愛のない話題に夢中になったり、些細なことでケンカしたり、仲直りしたりしながら、目的地へと向かう。途中、鉄橋の上で機関車に追いかけられたり、沼でヒルに襲われたりと、危険な場面に遭遇したりしながら。

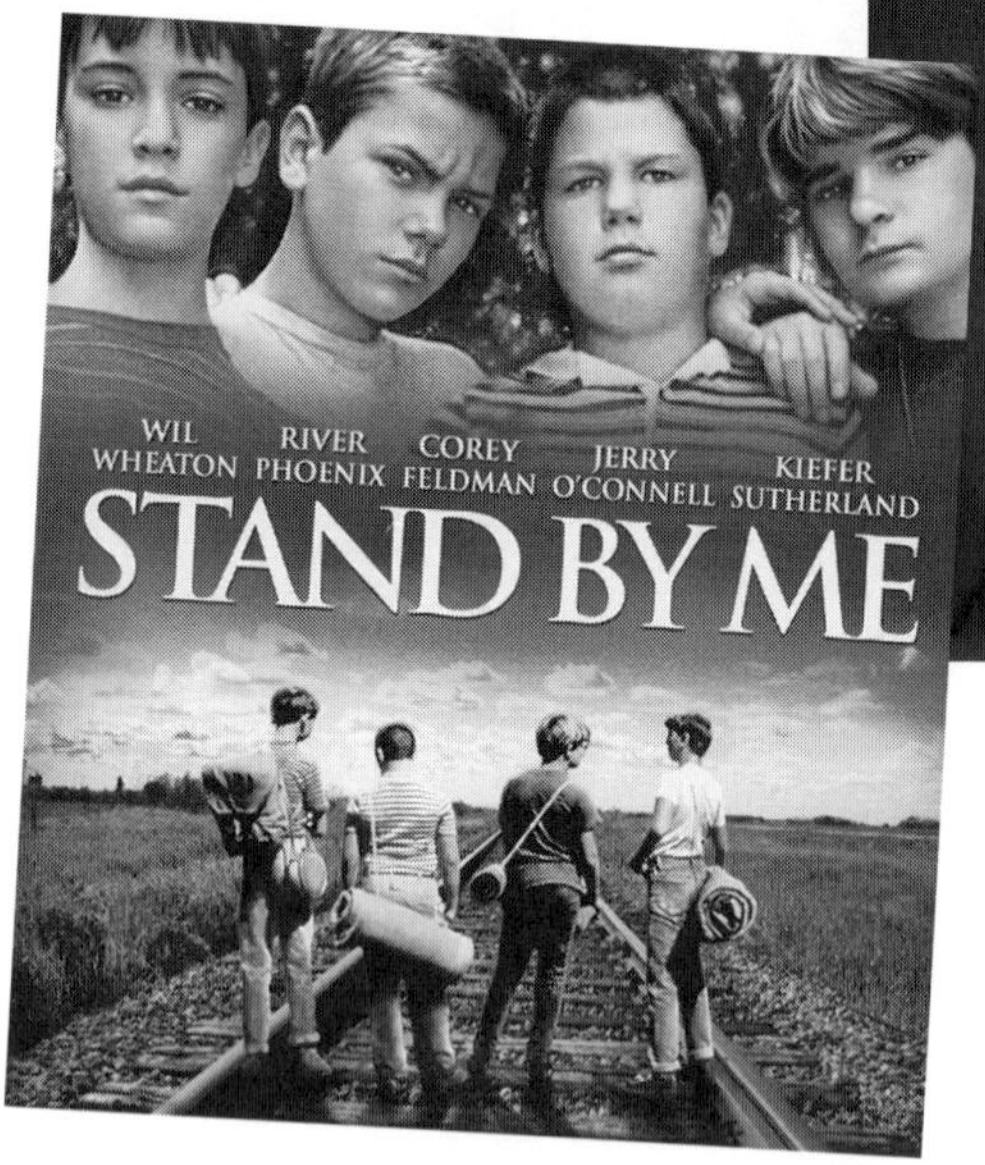

　原作は、ホラー小説の巨匠スティーヴン・キングの中篇小説で、タイトルは即物的に「ザ・ボディ（死体）」と付けられている。これを、ベン・E・キングの主題歌にからめて『スタンド・バイ・ミー』と命名したのは、

映画製作者のファインプレイであり、青春映画の傑作として語り継がれるようになった要因のひとつであると思われる。

もう一つ、少年たちのリーダー格クリスを演じたリヴァー・フェニックスが、二三歳という若さでこの世を去ったことも、この映画を余計に切なく、かけがえのないものにしている。映画の中でも、彼は大人になってからだけれど、亡くなる役だったので、なおさらである。

この映画が公開された頃、僕はもう二〇代の終わり頃に達しており、映画の中で過去を回想する、大人になったゴーディ（リチャード・ドレイファス）に近いスタンスだった。映画の内容がひときわ心に染みたのは、自分にも確実にあんな時代があったなと思えたからで、もちろん、死体探しなどというほどの大冒険ではないにしても、幽霊が出るという廃墟を探検したり、親に内緒で自転車小旅行に出たり、秘密基地を作ったりと、男の子だけのささやかな冒険の日々が、確実に存在したのである。そしてそこには、女の子の入り込む余地はなかったのだ。

あらためて『スタンド・バイ・ミー』という映画を観なおしてみると、主人公の少年たちと同年齢の女の子はもちろん、若い女性が一人も登場していないことに気がつく。

これはたぶん、意図的なものだろう。ここに女の子が登場しては、すべてがぶちこわしになってしまうからだ。そのせいもあってか、少年たちの兄の世代に当たり、死体発見の権利を争う不良青年たちも、見事に男だけで、潔い。

これに似た映画を、自分も子供の頃に観たよなと思い至ったのは、それからかなり時間が経ってからのことだった。

その作品とは、『大魔神逆襲』（森一生監督、一九六六年）！ 空前の怪獣ブームの最中に、大映京都撮影所が渾身の力で放った特撮時代劇の傑作『大魔神』シリーズの第三作である。

非道な領主のために過酷な強制労働にかり出された兄たちを救うために、四人の少年たちが、入ることを禁じられている魔神の山を越えて、旅をする話だ。

こちらの旅は、『スタンド・バイ・ミー』の四人よりも、かなり過酷な旅だ。山は険しく、敵に追われ、文字通り命懸けの旅になって行く。そして、激流に呑まれて、一人が命を落とし、二人は雪の中で眠ってしまった。残された一人は、魔神に祈りを捧げ、自ら崖

の先端から身を投げるのである。

その後、大魔神の登場によって三人の少年は助けられるが、激流に流された一人は、遂に還らなかった。

リアルタイムで鑑賞した少年時代も、夢中で観た記憶があるが、歳を重ねて観なおすたびに、その切なさが増して行く。

この映画にも、『スタンド・バイ・ミー』同様、少年たちと同年代の女の子は登場しない。ジュヴナイルものの冒険譚には付きものとも言える「紅一点」が存在しないのだ。

そして、これも重要なことだが、ホモ・セクシュアルな要素もない、ということだ。まあ、気合いの入った腐女子なら、これらの物語も立派なボーイズラヴものとして妄想してしまうだろうけれど、ね。

大切なのは、自我が確立してから、異性との性愛に興味の対象が移る前に、ある種の煩悩から解放された、自由な時間が存在するということである。

その反対に、女の子たちの世界にも、そうした異性の入り込む余地のない聖域が存在するのかどうかは、男である僕には解らない。

ただ、想像してみるしかないのである。

と、ここで唐突に、『そうして私たちはプールに金魚を、』(長久允監督、二〇一六年)という短篇映画のことを思い出した。埼玉県狭山市で実際に起こった事件をもとに、中学生の少女四人組(!)が、祭の出店の金魚約四〇〇匹を盗んで学校のプールに放流するまでの、夏の出来事を描いた作品で、若干男女間の恋愛に関わるエピソードも挿入されるけれど、メインは処女で男にモテない女の子たちの、他愛ない、だけどその時期にしか体験出来ない出来事を描き、奔放なカメラワークと、テンポのいい編集で、怒濤のように展開していく映画だ。これはもしかしたら、少女たちの『スタンド・バイ・ミー』と呼んでも差し支えない作品なのではないかと思った次第である。

かつてあった「少年だけの王国」という大切な思い出

もちろん、男女間の性愛が不純だなどと言うつもりはない。だけどわれわれは、そこから派生するもろもろのトラブルやしがらみ、そして責任を背負って行かなくてはならない。苦しみばかりではなく、喜びも快感もたっぷりあるそれら一切を含めて、巨大な煩悩の坩堝に翻弄されることになるのだ。

これらの映画は、われわれ男性に、かつてあった「少年だけの王国」の記憶を甦らせてくれる。

だけど何故か、あの頃に戻りたいとは思わない。

あれは、一過性のものだ。

だからこそ、大切な思い出なのであって、思い出以外のものであってはならないと思うのだ。

可愛い服
フリフリのレース
リボン　ピンク
キラキラのビジュー
お人形
ふわふわのぬいぐるみ
チープで色とりどりのアクセサリー
お化粧セット
甘いお菓子を
食べたり
作ったり…
可愛くて
キラキラで
甘い匂いがして
女の子って
楽しい！
DARK ALICE
39. ミネルバ by eat
でもそれは
大人になると許されないモノで…
ねぇ

女の子になりたい
そしたら俺が
女の子と遊んでいても
まわりに騒がれない
女の子は俺が子供
だった頃の様に
可愛らしく
ニコニコしながら
遊んでくれるのに…
柔らかい
こうしないと
一緒にいられ
ないのは
少し辛いが…
ああ…
いいニオイ
スーハー
しゅる
キュ

いいな…
いいな
女の子って
かわいい
かわいい…
ある日ー…
一人の女の子に
見られてしまった

おじさん
私の事も殺してくれる？
可愛い女の子だった
名前はミネルバと言った
その他にも少し彼女の事を教えてもらった
彼女は養子でその事で学校で虐められていて
その上 里親からもネグレクトや暴力を受けているらしい

友達がいないから
女の子の遊びを
あまり経験していない
甘いお菓子も
滅多に食べられない
可愛い服も
着せてもらえない
せっかく女の子として生まれてきたのに…
もったいない
……
ごく…
俺は殺してあげる事を条件に
彼女にしばらく遊んでもらう事にした
え――
一緒にかわいい服を選んで…
一緒に甘い物を食べて…
この数日間
女の子とずっと
やりたかった事を
叶えさせてもらった

幸せだ…
俺はずっと コレを求めて…
それで
いっ
殺して くれるの？
い…
い… 嫌だ
こ… 殺したくない
す…！
好きだ…ッ！
好き…
き…君の…
事が―…

うそつき…
このままじゃ
私…
あの人達を
殺しちゃう…
ミネ…
私はおじさんみたいになりたくないの
私が好き？
なら殺してよ！
役立たず！
あ
殺さないなら…
おじさんの事
言いふらすから
まって
わかった…
分かったから
殺す
殺すよ
いつか絶対
殺すから…
だ…
だから
このまま
もう少し
一緒に…
大っ嫌い！
あ…あ…
待って…
ミネル…
ばん!!

まって…
ミネルバは楽しんでくれなかったんだろうか…
それともやっぱり
俺が女の子じゃなかったから
いけなかったのか…
ああ
女の子になりたい
ゆさ
ゆさ
ーリス…
アリス!!
はっ
大丈夫?
うなされてたわよ?
怖い夢でも見た?
俺が男だった頃の夢を久しぶりに見た
さぁ…?
もう殆ど忘れかけていたのに…

未来の廃墟と通過儀礼
——『ザ・ループ』における子供の視座

◎文＝松本寛大（作家）

二〇一五年にスウェーデンのアーティスト、シモン・ストーレンハーグによって描かれたグラフィック・ノベル『ザ・ループ』(グラフィック社)は、いくつかの派生作品を生み出した。ひとつはストーレンハーグ本人による続編『フロム・ザ・フラッド』、それにFRIA LIGAN ABによる『ザ・ループ　TRPG』、Amazon Prime Videoオリジナルドラマとして二〇二〇年四月より配信された"TALES FROM THE LOOP"(以後"THE LOOP")である。

いずれも子供時代に対するノスタルジーを基調とした世界を描いているが、それぞれにアプローチは異なる。まるで、一人の子供が三通りの未来を歩んだかのようだ。

原作の舞台は一九八〇年代、スウェーデンの片田舎だ。『E・T』でおなじみのBMXに乗り、雪原でけんかをして、『ソニック・ザ・ヘッジホッグ』をプレイする、観る者に郷愁を抱かせる郊外の少年の日常。そして、地球の磁場に反発して空を行く船が実用化され、二本脚のロボットが自立歩行し、時空の淀みから出現した恐竜がアイスクリームトラックを襲う世界。その両者が共存している。ここにあるのは地下に建設された巨大粒子加速装置「ザ・ループ」によって変化を遂げた「もうひとつの故郷」である。

スウェーデンは高い税金と充実した福祉で知られる国だが、九〇年代、金融危機に端を発する経済不況により、社会保障制度に大きな見直しが図られた。だがむろん、それ以前から経済基盤は揺らいでおり、格差の問題が横たわっていた。『ザ・ループ』で野原に転がるさび付き、使い物にならない巨大な建造物は、荒れ果てた公共インフラであり、民衆の生活と齟齬を来した国家のメタファーとも読める。その続編『フロム・ザ・フラッド』が世紀末的なものになったのは必然だろう。地下施設が放棄された『ザ・ループ』より数年後の街では、機械に生物が寄生し、ロシアから逃れてきたロボットが徘徊する。物語は悲観的な光景を描いて終わるわけではないが、いっとき、暗い側面に触れるのはたしかだ。

『ザ・ループ　TRPG』は、付属シナリオに顕著なようにディストピア的な未来へ向かう

★(上)シモン・ストーレンハーグ『ザ・ループ TALES FROM THE LOOP』(グラフィック社)
(下)シモン・ストーレンハーグ『フロム・ザ・フラッド 浸水からの未知なるもの』(グラフィック社)

★（右）FRIA LIGAN AB『ザ・ループTRPG』（グラフィック社）
（左）Amazon Prime Video "TALES FROM THE LOOP"

可能性をにらみながらも、どちらかといえば原作のジュブナイル要素をクローズアップしている。味気なく容赦ない日々の生活と、奇妙で不思議なことに満ちた街での冒険。プレイヤーが両方を経験できるようにシステムが組まれているのだ。技能レベルアップのための経験点は、単純に敵を倒すなどではなく、悩みごとや人間関係に起因するトラブルに巻き込まれる、誇りに思っていることを活かす、またはそれが原因で苦しむ、何か新しいことを学ぶといった課題を克服して獲得する。プレイヤーは通過儀礼を疑似体験する物語の担い手でもある。子供たちの選択によって未来は作り替えうることがここでは暗に示されている。

　ドラマ版は、また異なった手触りを見せる。アート作品である原作の持つあいまいさを活かした映像化で、通過儀礼との距離の取り方も非常に慎重だ。

　ドラマ化を企画したのは『猿の惑星　新世紀』などの監督として知られるマット・リーヴス。彼は"Fan's Voice"に掲載されたインタビュー(注)で「私がキャリアを通してわかったのは、ジャンル映画を通じてであっても、非常にパーソナルな内容を描けるということです」と述べている。実際、"THE LOOP"は脚本を手がけたナサニエル・ハルパーンの個人的なドラマに近く、ネットで放映されるオリジナルのドラマシリーズでなければ、実現は難しかっただろう。

　舞台はスウェーデンからアメリカの中西部、オハイオ州に置き換えられた。先述のインタビューによれば、これは、ナサニエル・ハルパーンがオハイオに近いネブラスカ州の出身だったからだという。

　"THE LOOP"は全八話。地下に巨大な研究施設を有するアメリカの田舎町には、不可思議な機械装置が隠され、あるいは放置されている。ここでは不思議なことが当たり前のように起きる。人格が入れ替わり、時間が止まり、パラレルワールドへ移動してしまう。特徴的であるのは、物語の主軸が不思議な問題を解決することに置かれていないことだ。

　静かに、メランコリックに、見る者に人生の疑問を投げかけ、ドラマは終わる。わかりやすい決着はつかない。強いて言えば、人生は不可逆の時間が流れており、どうやっても答えにはたどり着かないことが示される。各エピソードは一部の登場人物を共有しつつ、それぞれの人生の断片が示される。孤独や嫉妬、幼く身勝手な恋、老いや理不尽な人生の終わり、無知ゆえの他者の排除と償い――扱われるテーマはいくぶん抽象的で、各話の物語はゆるやかなつながりを見せる。

　第一話は『わたしを離さないで』の監督、マーク・ロマネクが手がけた。こんな話だ。

　ある日、少女ロレッタの母親アルマが姿を消してしまう。科学者として実験にのめり込んでいた彼女は地下設備中枢部の一部を無断使用し、暴走させてしまったのだ。重力が反転し、雪が空へ落ちてゆく。時空間のゆがみはアルマと自宅を飲み込む。

　小学校に行っていて無事だったロレッタは家の消滅を知り、森で出会った少年コールとともに母を探す。だが、その行方は知れない。

孤独の中、「子供ができたら絶対にこんなことはしない」と苦しげに言うロレッタ。「いつも子供のそばにいる」と。コールの母もループで働く技術者で、子供に目を向けてはくれない。コールはロレッタの気持ちを知り、慰める。

物語はその後、意外な展開を見せる。実は、ロレッタは失敗した実験の余波で、時間を飛び越えて未来へ来てしまっていたのである。コールの母親は、成長したロレッタの姿であった。

そのことに気づいたコールの母は、ロレッタに話して聞かせる。かつての自分が孤独の中で母を探したこと。失踪の理由を科学的につかもうとして研究にのめり込むものの、どうしてもわからなかったこと。

混乱するロレッタがアルマのことをたずねると、成長後の彼女が言う。アルマはおそらく「母親でいたくなかった」のだと。ロレッタは視線をそらしたあとで、告げる。

「コールもあなたのことを同じように言ってたよ」

成長後のロレッタの目から涙がこぼれる――――。

本作のクライマックスシーンは少女が未来にタイムスリップしていたというSF的な謎解き場面にはない。かつて「子供ができたら絶対にこんなことはしない」と誓ったはずのひとりの女性の涙にこそ焦点を当てている。

子供は試練を乗り越えて、やがて大人になる。少なくともハリウッドで主流とされるストーリーラインではそうだ。映画は擬似的な通過儀礼を観る者にもたらす。しかし、大人になるというのはどうやらそんなものではないとどこかで誰もが気づかざるを得ない。大人は子供が思うほど大人では決してないのだ。親と同じ過ちを繰り返してしまうことだってある。"THE LOOP"は全編を通じて、こうしたセンシティブさをドラマの主軸に据えた作品だ。

第一話で、自宅が消えたことを知る直前、幼いロレッタが大きなゴミ箱を引きずる姿は印象に残るだろう。映像は第八話でリフレインされる。そこでゴミ箱を引きずるのは、歳を取り、夫に先立たれたロレッタだ。人は歳を取る。出会い、別れ、再会する。あるいは、いっとき孤独になり、そうではなくなり、たぶんまた一人になって生きるだろう。

『ザ・ループ』の世界に見られる廃墟と化した機械装置は、まるで未来の落とし物だ。解釈は多様である。大人が見れば、それは世界という名の廃墟なのだろう。子供が見れば、可能性という名の未来なのかもしれない。

どちらが正解ということはない。どちらもきっと正しい。ただそこには時間というものが横たわるだけだ。

人生で起こるほとんどは取り返しがつかないことで、わたしたちは哀しみから逃れられない。そのことをロレッタも、コールもまだ知らない。

知らないからこそ子供時代というのは特別なのだ。きっとまだ、世界に意味を与えることができると思っているから。

おそらくそれはロレッタの人生でもそうであったように錯覚みたいなもので、空へ向かって落ちてゆく雪のようにはかなく消えていってしまうのだけれど。それでも。

人生で起こるほとんどは取り返しがつかないことを、子供たちはまだ知らない。

（注）https://fansvoice.jp/2020/05/05/the-loop-interview-reeves/

◉文＝井村君江（英文学者・比較文学者）

『フローラ』
——天才少女画家に詩人が讃歌を捧げた異色の本

◉カラー図版↓12頁

★《DEAR DELIGHT》

パメラ・ビアンコ（1906〜1994）は、第一次大戦後の1910年代に、天才少女画家としてヨーロッパにその名を轟かせました。12歳位の少女が描く絵画が、世界の鑑賞家の注意をひきつけ購買欲をそそり、その作品の魅力は現代の不思議とまで言われていたのです。パメラはイタリア文学の詩人・評論家で書店主である男性とアメリカの絵本作家の女性との混血児であり、イギリスのロンドンで生まれています。イタリア、フランス、アイルランド、イギリス、アメリカなど各国の展覧会に出品して名前を知られるようになり、ナショナル・ギャラリーとテート・ギャラリーとが、パメラの作品購入のために、会場で争ったといわれています。

初めての個展は、1918年のレイスター・ギャラリーで、21年にはニューヨークで、それから毎年のようにアメリカ各地で展覧会が開催されました。この天才少女画家の名前が世界中に知れ渡ったのは、パメラ12歳から16歳の少女時代だったようです。男の友人というかパトロンのなかには、詩人のガブリエレ・ダヌンチォ、ウォルター・デ・ラ・メア、小説家のジョン・ゴールズワージーなどがいました。

母親が『ビロードのうさぎ』で知られた絵本作家でしたので、家庭教育が行われ、学校に行かずに自分から絵筆を持ち始め、その絵は努力なしに自由に生れ出たものだったようです。住まいはイタリア、フランス、アメリカと各国に変わりましたが、パメラは一人で家に閉じ籠もり、かえって絵を描くのに恵まれた環境だったのかも知れません。

後半生はニューヨークで暮らし、2度結婚してダンサーの息子を一人もうけ、87歳まで長生きしニューヨークで他界した事がわかっています。1928年にはウイリアム・ブレイクの『無垢の歌』、30年にはオスカー・ワイルドの『スペイン王女の誕生日』、母親の絵本『アンデイの冒険』や『小さな木の人形』などの挿絵を描いて出版しているので、挿絵画家としても独立して活躍していたといえましょう。

そのなかでも、『フローラ』（1920）という本は異色です。詩人や小説家が作品を書いたものに挿絵画家が絵画をつけるのが普通ですが、この本はパメラの絵画集に、ウォルター・デ・ラ・メアが全編にわたって、絵画の讃歌を書いており、普通の本の逆になっているのです。それも寄せられた少女絵画讃歌は数編ではなく47編、1冊にもなっているのには驚かされます。

パメラは1920年のころはまだ14歳で、ロンドンの中心街であるチェルシーに住んでいたので、ウォルター・デ・ラ・メア（1873〜1956）に出会えたのでしょう。「collaborated on a book of his poems and her sketches called Flora」とあるように、2人は実際に会って、この本を一緒に作ったようです。この絵と詩の世界、2つは共通しています。妖精の世

★《DEVINE DELIGHT》

界、目に見えぬ幻想の世界を表現しているのです。美とロマンに溢れています。ではどんな讃歌があるのでしょうか、いくつか題目を見てみましょう。

朝化粧／なまめかしさ／聖なる喜び／花を摘む子供たち／天使と子供／自由な鳥／最初の歩み／雪片／幻影／聖母と天使／あゝ悲し／強い子／路／信仰

パメラの絵画は、色彩のある華やかな作品や、線画だけの地味な作品等があります。例えば、色彩がつけられた『フェアリーランド FAIRY LAND』には、裸の子供が17人描かれています（カラー図版参照）。左端には親子が描かれ、聖母子像のように座った母親の上着は白でスカートは赤、左手には赤子を抱えています。子供は母親から生まれてくるもの、産むのは母親、生命の源は母親、という概念がパメラにはあったようです。これにはキリスト教の信仰、マドンナとキリストが重なっているようです。

またこの絵には、地面の草の中に子供の一人が寝そべっており、左側には葉っぱ全体が三角形になっている樹木が一本生えており、大勢の子供たちの背中には羽が生えていますが、形は三角で、鳥でも昆虫でもなく独特の形になっています。そして子供らは首や腰に花々を巻き付け、空には蝶々が飛んでますが、よく見るとその一匹には子供の顔がつき、子供が蝶になって空を飛んでいる、いわば自然と人間とが一体化した様子が描かれているわけです。

草や木は緑ですが、蝶々は小さな形で赤色、空は紺色で暗い感じがします。全体として見ると、『フェアリーランド』は無邪気な子供の国、花々や蝶々でいっぱいの美しい国で、何の憂いもない国という想像に覆われています。『フェアリーランド』にデ・ラ・メアの詩はありませんが、それに近いと思える「われら五人 FIVE OF US」という子供を唄った詩の一節をみてみましょう。

私たち五人、愉快な者たち、
サイモンは草むらに横になり、
喜びの時は一時間あるのよ。
人間の考えや見ることを止めて、
ご覧なさい、太陽が消えてゆくのを：
私たちは遊び、私たちは遊んでいるのです。

★《FIVE OF US》

自然の中に自由に寝そべられる子供の世界、大人の人間思考や視覚・聴覚の能力を停止させ、子供の純粋・無垢な心で自然に生き、自然と一対化すること、ここでは夕暮れを見ること、それができれば妖精の国にいることになる。子供の「遊び」は、大人の「行為」なのでしょう。このように『フローラ』という一冊は、花々の植物相の世界であり、花神の世界、これから咲く花々、少女の世界であり、そうした純粋無垢な子供の世界が、パメラの絵画とデ・ラ・メアの讃歌詩とのコラボレーションでみごとに表現された本なのです。

※図版はいずれも、絵：パメラ・ビアンコ、詩：ウォルター・デ・ラ・メア『フローラ』より。

〈写と真実……12〉

少年の夢

◉写真・文＝タイナカジュンペイ

子どもにとって夢は憧れだ
偉大なる夢の行方を楽しみに突き進み
到達不可能な夢だってなんだって持てばいい
それなのに大人と夢がくっつくと
途端に儚さに変わるようになってしまうのはなぜ
それは経験上からか
生き方を熟知してきてしまったからか
そんなのどうだっていいはずだ

どんな場所にいたって
どんな時間でだって抱くことも
見続けることも自由なはずだ
心は経験を重ねて
世界の秘密を
人間の秘密を
知っていくことになる
そして生き方を学び
より幼かった頃よりも
自由に生きることができる
ただそれが
大人と子どもみたいな線引きをして
分けてしまうのはいかに

松山皮膚科

無限の彼方へ飛び出していけるような夢を抱け
宇宙の神秘や奇跡と出逢うのなんて容易いはずだ

どうして心はもっと自由にいられないのだろう

押し黙って
苛んだり苦しんだり悩んだり

そんなの軽く吹き飛ばすか
大きく手を広げて全員抱き合ってしまえばいい

走れ
走れ
走れ

どんな場所でも
どんな時間でも

◉文＝宮野由梨香（評論家・人類史研究家）

『紅楼夢』
――失われた時空間の少女たち

『紅楼夢』の内容を「まるっきり少女マンガ」と評したのは、少女マンガ家の山田ミネコであるが[1]、もちろん最大級の讃辞だろう。

十八世紀、清の時代の中国で書かれた長篇小説『紅楼夢』は、作者が少年時代に親しく交わった少女たちへの追慕の書である。それは、少女たちのデリケートな感情を掬い上げ描き留めることに成功している。

物語は「石が語った人間界見聞録」として、読者の前に提示される。

空の綻びを繕うために鍛えられた石たちの中で使われずに残った一個が、人間の世界を見ることを望み、赤ん坊の口に含まれてこの世にやって来る。

赤ん坊は男の子だった。名前は「賈宝玉《かほうぎょく》」……この物語の主人公である。

上流階級のお坊ちゃまである宝玉の住まいは広大な邸宅だ。親族や召使など「ざっと三、四百人」[2]が住んでいる。

利発でやんちゃな少年に成長した彼は、七、八歳の時に次のように言う。

『女の子はみな水でできた身体、男はどれも泥《どろ》でできた身体。女の子になら会っただけでわたしは気がはればれする。だのに男に会うと臭くて胸がむかつくのだ[3]』

そんな彼の前に、天女かと思うほど美しい少女が現れる。ひとつ年下の従妹の林黛玉《りんたいぎょく》である。親を亡くして祖母のもとにひきとられたのだ。

宝玉は思わず「玉を口に含んで生まれてきたか?」と、彼女に尋ねる。心ひかれるあまり、自分と同じであることを期待したのだが、答えは「いいえ」だった。失望のあまり、宝玉は玉を床に叩きつける。

その夜、黛玉は泣き続ける。大切な玉を壊しかねないような行動を彼にとらせてしまったと、自らを責めるのである。

お互いの好意が、怒りと悲しみの感情を呼び起こしてしまう。前世の因縁のせいだ。宝玉の前身「神瑛侍者《しんえいじしゃ》」は、黛玉の前身「絳珠草《こうじゅそう》」という草に甘露を与え続けた。彼女は「一生に流せるだけの涙[4]」でもって、彼の恩に報いることを願った。だから、宝玉が何をしても、黛玉は泣く。

読者はこの事情を知っているが、作中の二人は知らない。

親しくなるほどに諍《いさか》いを繰り返す二人のもとに、「黛玉さまもかなうまい」と人々が噂するほどの美少女がやってくる。宝玉の従姉、薛宝釵《せつほうさ》だ。黛玉は楚々とした西施タイプだが、宝釵は艶《あで》やかな楊貴妃タイプである。

美少女は二人だけではない。『紅楼夢』は群像劇だ。皇妃から侍女まで、作者は筆を惜しまない。「金陵十二釵」と呼ばれる十二人を中心に、すべての少女を独自の魅力の持ち主として活写している。

少女たちの間で、宝玉の人気は高い。変に威張ったりしないからだ。侍女とゲームをしても、他の親族の少年のように勝ちをゆずることを強要したりしない。自分が負けても楽しそうに笑っている。

こんなシーンがある。

侍女のひとりが手をすべらせて扇子の骨を折ってしまう。宝玉に叱られた侍女は「たかが扇子くらいのことで」と逆ギレする。宝玉は、不

★（左頁）「金陵十二釵」／宝玉と金陵十二美人。宝玉と黛玉の間に入っている切手の切れ目は、二人の悲恋を象徴している。

※図版の切手はいずれも、中国人民郵政より1981年から翌年にかけて発行されたもの。著者所蔵。

注意で壊すのはよくないが、それを楽しみたいというのなら、「それでこそ真にものを愛するといえる」と言う。

「そういうことでしたら、若様、その扇子をおよこしになって、わたくしに裂かせてくださいまし。わたくし、引き裂くのがとても好きなのでございますの」

渡された扇子をピリッと真二つに引き裂いて笑う少女に、宝玉も笑う。

「古人もいっているよ、『千金積もうとも笑いは買えぬ』とね。それからすれば扇子のなん本かぐらい、ものの数ではないさ」(5)

宝玉の価値観をよく示すものだろう。

彼の言動に顔をしかめる大人は多い。

宝玉の父親は「役立たず」の宝玉に苛立ちを隠さない。顔を見れば「勉強しろ」と説教し、場合によっては折檻するが、その効果はいっこうに上がらない。

そして、宝玉はとことん、男が嫌いである。

『紅楼夢』には、男の無神経や乱暴や猟色や傲慢などが、生々しく書き込まれている。また、大人の女の嫉妬や権勢欲、老婆の甘えや狭量についても容赦ない。

少女たちだけが、ひたすら美しく愛らしい。

その中で、「少女の中の少女」として宝玉が熱愛するのが、林黛玉なのだ。

○　○

「紅迷《ホンミー》」という言葉がある。『紅楼夢』の熱狂的な愛読者のことだ。

カルト的なファンを持つ作品がしばしばそうであるように、『紅楼夢』を読んだ時の反応は極端に分かれる。家庭内での瑣事とも言えるような出来事の描写が続くからかもしれない。

例えば、『紅楼夢』の切手シートに採用されている場面「双玉読曲」は、寄り添っている姿ではない。本に熱中するとそれ以外のものが見えなくなる黛玉に、興味を引きそうな本を見せて、にじりよった宝玉の姿である。まともに近づこうとすると、辛辣な言葉を浴びるからだ。

★「双玉読曲」／一見、寄り添っているように見えるが、実は本に夢中の黛玉に宝玉がにじり寄っている。

見せた本は戯曲で、当時、良家の子女が読むべきものではないとされていた。

読了した黛玉は、意識が本の世界に行ったままでぼうっとしている。宝玉はつい調子に乗って、本の内容にかこつけた愛の言葉を囁く。黛玉は一瞬赤面するも、すぐに眉をつりあげ、宝玉を罵倒する。その罵倒の文句の典拠も、同じく戯曲である。「おっと、それは……」と笑う宝玉に、「それがわかるあなただって……」とやり返す黛玉……。

これを楽しく読めるかどうかで、評価は分かれるような気がする。

この場面で二人がいるのは「大観園」である。邸宅の北側にある別院で、宝玉の姉・元春皇妃が帝を伴って里帰りした際に造られた。船に乗れるサイズの池あり築山あり、農家を模した田畑ありの場所に、趣向をこらした居宅が点在する。世界のミニチュアのような空間と言えよう。

元春の希望に従って、宝玉や親族の少女らはそこに住んでいる。外界から隔てられたその空間の中で、少年少女としての時を過ごす。

春の大観園で、黛玉は桃の花が散り敷かれ踏みにじられるのを悼み、掃き寄せて薄絹の袋に詰める。花塚に埋めつつ「その色香　失《う》せてはたれか憐《あわれ》まん」と口ずさんで、泣く(6)。この「黛玉葬花」の場面は、黛玉という少女の本質をよく語っている。

一方、薛宝釵は、大観園を舞うつがいの蝶を、扇子で打ち落とそうとする(7)。園のメンテナンスを、いかに体面を損ねずに実利を上げつつ行うかについて頭を悩ます彼女のコンセプトは、「天《あま》が下《した》、一《いつ》として役に立たぬ物はなく、役に立つからには、お銭《あし》になるのですわ。」(8)である。

薛宝釵は宝玉に「科挙のための受験勉強や、政治向きの人脈つくりをしなくていいのか」と尋ねたりもする。宝玉は彼女を無視して部屋を出て行ってしまう(9)。

黛玉は、絶対にこのようなことを口にしない。宝玉に気を遣っているのではない。そのようなことに価値を置いていないのだ。

周囲の人々の評価は、黛玉よりも宝釵の方が高い。常識的で、周囲への配慮が行き届いているからである。宝玉の結婚相手として宝釵を推す声は、どんどん高くなっていく。

両親のいない黛玉は、自分が宝玉にとって理想的な相手ではないことを自覚している。だから、宝玉に対して冷たい態度を取りつつ、彼のちょっとした言動にいちいち感情を高ぶらせ、傷ついては泣く。

宝玉には、黛玉の「自分に対する情の深さと純粋さ」が見えている。

しかし、周りの人間には、この黛玉の態度は「癇癪持ちのひねくれ者」にしか見えない。

★(上から)「元春省親」/里帰りする元春。宝玉の姉で才色兼備の元春皇妃は、一家の繁栄の象徴であり、その早世は一家の没落の契機となる。

「黛玉葬花」/花を埋葬しながら黛玉は「もと無垢の身にしあれば無垢にて還る」とうたう。

「宝釵撲蝶」/つがう蝶を遊び半分に扇子で打ち落とそうとする宝釵。「黛玉葬花」の直前にあり、二人の違いを際立たせている。

○　○

少女たちに囲まれた宝玉の境遇をうらやましく思う者は、勝手に「恋人にするなら林黛玉、妻にするなら薛宝釵」などとほざいていればいい。そういう輩に、宝玉の絶望はわからない。

少女に近づこうとして、彼は常にそこから疎外される自分を意識せざるを得ない。

結婚は何の解決にもならないことを、彼は知っている。

少年少女のまま死ぬことが本望

黛玉の侍女・紫鵑《しけん》が、宝玉を試すために、黛玉が故郷に戻ってしまうという嘘を彼の耳に入れる。宝玉は大きなショックを受け、精神錯乱状態に陥る。驚いた紫鵑が真意を告げると、宝玉は「生きてあるかぎり、わたしたちはともに生きよう。生きるのを止めるときは、みなもろともに灰となって煙となってしまうのだ(10)」と答える。

紫鵑は黛玉に「宝玉さまはまことに実のあるおかたでいらっしゃいます」と告げ、次のような指摘をする。

両親がいない黛玉は、祖母という後ろ盾を失ったら「ただもう人からいびられるのが落ち」になってしまう。他の公達若君と結婚しても、「妾あつかいしたり女中なみに落としたりして、敵《かたき》同然の不仲になる」のが目に見えている。今のうちに宝玉と結婚できるように行動を起こすべきだ。

紫鵑としては、「相思相愛なのに、何やってんの?」といったところだろう。

愛されて結婚すれば幸せになれると思っている紫鵑に罪はない。

黛玉はまた一晩を泣き明かす。

紫鵑はわかっていない。

「ともに生きよう」という宝玉の言葉は、決して世俗的な意味での結婚を意味しているのではない。

宝玉は次のようなことを口にしている。

『女の子は嫁にゆかないうちは価《あたい》も知れぬ宝珠みたいなものだ。それが嫁にいったとたん、どうしたわけか、感心できぬ欠点《きず》ばかりやたらと目立ちはじめ、珠にはちがいないが、光沢が失せ、あげくに死んだ珠になってしまう。もっと年をとると、変わりも果て、珠は珠でも、なんと魚の眼玉《めだま》になってしまう。たしかに同一人でありながら、どうしてこう三通りにも変わるものか(11)』

子供時代を終わらせる結婚は、明るい将来を約束するようなものではない。では、どうしたらいいのかというと、全くどうにも出来ないのである。

○　○

次のような寓話がある。

かつて、動物たちの寿命は三十年と決められていた。しかし人間は、ロバから十年、犬から二十年、猿から十年の寿命を奪って自分のものにした。だから、人間らしい感情や思考力を持つのは、本来の寿命を生きている若い頃までだ。その後はロバのようにただ働く頑固者になり、犬のように権威に従順になって弱い者に向かって吠え、猿知恵しか持てなくなって、死んでいくのだ。

世界各地に類話が見られるという。

この話の深い意味は、人生経験をある程度積まなければわからないだろう。

女性の経年劣化に関する宝玉の発言は、少年の頭からは出てこない。その具体例をまざまざと見てしまった男の嘆きだ。

これには、作者・曹雪芹《そうせっきん》の痛恨の思いが込められているのだろう。

曹雪芹は代々清王朝の要職を務める家系に生まれた。しかし、父親が帝位継承争いに巻き込まれ、新帝に睨まれた結果、言いがかりのような罪で免職・家財没収の憂き目にあう。

困窮の中で綴られたのが『紅楼夢』だ。物語全体を石が語る幻想譚にしたのは、それでこそ描けることがあったからだろう。

曹雪芹は、かつて自分が過ごした時空間に確かに存在した少女たちの「伝を失するようなことは絶対にあってはならぬ」(12)との思いから、『紅楼夢』の執筆を始めた。「大観園」もまた、彼にとっては具体的などこかの場所だったのだろう。

しかし、彼は全一二〇回のうちの八〇回までしか書くことができなかった。死後に刊行されたそれに、最後の四〇回分を付け加え完結させたのは、高蘭墅《こうらんしょ》という人物である。

中断の理由は諸説あるが、自ら完結を放棄したという説を私は採りたい。

彼の生家の少女たちが、家の没落後、どのような運命をたどったかは想像するに余りある。それをそのまま書くことには耐えられないが、安易な改変も出来ない。それが中断の理由ではないだろうか。

宝玉の家がいずれ没落することは、物語のあちこちに伏線として示されている。

それがまた、実存にうつうつとかかってくるような圧迫感を醸し出している。

物語の最初の部分で、宝玉は夢で仙境を訪れ、枯れた老木にかかる玉の帯と、雪の中に落ちている金かんざしの絵を見る。それには文句が添えられていた。「玉帯《ぎょくたい》は林《りん》にかかりて／金釵《きんさ》は雪《せつ》にうずもる」(13)……それが、林黛玉と薛宝釵の運命だ。他の少女たちも、多く悲劇にさらされることが暗示されている。

高蘭墅による筆の中で、黛玉は少女のままに死に、宝玉は宝釵と結婚させられるが、彼女を捨てて登仙してしまう。

この「ハッピーエンド」が、どの程度、曹雪芹の構想に沿うものなのかはわからない。宝玉の見た夢は、黛玉が年老いた男の妾になることや、宝釵が赤貧にさらされることを示していたのかもしれない。

○　○

崩落していく時空間の中に咲いていた花たちの運命を綴った『紅楼夢』は、清の時代にあって、禁書の扱いを受けながらもひそかに愛読する者は後を絶たなかった。

「この小説の毒にあてられたファナチックな読者」は、少年少女のままに「死ぬことを本望」(14)としたという。

(1)「特別対談　光瀬龍&山田ミネコ」〈まんが専門誌　ぱふ〉一九八〇年一〇月号（通巻五六号）八一頁）における発言。『紅楼夢』が好きで是非マンガ化したいが、編集サイドの理解が得られないと、山田ミネコは嘆いている。

(2)平凡社　中国古典文学　奇書シリーズ『紅楼夢』（上）七九頁より引用。以下、引用は原則として同シリーズによる。訳者は伊藤漱平。

(3)（上）二七頁。

(4)（上）九頁。

(5)（上）四二五頁。

(6)（上）三六六頁。

(7)（上）三五六頁。

(8)（中）二三四頁。

(9)（上）四三七頁。

(10)（中）二六〇頁。

(11)（中）二九一頁。

(12)（上）「解説」五七六頁。

(13)（上）六六頁。

(14)（上）「解説」五八一頁。

★「ぱふ」
1980年10月号

子供の頃のように過ごしたいと戻った故郷で突きつけられる現実

ゲーム「Night in the Woods」

◎絵と文＝さえ

大学を中退して田舎町ポッサム・スプリングに帰って来たメイ。再会した友人たちとバンド練習やパーティーに出掛けたりと子供の頃のように過ごすがそれぞれを取り巻く環境は以前とは大きく変わっていた。

母を亡くしノイローゼになった父を支えるために家業を継いだ「大人にならざる得なかった」ビー。都会に引っ越すことを夢見る同性カップルのグレッグとアンガス。悪友のグレッグは昔と変わらずメイと一緒に犯罪スレスレ（ほぼ犯罪？）な悪ふざけをしていたが、アンガスとの新しい生活のためにもこのままではいけないことに気付いていた。

高校時代に精神を病んだメイだったが、大学という新しい環境でもそれは再発してしまう。なんとか安心できる地元に帰っては来たが周りはもう「大人」になっていた。自分だけ取り残されてしまった、無理だと分かっていても昔のように過ごしたい。そして病んでいる自分を見せたくない。そういった思いからなのか幼稚な言動をしてしまうが、今のままでは駄目なことは本人が十分過ぎるくらい分かっていた。「うわぁ…わかる…わかるよ…」と頷いていた所へ放たれる友人からの現実的なセリフはプレイヤー側の心にもグサッと刺さってかなり辛い。

人々との交流を描きながらもサスペンス、コズミックホラーへの展開は突拍子もないが、まるでメイの精神状態を表しているかのよう。過去を懐かしみ子供のように悪態を吐きながらも今現在を必死に生きる。大人だからこそ分かる物語なのかもしれない。

四方山幻影話 49

◎写真&文＝堀江ケニー

●モデル・真縞しまりす／衣装・タブロヲ

●カラー→p.4

タブロヲTwitter@tableauxxx

少女主義者、少年主義者、良き響きだ。個人的に好きですねー、これは。見た目だけでは無く良い意味で何時迄も少女の様な、少年のような人って居るねえ～。無論それは精神的に大人になれて無い人のことじゃ無くてね。

特に女性の場合、そう言う人は良いワインの様に年齢を重ねる度に輝きを増す。芸能人で例えると、個人的には吉永小百合さんとかがそうなのではないかと。

さて、少女主義ってやはり見た目が大事なのは言うまでも無いですね。見た目の少女ぽさは大事。でも、それだけじゃ無いよね、やはりその人が纏う少女のオーラみたいなものが必要不可欠。それはライフスタイルと言うか、生き様ですねー。

で、一体今回この素敵なテーマのモデルさんを誰にお願いして良いものか？これはハードルが高い。色々と思案していると、ある晩、頭の暗闇の中に光る一筋の光のような声が響いた。ダークサイドへ来い。フォースに導かれるように頭のスクリーンに浮かんだお方がおりました。

はい、それは今回のテーマを聞いた時からこのお方以外無いと思っていた、あの一世風靡した「水中ニーソ」の真縞しまりすちゃんなのでした。今回のテーマにはピッタシですね～。

そんなしまりすちゃんに、今回はまさに少女主義を貫くブランド、タブロヲ氏に協力して頂き衣装を作って頂いた。しまりすちゃんの少女ぽさとタブロヲブランドのコラボで更にその少女主義は強調されたのではないかと思うのです。

それでは皆様、少女主義と共にあらん事を。

ダークサイド通信 no.6

寡黙な刺繍

最合のぼる　文・写真

事務所から自転車を漕いで二十分、そのマンションは少し懐かしい場所にあった。子供の頃に住んでいた公団住宅のすぐ近く、最近ではほとんど出向くことのない地域だ。記憶に残るマンションは、白く輝く塗り壁やバルコニーの洒落た鉄柵などが外国の建物のようで、子供心にずいぶんと憧れたものだった。しかし改めて目にする街並みは当時の面影を残しつつも変化が著しい。到着してみれば白亜の建物はすっかり劣化し、淀んだ空気に包まれていた。時の流れの残酷さにセンチメンタルな気分になったのも束の間、約束の時間が迫っていた。私は自転車を駐輪場に停め、前カゴに入れていたトートバッグを掴んでエントランスへと走った。

訪問先は三階の角部屋だった。表札は出ていないので玄関脇の小さなプレートで部屋番号を確認し、手順通りに玄関ブザーを一度鳴らしてから合鍵でドアを開けた。普段よりも大きな声で「こんにちは」と呼びかけ、トートバッグの中から制服のエプロンを取り出して、手早く身に付けながらリビングへと向かった。

彼女は、窓際の椅子に腰掛けて刺繍をしていた。

鼻筋の通った端整な横顔、艶のある白髪は三つ編みにして左右の胸元に垂らしている。ほっそりとした体に小花柄のワンピースが良く似合う。そして、刺繍用の丸い枠で止めた生地に集中した様子で針を刺していた。

私はもう一度「こんにちは」と声をかけつつ彼女に近づいた。すると彼女の手がひるがえり、杖が音を立てて私の足元に転がってきた。一瞬何が起こったのかと驚いたが、見れば彼女は刺繍を隠すようにその上に両手を置いていた。私は倒れた杖を拾い上げてそっと椅子に立てかける。そして改めて挨拶をし、担当が急に代わったことを詫びた。彼女は無言のまま椅子の位置を少しずらし、こちらに背を向けて再び刺繍を始めた。

私は彼女との会話を諦め、テーブルに散らばる色鮮やかな刺繍糸に半ば埋もれていた申し送りのファイルに目を通し、今日やるべきことを確認した。何か要望はないかと、できるだけ優しく声をかけてみたが、やはり彼女は何も言わなかった。

私が今の訪問介護の事務所で働くようになったのは、ほんの数週間前のことだ。前の事務所との契約が切れ、更新をどうしようかと迷っている時に旧知のケアマネージャーから声をかけられたのだ。内心仕事云々より、婚活でもしようかと思っていたが、切実な人手不足を訴えられては、事情がわかるだけに断り切れなかった。

その日は同僚ヘルパーの子供が熱を出したとかで急に代わりを命じられた。利用者名簿で訪問先の住所や既往歴などを確認すると、八十二歳の利用者の介護度は軽く、認知症もない。日常生活の援助が中心のサービスとなっていた。比較的楽な仕事先かと思ったが、特記事項に「非常に難しい性格。特にコミュニケーションに問題有り」と記されていた。同僚に詳細を聞きたかったが、携帯電話の応答はなく留守電にさえなっていなかった。

決められた作業時間でのタイムアタックが始まった。まずは汚れ物を洗濯機に放り込み、回している間に掃除機をかけ、予めリスト化されている食材や日配品の在庫をチェックして一番近いスーパーへと自転車を走らせる。チェックしてきた在庫切れの品を次々にスーパーのカゴに放り込み、レジへと急ぐ途中、お茶類の棚の前で足が止まった。持参したリストを今一度見ると、やはり同僚の字で紅茶の銘柄が安価なティーバックに修正されている……元々リストに書かれていた銘柄の紅茶缶を探し当てた途端、小さく心臓が跳ねた。紅茶の在庫はあるので買う必要はないが……私は早まる鼓動を感じつつ、その紅茶缶をカゴに入れていた。

大急ぎでマンションに戻った私は、洗濯物を乾燥機に入れ、買ってきた物を収納していった。戸棚やラックには〔調味料〕〔飲料〕〔菓子類〕などと、それぞれの収納場所に同僚の字で書かれたシールがベタベタと貼られていた。そのどことなく無神経なやり方に少なからず嫌悪感を持ったが、交代要員である私は口出し無用だ。それにしても最後に残った紅茶缶を手にすると、やはり後悔した。何しろ圧倒的に高価だった。スーパーでは同僚が勝手に安価な品に修正したように感じたが、もしかしたら思い違いかもしれない。そもそもティーバックの紅茶はまだ沢山残っている。レシートを見ながら「苦情」二文字が頭の中に浮かんだ。

「捨ててちょうだい」

初めて聞く彼女の声は、とても穏やかで耳に心地良かった。
私は不思議なくらい自然に、戸棚にあったティーバックの紅茶をゴミ箱に落としていた。
ゆっくりと立ち上がった彼女は、私に微笑みかけた。

「お茶にしましょう」

彼女はとても丁寧に紅茶を淹れた。湯を沸かし、ティーセットを温め、茶葉を量り、熱湯を注ぐ。ガラスポットの中で、茶葉はくるくると舞いながら琥珀色のエキスを吐き出す。私が申し送りのファイルに今日の作業内容を記載し終わった時、湯気の立つティーカップが目の前に出された。規則では介護先の家で飲食を共にすることは固く禁じられていた。しかしすでに所定の時間は過ぎていたし、時間外にお茶をもらう程度のことは他のヘルパーもやっている。いや、実際私はその紅茶が飲みたくて仕方がなかった。

口に含むと、花と果実が混じり合う芳しい香りが広がった——それは子供の頃に習っていたピアノの先生の家で、一度だけ飲んだことのある紅茶に間違いなかった。毎回レッスンの後にお茶の時間があった。確かアイスティーから熱い紅茶に切り替わる季節だったと思う。先生がフランス土産だと言って出してくれた紅茶の銘柄こそ覚えられなかったが、初めて味わう複雑な味とクラシックな黒い缶の高級な雰囲気に心惹かれたのは言うまでもない。いつの間にか記憶から抜け落ちていたが、偶然にも彼女がリストに載せていたのがその紅茶だった。

彼女は無言で、美味しそうに紅茶を飲んでいた。

翌日、事務所に出勤すると所長に呼び出され、突然解雇を言い渡された。理由は規約違反——介護先での飲食だと言う。たかがお茶一杯のことでと反論したくもなったが、それより事務所に知れたことが不思議に思えた。聞けば利用者から、つまり彼女自身から連絡があったそうだ。更に驚くべきは、彼女は個人的に私を雇うことを希望し、それ故に事務所との契約解除も申し出ていた。所長は口にこそ出さなかったが、問題のある利用者と縁が切れて安堵している様子だった。返却する制服のエプロンを畳んでいると、同僚ヘルパーがにやにや笑いながら通り過ぎていった。

契約に際して彼女が出した条件は、一日置きに午後二時から訪問し、今までと同じく日常生活の援助をするということだけだった。週五日フルで働いていた時と同額以上の月給が、半年分前払いされるという好待遇だった。作業時間は一時間程度だったが、仕事が終わると必ずお茶の時間があった。彼女は「お茶にしましょう」としか言わず、私が何か訊ねると首を縦に振るか横に振るかだけで意思表示をし、後はずっと刺繍をしていた。

彼女は一体どんな刺繍しているのか。最初は気になって仕方がなかったが、問うたところで答えるはずもない。何とか見れないものかと何度か試みたが、その度にさりげなく隠されてしまう。次第に刺繍のことは気にならなくなった。彼女は刺繍をし、私は家事をする。そして彼女は紅茶を淹れる。

ある日、試しに夕食を作ることを提案してみた。
食事の好みは、いつもの買い物リストで大体わかっていた。
彼女はしばらく考えていたが、小さく頷いた。
いつものスーパーではなく、評判の良いパン屋でクロワッサンを買った。
フランス産のスパークリングワインも買ってみた。
カリフラワーを中心とした温野菜のサラダとクラムチャウダーを作った。
彼女はワインを飲み、全て残さず食べてくれた。

私は決められた時間以外にも、彼女の部屋を訪れるようになった。食事を作り、一緒に食べ、時に彼女が持っていたレコードも一緒に聴いた。私と彼女は、いつの間にか会話らしきものが成立するようになっていた。それでも彼女は刺繍を見せようとはせず、私もそのことには決して触れなかった。

「お茶にしましょう」

いつものように、彼女は杖をついてキッチンへと消えた。
いつもと違ったのは、刺繍が置かれたままになっていたことだ。
彼女がこんな無防備に刺繍を扱うことは初めてだった。
私は椅子の上に置いてある生地を手に取り、広げてみた。
そこには色とりどりの糸で、小さな「×」が無数に刺してあった。
何を形作るでもなく、気が遠くなるほどの繰り返し。
これは確か、クロスステッチと言うのではなかったか。
小学校の家庭科の授業でやった記憶が思い起こされた。
そう、ピアノの先生の家で紅茶を飲んでいたあの頃だ。
私はまだ、ただの小さな少女だった。

彼女の声が聞こえた。

「だから×《ペケ》を付けるのよ」

白髪にペケ
不自由な足にペケ
手の甲のシミにペケ
好きでもない仕事にペケ
叶わなかった初恋にペケ
諦めた夢にペケ
望まない結婚にペケ
虚しい不倫にペケ

将来への不安、間違えた選択、無かったことにしたい過去。
年を重ねるほど、ペケはどんどん増えていく。
日常の些細な事、生き方を変えるほどの大きな出来事。
最初にペケを付けたのは、何だったのかしら。
全てペケで潰していったら、違う人生になったのかしら。
いいえ、別の人生を望んでいる訳ではないのよ。

私は椅子に座り、針を持ってみた。
生地の下から頭を出し、対角線上に針を入れる。
針を入れた少し右、再び針の頭を出す。
先ほどの糸の上を跨ぐようにして、また対角線上に針を入れる。
刺繍糸はするすると針に連れられ、交差する。
小さなペケが、一つ出来た。

彼女と
私と
少女と
私と
彼女と
私と
少女と

私は刺繍をする。
そこは家庭科の実習教室だ。
クラスの女子だけが集まり、広い机に布地を広げている。
図案をチャコペンで写し取るクラスメートの声が賑やかに聞こえる。
窓辺の席に一人腰掛け、刺繍をしている少女がいた。
両胸に垂れる二本の三つ編み、小花柄のワンピース。
色とりどりの刺繍糸で、無数のペケを生み出している。
何もかもが懐かしかった。
私は無心に手を動かす。
小さなペケの連なりが、時を遡る。
まだ何も知らなかったあの頃。
憧れや希望に満ちていた愛おしい日々。
すっかり年老いた私は、ペケを刺し続けていた。
「お茶にしましょう」
芳しい紅茶を運んできたのは、少女の頃の私だった。

永遠に続く
私たちの少女の時間

END

BLとは異なる位相から示した少年愛文学の到達点

少年愛文学選

高原英理編

平凡社ライブラリー、1800円

★アストリッド・リンドグレーン&ハンス・アーノルド『ひみつのいもうと』（石井登志子訳、岩波書店）という美しい絵本がある。語り手は少女バーブロ。彼女だけを好きで人間では彼女にしか見えない双子の妹、イルヴァ・リーがいる。二人が繰り広げる流麗な幻想冒険譚は、両親がバーブロに子犬を買ってきてくれたことで終わりを迎える。新たな伴侶種を得たことで、想像の友人《イマジナリー・フレンド》の役目は終わったことが示唆されるのだ。少女期に期待される無垢なシスターフッドの性質がよく伝わる。では、少年期の場合はどうだろう。

少年同士の紐帯に友情を超えた美を期待した場合、それはしばしば少年愛と呼ばれ、性愛への期待が内包される。この性愛には、生殖から切り離されたエロスそのものへの憧れという、審美的な性質が付随する。しかし、自律した美というよりは鑑賞者を必要とする美ゆえ、トーマス・マン『ヴェニスに死す』がそうであったように、年長の男性が「お稚児さん」を姦するという構図が生まれうる。その一方で、年少者の側は単に被虐の対象となるのみならず、その存在をもって富国強兵・殖産興業という近代化政策や、それを支えた家父長制を相対化する魔力を秘めていた。そして、少年期とは儚い一瞬であり、こうした刹那にこそモダニズムの精華としての耽美性が位置づけられる。

ゆえに、編者の高原英理自身が、かつて『無垢の力 「少年」表象文学論』（国書刊行会）で扱った折口信夫「口ぶえ」や山崎俊夫「夕化粧」といった作品を含んだ本書『少年愛文学選』は、「衆道」や「BL」とは異なる位相に、少年愛を置いているのだ。続く江戸川乱歩の「乱歩打ち明け話」では少年愛のプラトニズムが強調され、倉田啓明「稚児殺し」では、裏面史としてのグラン・ギニョールな低徊美が示される。ここから止揚《アウフヘーベン》される木下杢太郎「少年の死」は、まさしく本書の到達点を示す高みにある。早熟な一高生である藤村操が華厳の滝に飛び込んだのが一九〇三年。遺された「巌頭之感」には「萬有の眞相」は「不可解」と綴られていたが、青少年期の観念的な不可知論が、一九一六年初出の「少年の死」ではより美学的に再構成されている。稲垣足穂「Rちゃんと S の話」については、かつて編者は「永遠の憧憬」「せつない心の慄き」と評した（『タルホ・スペシャル』）。

塚本邦雄ら前衛歌人の仕事も、本書にはしっかり収められている。これらを経由して本書を読み直せば――「腋の鞣皮の香」（「瀆」）に象徴される――むせかえるような情念をかなわぬ思慕としての「死」として形象化しつつ、少年同志の愛には神性が埋め込まれ、否定神学のごとき愛のあり方に気づかされる。「大空の斬首ののちの静もりか没《お》ちし日輪がのこすむらさき」（春日井建）。ここから編者自身が「青色夢硝子」で示した鉱物的想像力に結晶されることで、少年愛は幻想文学史に定位されるのだ。（岡和田晃）

自らの衝動の正体さえわからない少年たちのエロス

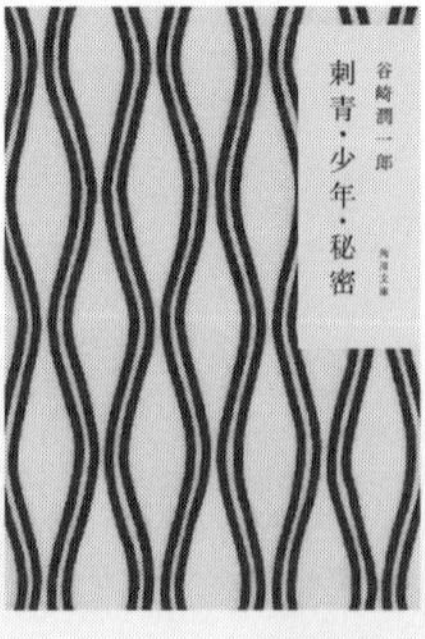

★なんだか成人向けアダルトゲーム（エロゲー）のシナリオのようだ。

などと書いてしまうと、天国の谷崎潤一郎先生や、そのファンの方々に怒られてしまうだろうか。しかし「少年」における、保護者の目の届かない空間で繰り広げられる秘密の遊戯や、色白で美少年な「信一」からその姉の「光子」へとプレイの主従が逆転していく展開は、明らかに前記的な（それと意識されることのない）エロスの萌芽を示しており、ひょっとしたら谷崎自身、そのような体験への憧れからこの作品を書いたのではなかったか、と思わずにはいられない。

谷崎潤一郎
少年

『刺青・秘密・少年』角川文庫＝所収、700円

「少年」の主人公は、小学四年生になる十歳の「私」。ある日「私」は、お金持ちの坊ちゃんである同級生の信一に誘われて、彼の住む屋敷へと向かうことになる。そこで「私」が目にしたのは、身分の違いを理由に姉の光子や近所の餓鬼大将である「仙吉」を虐げる、普段とはまったく様子の違う信一の姿だった。そんな信一の豹変に戸惑いながらも、その「気高く美しい器量」や「人を人とも思わぬ我が儘な仕打ち」にすっかり心を奪われてしまった「私」。狼に喰われる旅人の役をやらされたり、本物の犬の隣で犬同然の扱いを受けたりするうち、いつしか「私」は信一の言いなりになることに喜びを覚えるようになるが……。

ここでタイトルの「少年」とは、いったい誰のことを指すのか。自らの姉や同級生を虐げることに歓喜する信一だろうか。語り手である、少年時代の「私」だろうか。それともまさか仙吉だろうか。だが誰であろうと、その意味するところはあまり変わらないだろう。

彼らはいずれも思春期に突入する以前の、少年という不安定な時間を生きており、自らを襲う感情や衝動の正体が何なのかさえわからずにいる。しかしだからこそ、より自由にエロスの世界を謳歌していると見ることもでき、信一によって遊びの仕上げに小刀で肌を切られるような場面も、限りなくSMに近い行為でありながら、不思議とそこに後ろめたさや倒錯の気配は感じさせない。

そんな少年たちの心により深い混乱をもたらすことになるのが、光子という「少女」の存在だ。光子は妾の子であることを理由に弟の信一から蔑ろにされ続けてきたのだが、ある夜の出来事を境に、今度は彼女のほうが少年たちのことを女王のように支配し始める。身体を縛ったうえで燭台の代わりにしたり、光子の腰掛けに使ったり、このあたり思春期以降における男女のパワーバランスの変化というか、作者の願望がストレートに反映されていて面白いのだが、光子の変貌は明らかに後年の『痴人の愛』における魔性のヒロイン、ナオミの出現を予告するものでもあろう。谷崎先生のエロゲー妄想大爆発、である。

それでも本作の主役は、あくまで少年。年上の少女の変化に戸惑いながらも翻弄される、少年心理の微細な動きこそが、この作品の大きな見所でもあろう。谷崎のマゾヒズム傾向と同時に、意外な少年主義が垣間見える、貴重な初期作品だ。（梟木）

心がない「死体」として同世代と身体を重ねていく少年

デニス・クーパー
クローサー

浜野アキオ訳、大栄出版

★ヴィレッジ・ヴォイスの常連寄稿者で、後に編集長にもなったリチャード・ゴールドスタインが、「アメリカで最も危険な作家」と呼んだ作家の一九八九年の作品。ゲイの少年たちの、ドラッグとセックスに塗れた空虚で停滞した生活を、三人称と一人称を混在させた痙攣的な文章で描いた連作形式の長編で、フェロ／グラムリー・ゲイ小説賞を受賞した。自殺したイアン・カーティス率いるジョイ・ディヴィジョンを想起させるタイトルの通り、死の気配が濃密に全編を漂う不穏な作品だ。

小説の中心となるのは、部屋をディズニーランドのグッズで固め、ドラッグをキメている美少年ジョージ・マイルズ。彼が、アーティスト気取りのパンク少年ジョン、自分をポップスターだと妄想しているデイヴィッド、ジョージに首ったけのクリフ、スプラッタ・ムービーの熱烈な愛好家アレックス、地下室をナイトクラブに改装したスティーブといった自分の同年代の若者たちと身体を重ねていく。登場人物は誰も幼稚で、いつも人から自分がどう見えているかをひたすら気にし、他人に愛されることだけを求めるどうしようもない不安と恐怖に襲われている。

ジョージはそんな少年たちの中でもとりわけ受動的で、他の少年たちはみな、他人から認められるひとかどの人物になりたいと半ば打算的に夢見て行動しているのに、彼はただ漠然と愛を求めて浮遊しているだけだ。結局まだ何者でもない彼らの不安を鎮めてくれるのはドラッグとセックスなのだが、ドラッグはともかく、身体を交わすセックスでは自分の思い通りにならない相手の心から逃げることができない。必要なのは自分を愛し快感を与えてくれることであり、相手がそれ以外のことを思っているのは嫌なのだ。故に、愛を求める少年たちは必然的に、心がない身体、すなわち死体を無意識に求めている。

小説の終盤に不意に登場する中年男たちは、そんな少年たちの成れの果てであり、その欲望を自覚して少年たちを惨殺する。とどめをさす前に遺言を尋ねる男に、他の少年のように「助けて」と懇願することもなく「死人に口無し」と泣きながら好きな歌の歌詞を呟くジョージを彼らが殺さないのは、ジョージがすでに死体のように、「何者かになりたい」という未来（への夢）を持っておらず、また「自分の言葉」も持たない受動的な人間だからである。ここには、極端なまでに成長と自我（主体）の確立を拒絶する態度がある。アメリカのゲイ・フィクションには、みずからを特異な存在としてそのアイデンティティーを探究するエドマンド・ホワイトや、伝統的な家族の絆を問い直すマイケル・カニンガムのような倫理的に健全な作家が多く、エイズ禍に揺れる当時のアメリカの同性愛者たちの中では、死体と戯れ死体を愛すデニス・クーパーは確かに「最も危険な作家」であったかもしれない。（渡邊利道）

精神／行動の自由によって描かれる少年少女像の理想

★一九七〇年代、少女マンガの世界に登場し、新たな表現を切り開く原動力となった〝少年を主人公に、少年同士の恋を描く〟作品たち。その金字塔といっていいだろう竹宮惠子『風と木の詩』の後日談という形で発表された小説が本作。だが、物語が進むにつれ『風木』の世界は後景へと引き、作中に登場する音楽や美術、建築などあらゆる芸術を語る雄弁さをもって、理想の少年少女像が謳いあげられていく。

増山法恵
神の子羊

復刊ドットコム（全3巻）、各1800円

　舞台は一九六〇年のフランス。作曲家として名を成しながら、その生涯が明らかにされていないセルジュ・バトゥールの足跡を、彼にそれぞれ深い関心を寄せる二人――バトゥール子爵家の末裔である少年アンリと、コンセルヴァトゥアールの学生フラン――が探る。そこには謎を追う楽しみもあるが、細かなエピソードを積み重ねて伝えられる、主人公二人のキャラクターが魅力的だ。

　二人はいずれも聡明、しっかりとプライドを持ってはいるが精神は柔軟で、自分の内なる劣等感や偏見、怒りや葛藤と向き合い、社会との折り合いのつけ方もたくましく学んで、壁を乗り越えていく。素直さと正直さ、知性にもとづいた懐の深さで、アンリのみならず読者をも魅了するフランは、作者がインタビュー（※）で語っていたところの、「最初から自分の世界というものをしっかりと持っている」「自分の精神世界を自由に構築している」少女そのもの。『赤毛のアン』のアンや『小公女』のセーラなど、読み継がれる少女小説の主人公たちにも連なる存在だといっていい。

　「精神の自由」が、理想の少女がいただく冠だとすれば、心のままに動ける「行動の自由」が、少年アンリの少年ゆえの特権だ。セクス（本文表記）も含め、自分自身で経験し、納得した上で、自己と他者を理解しようとするアンリの言動は、少女には滅多なことで許されるものではない。フランへ恋心を抱きつつも、年長の男性ヴィクトールや、同年代の謎めいた少年マシュウにも惹かれ、そのときどきの感情に嘘をつかずベッドを共にする姿には、奔放さよりもむしろ、嘘のない魂の潔癖さ、とでもいうべき爽やかさがある。

　作者の増山法恵は、多くの方がご存じと思うが、長年にわたり竹宮惠子のブレインを務めた〝戦友〟。彼女が深く関わった、所謂「大泉サロン」についての検証は今後必要とはいえ、残された証言や本人への取材などから、〝少年愛（クナーベン・リーベ）〟という概念を、竹宮ほかの作家に知らしめ、様々な影響を与えた人物であることは疑いないだろう。芸術を語る知性と雄弁さをもって紡がれる主人公たちの姿は、現実の少年と少女には滅多と実現できず、だからこそ語る意義がある理想の結晶として煌めいている。（三浦沙良）

※石田美紀『密やかな教育〈やおい・ボーイズラブ〉前史』（洛北出版・二〇〇八）収録、増山法恵「少女マンガにおける「少年愛」の仕掛け人」より。

孤独な放浪と変幻自在の魂に〝少年の自由〟はある

メッシュ
萩尾望都

白泉社文庫（全3巻）、各597円

★少女マンガという表現が、少年を主人公にすることで得たものの一つに、〝自由の拡張〟があるだろう。萩尾望都は『一度きりの大泉の話』（河出書房新社・二〇二一）で、〝少年の自由〟の発見について語っている。「女はこうすべきだ」という逃れ難い社会規範のゆえに、「女の子は行動する時、いちいち言い訳がいるし、同級生や周囲の評価にさらされる」。社会からの抑圧によって沈黙させられる少女の窮屈さがなく、行動に言い訳をもたせる必要もなく、描くことで解放感が得られる〝少年〟。「理論よりも心のワクワク感。少年は自由だ。描いてて楽しい」

もちろん、現実は少年たちにとっても甘くはなく、そんな自由はフィクションだけで可能なものだろうが、リアリストの読者少女たちが、自分たちには難しいことをやすやすと実行してくれる少年たちに注目したのは、自然なことだったろう。

ロード・ムービーが多く生まれた七〇年代は、旅の時代といえるかもしれず、当時、マンガの中にも少なからぬ放浪の少年たちがいた。竹宮惠子『空がすき!』、山岸凉子のミシェル・デュトワ、三原順『はみだしっ子』等々。放浪する少女が存在しなかったわけではないが、現実の危険を鑑みると困難な、家（社会の最小単位）と縁なく――あるいは自ら捨て去って生きる、ということを実践していたのが、〝放浪の少年〟だ。その系譜の上で、萩尾の『メッシュ』を考えることは可能だろう。

憎むべき父＝家を捨て、パリに棲み付いたメッシュは、そこまでなら〝少年の自由〟を標榜しているといえるが、彼のユニークさは〝まだ何者でもない〟ことだ。モラトリアムというより、もっと足元の曖昧な、魂の揺らぎそのもののような存在。幕間のような掌編「MOVEMENT」で、彼は様々な動植物のイメージを体現し、カフェの陽射しに溶けて消えたりもするが、ここで描かれる変容のイメージこそ、この主人公を象徴しているように思う。

男子を望まなかった母に、「フランソワーズ」という女性名をつけられた息子。外見的にも性的にも男性と女性の間を行き交うことになり、「自由へ逃げきりたいんだ」と言いながら、パリの生活では年長の同居人ミロンが保護者の役割を果たし、さらに背後には義母の眼差しもある、不確かな立ち位置。通り名となった二毛色の髪《メッシュ》――金髪の両脇に現れる銀毛――の如き、〝どちらでもないが、何にでもなれる〟磨かれる前の輝石のような曖昧さが、関わる人々の真実をプリズムのように映し出し、ドラマを生む。

危うさと孤独を道連れに放浪できる特権と、時に天使にもなれる（『千の矢』）、変幻自在の魂。それが、作家の考え尽くした〝少年の自由〟の一つの形なのかもしれない。最終話『シュールな愛のリアルな死』で登場する母親が、抑圧された少女のまま時を止めた存在なのに対し、不確かで脆く、迷いながらでも、メッシュは確かに漂浪を〝生きて〟いた。（三浦沙良）

わすれなぐさの香りと共に移りゆく少女たちの関係

★わすれなぐさの花は〝どんな香りがするのだろうか。昭和7年に発表された、小さな花びらを広げる可憐な花の名を冠したこの小説では、わすれなぐさの香水が印象的に描かれる。

最初に登場するのは、陽子の誕生日会の夜。女学校のクラス一おしゃれで映画やレビュウを好む陽子は、個人主義を貫く無口で風変わりな牧子を気に入り、自分の誕生日会に招待した。最初は誘いを断ろうとしたものの、父親の命令で渋々誕生日会に参加した牧子は、二人きりの夜の庭で陽子のわすれなぐさの香水を嗅ぐ。

そして、陽子に誘われた牧子が港街へ出かけるシーンで、母へ届けるはずの花束を車窓から投げ捨てたときに漂うのもわすれなぐさの香水だ。「麻薬」と題されたこの章で、女学生の二人はブティックで贅沢な洋服を仕立て、ニューグランド・ホテルでカクテルを味わう。学者を父とする家庭で厳格に育てられた牧子は、奔放な陽子に誘われるまま〝秘密の遊び〟を楽しむことに後ろめたさを感じつつも、「最後には二人して赤い魔法の絨毯に乗って窓から空はるかに逃げ出せばいい」と、普段の真面目さからかけ離れた考えを抱く。牧子と陽子の関係は、いつもわすれなぐさの香りと共に移り変わっていく。その香りは、牧子を灰色の日常から色鮮やかな世界へと誘う魔法なのだ。

次第に牧子と陽子は惹かれあい、一緒に映画やレビュウに通うようになる。しかし、ある出来事をきっかけに牧子は陽子と距離を置くことを決心し「あなたと御一緒にいれば、ただあなたに惹かれ、あなたの美しい魅力に自分を失います」と手紙を送り二人は絶交してしまう。

各々の胸にしこりを残したまま、二人の関係はあっという間に壊れてしまうが、物語の最後では、わすれなぐさの香水の香る手紙をきっかけに二人は和解する。しかし牧子が陽子のもとを訪れたときに嗅いだわすれなぐさの香水には、もうあの〝魔法〟のときめきが消え去っているのだ。

急接近したり突き放したり、もうひとりの少女、一枝を加えた少女たちの関係性は、ほんの少しのきっかけや感情によってくるくると形を変える。その間に生じる絶妙な関係のグラデーションを、友情や愛情といった言葉でくくることはできない。当の少女たちだけが共有する、名前のない特別な間柄だ。

物語のなかで、牧子と陽子の関係性を暗示するかのように登場するわすれなぐさの香水だが、実際に野に咲くわすれなぐさには香りがない。市販されているわすれなぐさの香水は、調香師がつくりあげた空想上の香りである。しかしその香水をまとう人は芳しい香りに可憐な花の姿を想像し、わすれなぐさの香りだと感じる。

名前のない香りに、香りのない花の名前をつける。きっと人と人の関係性も、恋や友情などとラベリングされた言葉では表現できない、好意、羨望、嫌悪……背反する気持ちが複雑に入り混じった感情によって紡がれた多様で固有的なものだろう。この作品においてはまさに、危うく揺れる少女時代の一瞬が、わすれなぐさの香りのように儚く匂い立つ。（安永桃瀬）

吉屋信子
わすれなぐさ
国書刊行会、1900円

REVIEW

孤独なゴス&ロリ・ファッションの愛好家に寄り添う

嶽本野ばら
パッチワーク
文春文庫、600円

★もうだいぶ前から、街中でロリータ・ファッションやゴシック・ファッションを着て歩く人をあまり見かけなくなった。かつては新宿や原宿などでよく目にしたが、だいぶ規模が縮小した。

『下妻物語』が映画化された頃をこのファッションの最盛期とするならば、それは二〇〇四年、十七年も前のことだ。一般的なファッションのコードから逸脱し、流行と相容れない意匠を施した独自のファッションとも思われたが、今振り返れば、それでもあの時は一種の流行という部分があったのかもしれないと思う。

とはいえ、このファッションは一般的に広く認められて皆が頻繁に着る服ではなく、このファッションを好む人たちは必然的に少数派になってしまう。好みを共有できる友人が周りにいなければ孤独である。

また、不思議なことに、このファッションを好む人たちは、その服に限らず、美術や文学、マンガ、映画など、文化的な好みの傾向に類似性が見られる。話題が合えば、芋づる式に共通点が見つかったりする。このファッションには、そういった精神的な傾向が多分に反映されるようだ。ただ、その趣味もややマニアックになりがちで、共感してもらえる人を周りに持つことは難しかったりする。

「乙女のカリスマ」と呼ばれた作家、嶽本野ばらのエッセイは、このような孤独なゴス&ロリ・ファッションの愛好家に寄り添うものであるように思う。一冊目のエッセイ『それいぬ』が有名だが、この二冊目のエッセイ『パッチワーク』は前者よりも直接的にこのファッションを語り、様々なブランドに関する蘊蓄が披露される。着用者の精神に関して論じる文章には牽強付会なところもあるが、このファッションが好きでも一歩踏み出せない、周囲の視線との軋轢が苦しい、寂しい、そんな人たちを励ます言葉が多い。また、中原淳一、アリス、恋月姫など、この界隈ではお馴染みの少女趣味的な話題も開陳される。

『それいぬ』の方が本全体としての統一感はあるが、『パッチワーク』はファッションや美術、マンガに関するエッセイの他、悩み相談の章や映画評なども収録され、種々雑多な話題を通してなお共通する趣味や価値観を見出すことができる。嶽本氏のエッセイ集は、ロリータ精神の輪郭を描き出した意義があると思う。また、読者にとって自分の趣味傾向に合った、新たな世界を見出すためのカタログとしても機能する。

現在のゴス&ロリ・ファッション界にかつてのような勢いはないかもしれないが、廃れてはいない。むしろ、ある種の落ち着きがあるようにも思う。意匠も少し変わってきた。必要としている人は確実にいる。ただ、その人たちの精神性を支える文章は今、あるだろうか。このファッションの愛好と関連した話題を集約したエッセイ集は、その後しばらく見あたらないように思う。「花形文化通信」というサイトでは、「帰ってきたそれいぬ」という嶽本氏の新たなエッセイが連載されているが、今を生きるゴス&ロリを支えるバイブルとなるであろうか。

（市川純）

少年時代の幸福な思い出に取り憑かれて

★ナボコフによる偉大な小説、ロリータ・コンプレックスの語源ともなった『ロリータ』は、本当に「少女愛」について書かれた作品だったのか。

まずはそんな「常識」を疑ってみるところから、この本の紹介を始めることにしたい。

『ロリータ』の主人公というか語り手は、ハンバート・ハンバートという名の、中年の大学教授。彼は自らが「ニンフェット」と名付けた九歳から十四歳までの少女にしかときめかないという変わった性的嗜好の持ち主だったが、性犯罪に手を染めることもなく、公園や地下鉄で見つけた少女を相手に妄想や自慰行為に耽りながら、それなりに平穏な日々を過ごしていた。そんなある日、ハンバートは新しく見つけた下宿先で、未亡人の母親と一緒に暮らす十二歳のドロレス・ヘイズ（ロリータ）という少女にひと目惚れしてしまう。ドロレスへの下心から間借りを決めた彼はやがて、娘のほうと離れたくない一心でその母親であるシャーロットと結婚することになるのだが、ある日、妻に秘密の手記を覗かれたことからすべての企みが露見してしまい……。

ウラジミール・ナボコフ
ロリータ

若島正訳、新潮文庫、950円

ハンバートが少女の年齢や容貌に拘るのには、じつは理由がある。かつてハンバート自身が十三歳か十四歳の少年だったとき、彼はアナベルという名の（その名前自体はポーの作品からの借用）数ヶ月年下の少女と交際していたが、彼女のことを病気で亡くしてしまい、以来、三十七歳の現在（物語開始時点）に至るまで少女しか愛せなくなってしまったのだ。言うなれば彼はすべての少女の中に過去の「アナベル」を見てしまっている状態なのであり、その意味ではハンバートは少女主義者というよりも、少年時代の幸福な思い出を忘れない、頑固な「少年主義者」であると見ることもできる。実際のところ自らの少年時代について回顧するとき、ハンバートの口調はいつになく熱を帯びたものになり、ロリータに対するロマンチックな恋の心情も、恐らくは少年時代のアナベルとの体験に由来している。

だからこそ作品の中盤で、ハンバート自らロリータの純潔を半ば無理やりのような形で奪ってしまう展開には、疑問も残る。「私のまわりでニンフェットたちを永遠に遊ばせてやってほしい。けっして成長することもなく」と、彼はたしかそう言っていたのではなかったか。じじつ、この夜を境に二人の関係は確実に悪化し、ハンバートもまた自らの「少女愛」について熱心に語らなくなっていくのだが、それはあたかも少女との初恋の「再現」に失敗した元少年が、唐突に肉体的な衰えを自覚し、老人として朽ちていくのを見るかのようだ。

ハンバート自身の隠された少年性から「養父による性虐待が児童心理に与える影響」といった現代的なテーマまで、とにかく多様な読み方ができる作品である。「少女愛」だけの作品と決めつけてしまうのは、あまりにも勿体ない。（梟木）

少女の輪に混ざり、少年の心を忘れなかった写真家

青山静男
少女たちの日々へ①②
飛鳥新社

★青山静男という写真家がいた。名前の通り、静かな男だったのだろう。昭和五〇年代から六〇年代にかけて、彼は大阪や京都でたまたま出会った少女をモデルに写真を撮り続けたが、自らの「少女愛哲学」について公に語ったことはなかったし、少女への想いをキャプションとして作品に添えるようなことも、おそらく（公開された作品の範囲では）なかった。彼はただ、街角で少女の姿を見つけては声をかけてカメラのシャッターを切り続けたのであり、自らが被写体として写り込む際には、いつも子どもたちの中心か少し外れたところで静かに佇んでいた。青山静男の没後に刊行されることになった二冊の写真集『少女たちの日々へ①②』は、そんな撮影者自身の寡黙さと、被写体に選ばれた少女たちの輝かしいばかりの雄弁さを兼ね備えた、希有な作品集だ。

実際のところ、青山静男とはどのような人物だったのか。実兄である青山恵一氏の「解説」によると、大人になっても少年の心を忘れない、ロック好きの青年だったそうだ。古びたジーンズに長髪、丸メガネに髭を蓄えた姿でどこにでも出掛けていき、モデルとなる少女と出会ってもすぐにカメラを向けるようなことはせず、まずは子どもたちの輪の中に混じって自分も遊ぶことを楽しんだ。そのためだろうか。写真の中の少女たちはいつでもまっすぐカメラの正面を見据えており、そこに後ろめたい「盗撮」の気配は感じさせない。だがそれでも、時には少女たちに向けられたカメラの視線に「背徳の匂い」を疑う瞬間があったことも、また確かなのだ。

もちろん、このような手法による撮影が現代では到底許されるものでないことは、周知の事実だろう。青山が写真家として活動した昭和五〇年代の半ばからわずか数十年の間に、社会は見知らぬ大人が子どもたちのそばに近づくことを、恐ろしく難しくしてしまった。静男自身、昭和六三年に幼女連続殺人が発生してからは、少女にレンズを向けることは二度となかったという（もっとも体調の悪化の問題もあった）。本書はそれが許された最後の時代の貴重な証言であり、昭和五〇年代の大阪の街角史・少女の服飾史としても価値の高いものだ。

青山静男の少女写真を見ていると、一九世紀を生きた写真家のルイス・キャロルや、自らの作中で魅力的な少女のことを「ニンフェット」と呼んだ小説家のナボコフの存在を、どうしても思い出してしまう。ともに生粋の「少女主義者」であり、自らもまた大人になっても少年の心を忘れない、少年主義者でもあった。彼らの創作に比べて、青山静男の写真が表の世界で日の目を見ることはあまりなかったが、それでも彼の作品を評価する人はたくさんいたのだろう。現在、青山静男の作品集は軒並み絶版状態になっており、オークションサイトなどでは異常な高値で取り引きされる事態が続いている。

ひとりの青山静男ファンとして、その現状はある意味では嬉しくもあり、そして寂しくもある。昭和、そして平成から続く令和の時代に青山静男の作品集が復刻され、新しい世代の彼のファンが現れてくることを、期待してやまない。（梟木）

少女だけの世界の、明るく凄惨なデスゲーム

矢部嵩
少女庭国
ハヤカワ文庫、720円

★少女がめざめると暗い部屋だ。中学の卒業式のため、講堂へ向かってたはずなのに。コンクリート造りのような四角い部屋で、ドアに貼紙がある。「卒業試験の実施について」。「ドアの開けられた部屋の数をnとし死んだ卒業生の人数をmとする時、$n-m=1$とせよ。時間は無制限とする」。

中学三年生の仁科羊歯子にとって、この「卒業試験」なる貼紙は「情報量的に意味不明だった」。とりあえずそのドアをあけると、寝ている少女がいる。彼女も中三、卒業生だという。同じような四角い白い部屋。

その部屋にもドアがある。二人の少女は話し合って、また次のドアをあける。そこにも少女がいる。ドアをあけるたび少女は増える。白い壁は頑丈で、出口はない。少女たちは十三人になり、このうち十二人死なないと出れないかもという結論に。

いわゆる「デスゲーム」か。異常な状況に唐突に放り込まれ、殺し合いをさせられる物語。高見広春『バトル・ロワイアル』などの例を出すまでもなく、この「殺し合い」という設定には、オモテだっては言いづらい魅力がある。そのデスゲーム小説を、矢部嵩が書けば。とうぜん、奇妙な大傑作になる。とてつもなく異様でどこまでも壊れていて、だからめちゃめちゃ魅力的だ。

殺し合いどころか。少女達はパーティを始める。自分らで勝手に卒業式を挙行して、ひとり一人即席の卒業証書を渡される。「やれ乾杯！」と笑顔だが、「杯はないので配られた飴を皆が一斉に呷った」。リッツをポッケに持っていた少女がいて。「しようよみんなでリッツパーティ」「沢子？沢子呼ぶ？」「いねえよ沢口靖子」って楽しそうだ。

トランプ持っていた少女もいて。ババ抜きや王様ゲームで遊び疲れたころ。「ではとりあえず生き残る人を決めましょう」「イエー」と、「パーティのノリで拍手が湧いた」。各人の自己紹介ののち、生き残りを選ぶ投票がされ。羊歯子に決まり。「わーおめでとー」って拍手が起きるなか、羊歯子は主張する。「おかしいよこの流れ」「普通に最後までだらだらしてようよ」。

こんな『少女庭国』本篇は五八ページだが、このあと、『少女庭国補遺』一七二ページが控えてる。「一 安野都市子」から始まって、あらゆるデスゲームのパターンがそこにある。「一九 加藤梃子」では、梃子はドアをばんばんあけてって、少女たちは二千人以上になる。二千人で生き残りたった一人。そんな殺し合いできやしない。梃子は言う。「私さ」、「したくないことはしなくていいようにしたくて」「殺し合いなんてちっともしたくないんだよね」。

そして、閉じ込められた無数の少女たちは。食糞もすれば人肉食もする。ついには、空から少女の血の雨が降る、自分たちの世界を創る。ものすごいスケールの暗黒神話だった。読後残るのは、ヒドイ後味の悪さとふしぎな爽快感。少女たちはこんなデスゲームのなかでも、明るく綺麗にはばたいていく。（日原雄一）

少年少女の心のまま、だらだらと気ままに過ごす2人

★まずはじめにお断りしておきたい。本作は「無職」の生活をモチーフにした日常コメディだが、決して無職の状態にある人だけに向けて描かれた作品ではない。毎日遅くまで残業しているサラリーマンが読んでもいいし、あるいは「身近にニートの友人がいるんだけど」という方が読んでもいい。大事なのは、人や作品を見かけで判断しないこと。そして自分と異なる生き方をしている人間を見つけても頭から否定しようとせず、まずはその心に寄り添ってみようとすること、だ。

『働かないふたり』は漫画家の吉田覚による、新潮社のWEBコミックサイト『くらげパンチ』で連載中のギャグ漫画作品。対人恐怖症で人見知りの激しい妹の「春子」と、社交的で家族思いの兄の「守」という、対照的な性格だが絶対に社会に出て働こうとしないという点で通じ合う兄妹の日常を描く。「ニートの日常なんて、行動範囲も人間関係も狭いだろうし、本当に面白いの?」と思われるかもしれないが、実際のところ、守の友達や近所の公園に集まる人々（会社をリタイアしたお年寄りからシングルマザーの女性まで）を中心に登場人物は増え続けており、ニートというワードから連想させられるような世界の「狭さ」はいっさい感じさせない。むしろそのような「社会の中心から少し外れた人々」を積極的に参加させた結果、思ってもみなかったような箱庭世界の拡がりと、言葉の本当の意味での「多様性」を獲得したのがこの作品なのだ。

吉田覚
働かないふたり
新潮社BUNCH COMICS、既刊23巻

それではそんな世界の中で、守と春子はどのような生活を送っているのか。もちろん、大したことはしていない。まだ定年しておらず真面目に会社員として働く親バカの父親に見守られながら、あるいは兄妹の行く末を心配する母親に小言を言われながら、ふたりで明け方近くまでテレビゲームをしたり、兄が考えたくだらない遊びを実行したりして、毎日をだらだらと気ままに過ごしている。この「ふたりで」というのがポイントで、それはまるで小さい頃に仲の良かった兄妹が、思春期を過ぎても少年少女の心を忘れることなく、そのまま大人になったかのようだ。通常、家族というものは子どもが大きくなるにつれて自然と心が離れていくものだが、成人したニートを二人も抱えているにも関わらず、石井家の人々はなぜか現在進行形で仲が良く、そして幸せそうだ。

もちろん春子だって守だって、本当は外に出て働いたほうがいいのかもしれない。そのほうが彼らの両親だって、安心できるにちがいない。だがそれでうっかりブラック企業に入社してしまい、働きすぎて心や身体を壊してしまったところで、誰も責任は取ってくれないし、面倒も見てくれない。だったらしばらくはこの現状を維持しても、おそらく罰は当たらないのではないか。そしてそんないつまで経っても「変わらない」兄妹の姿に、周囲の人々は少なからず影響を受け、あるいはただ単純に癒されていく。

個人としての生き方ばかりではない。働き方ひとつとっても「正解」の見えない時代である。だったら「働かない」ということも、生きるための積極的な選択肢として考えてみてもいいのではないか。言葉の本当の意味での「多様性」に対する理解や、自らの生き方についての柔軟な発想は、きっとそんなところから磨かれていくのだ。（梟木）

周囲の大人たちも「こどものじかん」を過ごしている

私屋カヲル
こどものじかん

双葉社アクションコミックス、全13巻

★ゼロ年代、という言葉も今ではあまり使われなくなってしまったが（当たり前か）、二〇〇〇年代の作品における最強の「小学生ヒロイン」といえば、筆者は今でも『こどものじかん』の「九重りん」を推す。それぐらい、この作品が当時の読者やアニメ版の視聴者に与えたインパクトは大きかった。一般誌の連載で小学校を舞台にした教員と生徒による過激なラブコメを、というコンセプトの時点ですでに度肝を抜くものではあったが、それ以上に九歳の少女の身体で先生を誘惑しようとするりんちゃんのいじらしさと小悪魔的な魅力に、すっかり「ダメな大人」にされてしまったのである。しかし本作は、本当にそのような（ロリコン的な）ニーズを満たすためだけにあるような作品だったのか。

舞台はとある小学校。前任者から引き継ぐ形で新しく三年生の教室を受け持つことになった新人教師の青木は、着任早々、九重りんというクラスの問題児に目を付けられてしまう。複雑な家庭環境のもと生まれ育ったりんは友達想いの優しい少女であったが、いっぽうで大人を平気で陥れるような残忍さも併せ持ち、元の担任が学校を辞めた事情にも深く関わっていた。しかしその担任のせいで不登校になっていたクラスメートを説得して教室に復帰させるなど、青木の人柄と教師としての仕事ぶりを見るうちに、りんもいつしか彼のことを信用できる大人として認めるようになり……。

いったい何が、九重りんというヒロインの存在をそこまで特別なものにしているのか。それはひとえに彼女が未成熟な少女でありながら、自らに異性を性的に誘惑するだけの魅力がすでに備わっていることを、彼女自身が完璧に知り抜いているからでもあろう。九歳の少女らしからぬ過激な言動を繰り返す彼女に対し、青木は「意味もわからないのにそういうことを言うな」と窘めるが、逆に『わからない？』／わかってると思いたくないだけじゃない？」と返され、答えに窮してしまう。しかし少女の魅力を使ってアピールし続ける限り、青木から「大人の女性」として扱ってもらえないことも十分に承知しており、それがりんの心に葛藤を生むと同時に、ドラマ上の大きな起伏にもなっている。

だが「こども」であるといえるのは、本当にりんだけなのか。女性経験の少なさからりんの裸にドギマギしてしまう青木先生も「コドモ」といえば「コドモ」だし、作中に登場するキャラクターたちの一部（りんの保護者「レイジ」や、同僚の白井先生など）もまた、大人と呼ばれる年齢や立場にありながら、親の教育（や虐待）の影響からいつまでも脱することのできない、ある意味では「こども」のままの時間を過ごしてきた人物として描かれる。『こどものじかん』というタイトルは、りんだけでなくそんな周囲の大人たちにも同様に向けられている。

作品の連載が開始された当時、本作は「ロリコン（男性向けの）まんが」としての評価を受けることがあまりにも多かった。筆者もまたそのような文脈の中で、コンテンツを「消費」してしまった感は否めない。だが連載終了から八年が経過したいま読み返してみると、何も考えずに「こども」でいられる時間の貴重さと短さ、そこから「おとな」へと脱皮していく少女たちの姿を女性漫画家ならではの視点から描いた名作である（作者の私屋カヲルは女性）。九重りんという「永遠の小学生」に、ぜひあなたも再会してみてはいかがだろうか。（梟木）

月曜の夜の学校で目指した、ふたりだけの夢

阿部共実
月曜日の友達

小学館ビッグコミックス、全2巻、各552円

★二人は月曜日だけ友達になる。月曜日の夜だけだ。水谷茜と月野透。午後八時、ひとけのない中学の校庭で会う。見回りもないなか野球やかけっこをしたり、学校の机やボールを並べて、超能力の特訓をしたりする。月野くんは言う。「俺は超能力がつかえるんだ」、「それを手伝ってほしい」。「月曜日の夜の学校。みんなにも親にも先生にも内緒。ふたりだけの秘密。約束だよ」と。少年と少女は指切りをする。

中学生になり。みんなが「バンドやりたい」、「医者とか人助けをする仕事がしたいねえ」と将来の夢を語るなか、我らが水谷さんは、「私の夢は、えっと、空を飛びたい?」。「水谷、さすがに中学生でそれはどうだい」って言われてる。

いっぽう月野くんのほうは。「みんな近づきたがらない要注意人物だったんだー」って言われてる。昼の学校では誰とも話さずぼっちの月野くん、水谷さんが話しかけても、返事もせず黙りこくってる。けれど、休日には、近所の小学生に混じっていっぱいの笑顔で遊んでる。

月曜日の夜。「なぜ学校で無視したんだ!」と、怒る水谷さんに。月野くんは答える。「急に俺たちが仲良くなっていたら、怪しまれ秘密がばれ、夜の学校が使えなくなるかもしれない」。「なんだそれ」って、あんまり納得してない水谷さんだけど。空を飛ぶ夢の話をすると、月野くんは真面目な顔で返事する。「空を飛ぶというのは古来から人間が最も強く願った夢のひとつだろう」。「じゃなきゃライト兄弟は教科書にのらないし飛行機なんてこの世に存在しない」、「いろんな人間の大きな夢がいまの豊かな現代社会を築いたんだ。愚かな夢なんてないよ」。

そして言う。「君が月曜日の夜俺の特訓を手伝って、超能力に目覚めるという俺の夢を叶えてくれたら、その超能力で君の小さな体を大空に放り投げてあげるよ」、「水谷、君の夢を俺が叶えてあげる」と、笑顔で天に手をかざす。

そんなふたりも、言葉のすれちがいから、月野くんは夜の学校に姿をあらわさなくなってしまう。だけど初めて会った日から、一年の月日が過ぎて、ひさしぶりに顔を合わせた。月曜日の夜に。

そして超能力の特訓のため学校机を並べていると、見まわりに来ていた先生に見つかり、逃げながら、ふたりは空を飛ぶ。いくつもの学校の机とともに空を飛んで、ふたりは将来の夢を見つける。夢を見つけた少年と少女は、空高く飛び手をつなぎながらチョコレートを食べる。

自分の、あのころを思い出してみる。中学のころの、月曜日の夜。私の月曜日の夜は、やっぱり、夢をみつけるための時間だった。「夢は、叶ったら現実」という言葉がある。現実の日々は容赦なくつづく。少年老いやすく学なりがたしという。三十路になりすっかり老いた私は、あのころの少年の私に、「愚かな夢なんてないよ」と伝えたい。すると少年の私は、「なんだそれ」と首をかしげるのだ。（日原雄一）

防空壕をユートピアにする死にゆく子供たちの美しさ

野坂昭如

火垂るの墓

新潮文庫、550円

★作者が一九六八年に発表した短編小説で、同年の「アメリカひじき」とともに直木賞を受賞した。物語は太平洋戦争末期の神戸、空襲で親に死なれた中学三年生の清太が、四歳の妹を連れ遠縁の家に身を寄せるが厄介者扱いされて飛び出し、二人で防空壕で暮らすも、周囲から孤立した挙句、先に栄養失調で死んだ妹を荼毘に付し、みずからも衰弱して死ぬというもの。野坂は実際戦時中に幼い妹を栄養失調で亡くしているが、自分は妹に優しくできなかったと悔悟の念を語っており、小説はその不幸な妹への鎮魂歌として多くの読者に解された。

もとより小説は事実そのままではない。小説内では父親の出征中に母親が空襲で死ぬのだが、そもそも野坂は養子で、空襲で養父は死ぬものの養母は大火傷を負いながらも戦後も生きていた。また死んだ妹は二人いて、仮寓先でとくに冷たくもされていない。野坂は妹の痛ましい死を描くにあたって、兄妹二人を周囲から孤立させ、防空壕の中の小さな空間を小説の魔法によってユートピアとして現出させた。

魔法の鍵となるのが蛍である。小説は冒頭、三ノ宮の駅で死ぬ清太の持つドロップ缶から節子の骨が転げ、草むらに二、三十の蛍が飛び立つ場面ではじまり、空襲の夜に遡って以後それまでの経緯を辿る。蛍はその端端で印象的に物語を彩り、節子の死体を焼いた夜には、おびただしい蛍の群れを見て、清太はこの蛍と一緒に妹は天国へ行くと思う。小説のラストでは、清太の死体は他の二、三十の戦災孤児の死体とともに無縁仏に納められたとあり、冒頭の蛍が孤児たちとともに天国へ寄り添っていったのだとわかる。

タイトルの「火垂る」には空襲のイメージが込められているが、それは死をもたらすものであると同時に、死んだ魂に寄り添い天国に導くものである。だが、母親の死を描いた場面のすぐ後に現れた蛍は、節子が力一杯握りしめて潰してしまい、この小説では大人は徹底して天国から排除されている。

野坂は、戦後日本の「復興」と「経済繁栄」の欺瞞を激しく批判した作家だった。それは戦中に露わになった人間の醜悪な地金を覆い隠すごまかしに過ぎない。戦後にあさましく生き延びた人間は自分自身も含め醜悪で、死にゆく子供たちだけが美しく、ユートピアにふさわしい存在なのである。

もっとも野坂は本作について、賞狙いで自分の経験を戦災孤児の悲劇に作り変えたと度々嫌悪の念を語っていた。小説発表後二十年を過ぎた八八年に、スタジオ・ジブリによってアニメ映画化された際には、お涙頂戴式の自分の小説では書けなかった、一億玉砕を覚悟も諦めもせず、日々を漂うようにあっけらかんとしていたあの時代を丸ごと描いてもらいたいと希望し、スタッフの書いたラフ・スケッチで見事に過ぎし日の時空間が再現されていることに呆然としたと、一種の解放感を帯びた感想を述べている。それでもこの小説の、清太と節子の二人だけの世界となし崩しの死には、言い知れない甘美さが宿っている。(渡邊利道)

文明社会に対する少年少女的なイノセンスの勝利

三木孝浩監督
夏への扉 ―キミのいる未来へ―

★『夏への扉』は、本当に「名作」なのか。

　今回、なぜか日本で『夏への扉』が実写化されると聞いてネットで調べたところ、そのような議論が再燃していたらしいのを知って驚いた。『夏への扉』といえば、ロバート・A・ハインラインが一九五六年に発表した、時間旅行SFの古典的小説。発明会社の共同経営者であった友人から裏切られ、すべてを奪われたうえで三〇年後の未来へと送られた科学者のダンが未来世界で奮闘し、どうにか過去をやり直そうとするさまを描いた、日本でも人気の高い作品だ。ただし主人公の行動原理の幼さや計画性のなさ、あるいは小さい頃にダンに懐いていただけの少女が恋愛感情があったのかどうかすら描かれないまま冷凍睡眠に入り、主人公との再会を待ち続ける後半の展開の強引さはなるほど言われてみれば気になってしまう部分ではあり、瑕疵のない名作かと問われれば確かに疑問は残る。

　それでも筆者がこの小説を推したいと思ったのは、本作が文明社会に対する少年少女的なイノセンスの勝利を宣言した、希有な文学作品として心に残ったからだ。科学以外の面におけるダンの能力不足（騙されやすさ）や性格の幼さはこの社会で生きていくための大きな欠点ではあるが、それは同時に彼が何物にも染まらないイノセントな存在であることを物語ってもいる。

　二〇二一年の六月に公開された映画『夏への扉―キミのいる未来へ―』は、コロナ禍の中での公開となったためか、はたまた狙いすぎたタイトルのためか、あまり話題に上ることもなく上映終了してしまったが、しかし少なくとも原作がもつイノセンスの要素を丁寧に拾いつつ映像化された作品ではあった。

　ストーリーの骨子は、一九五六年のハインライン版とほぼ同じ。ただし舞台は一九七〇年のニューヨークから一九九五年の（冷凍睡眠など一部の科学技術が異様に発達した、架空の）日本へと移し替えられており、作品が製作された時代の背景に合わせて設定にもいくつかの変更が加えられている。その最たる例が、原作で微妙だったヒロインの立ち位置を、主人公により年齢の近い「妹」のような存在として描き直したことだろう。これにより主人公とヒロインのピュアな関係性がより強調される形となり、後半の展開にも一定の説得力を持たせることが可能になった。また主役のロボット科学者を演じる山崎賢人がもつ透明な存在感も、かつての少年がそのまま成長して大人になったような、主人公のイノセントな雰囲気を伝えるのに成功している。

　最後に猫とアンドロイドについて。しばしば「猫好きのためのSF」としても紹介されるように、本作では主人公の相棒である愛猫のピートが、いかにも猫らしい気まぐれな活躍をみせる（猫もまたイノセンスな作品性を象徴する存在であることは、言うまでもないだろう）。さらに実写版では、映画オリジナルのキャラクターとして「PETE」（ピート）という名前のアンドロイドが登場し、未来世界で途方に暮れる主人公の優秀なナビゲート役を果たすのだが……。ハインラインによる原作の発表から六五年、新たに生まれ変わった『夏への扉』を、あなたもぜひふたりの「ピート」と一緒に探してみてほしい。（梟木）

性愛を知らない子供が作った子供

楳図かずお

わたしは真悟

小学館文庫、全7巻

★作者の楳図かずお自身、その生き方には永遠の少年性が宿っているようにも思うが、とりわけ『わたしは真悟』は子供であることの可能性を宇宙規模で提示している。八〇年代の長編マンガであるが、識者からの評価は高く、二〇一八年アングレーム国際漫画祭遺産賞を受章した。

小学生のさとるとまりんは学校の工場見学で出会い、互いに一目惚れする。断ち切れない思いで繋がる二人は再び工場で落ち合い、産業用ロボットにたくさんのデータを打ち込んで遊ぶ。やがてまりんは父の仕事の都合で渡英を余儀なくされるが、二人は結婚を誓い、子供を作ろうと考える。だが、性愛を知らない二人に子供の作り方はわからない。しかし、二人の情報を打ち込まれた産業用ロボットは意識を持ち始め、子供になる。悟と真鈴、二人の名を取った真悟の誕生だ。

真悟は世界中のネットワークと連携し、壮大な物語が展開する。子供たちは純粋ゆえに無謀な行動を次々と繰り広げ、その描写は圧巻。多くのサブテーマが混在し、解明されない謎も多いが、「アイ」の根源を問う結末へと向かう。（市川純）

少年たちを魅了した美少年が見せつける人間の愚かさ

マーク・トウェイン

不思議な少年

中野好夫訳、岩波文庫、720円

★マーク・トウェインというと、『トム・ソーヤーの冒険』や『ハックルベリー・フィンの冒険』といった少年を主人公にした冒険物語の作者のイメージが強いと思う。私も学生時代に両者を読み、楽しく読んだ。こういった作品は若い時に読んでおいた方がよい。子供心を忘れないうちに、トムやハックが同じ仲間のように感じられるうちに楽しんでおかないともったいない。しかし、ここに紹介する『不思議な少年』はというと……。

本書は十六世紀末、オーストリアのエーゼルドルフという村を舞台にする。この村に突然「サタン」を名乗る謎の美少年が現れる。聖書に登場する堕天使サタンの甥だという。サタン少年は人の心を読み取る能力を持ち、数々の奇跡を引き起こす。語り手の少年テオドールたちはサタン少年に魅了されるが、サタン少年が見せるのはこれでもかというくらい残忍で愚かな人間の姿であり、トラウマを植え付けるような光景。

ある種サイコパスのようなサタン少年の冷厳なまなざしを通じ、読者は少年とともに人間の真実の負の側面を突き付けられる。（市川純）

コレクターの魂百まで
——コレクションと子供ごころ

◉文＝浅尾典彦（夢人塔代表・メディアライター）

記憶再現装置

まだ「好奇心」なんて洒落た呼び名も知らない頃、私は未知なものへの興味が強かった。朝起きて、学校に行き、ご飯を食べて、宿題はちょっとだけ、そしてまた寝る毎日。今で言うところのルーチンワーク、小学生ですでに退屈な日常の繰り返しだった。そんな中で、私を刺激し「好奇心」を満たしてくれたものは、テレビや漫画・雑誌。

テレビアニメは海外の「スーパーマン」や「ポパイ」「ベティ・ブープ」などフライシャー兄弟の作品から「スーパースリー」「宇宙怪人ゴースト」「大魔王シャザーン」「チキチキマシン猛レース」などハンナ・バーベラの作品群も大ファンでかじりついて観ていた。フィルメーション・スタジオの「幽霊城のドボチョン一家」も楽しかったな。

日本のテレビアニメのシリーズは、ありがたいことに当時番組数がまだ密になっておらず、再放送も多かったので初期の「鉄腕アトム」から順番に後追いでも見る事が出来た。

外国番組は最初「腕白フリッパー」や「じゃじゃ馬億万長者」を見ていたが、超常世界を扱った「アウター・リミッツ」「トワイライトゾーン」「ヒッチコック劇場」など不思議ものの魅力にはまり、宇宙人や怪獣、ロボットなどに心を奪われていた。そのうち、日本でも「ウルトラQ」や「ウルトラマン」「ウルトラセブン」など特撮を駆使した巨大ヒーローや怪獣もの、「仮面ライダー」「超人バロム1《ワン》」「仮面の忍者赤影」「人造人間キカイダー」など等身大ヒーローも生まれ、テレビ画面から飛び出さんばかりに大活躍した。私はいつもそれら楽しみに見ていた。

楽しいものを見た後に、頭の中で咀嚼すると二度おいしい。友達と見た番組について話したり、シーンを思い出しては一人で楽しむ。まだビデオなど記録媒体もない頃は、〝自分が見た事実〟だけがそれを再現するための大切な記憶再現の装置だった。ある日、そんな状況をサポートする新しいものが現れた。

雑誌のカラーグラビアだ。好きな作品にビジュアルでもう一度会うことが出来る。裏話などの知識も増える。モノクロだった「ウルトラQ」のガラモンのドケドケが赤色だと知ったのも、海外にフォレスト・J・アッカーマンという〝心が少年のままモンスター・コレクター〟のオジサンがいる事も、海外にまだまだ未知なるモンスター映画がたくさんある事も、全部、少年雑誌のグラビアの情報で知った。

嬉しい事に、そのうち世の中はマンガや特撮のキャラクターグッズで段々と飾られ始めた。ソフトビニール人形、ブロマイド、ソノシート、怪獣図鑑、マンガ、プラモデルなどなど、アニメや特撮好きには書店や玩具屋やレコード店はお宝の山だった。感動した作品のシーンを、人形を使ってリアルに再現出来る。でも、うちは父親が民間で研究をやっている学者で貧乏暮らしの家だったため、欲しいものを中々買って貰えなかった。友だちが持っているものでも親に拝みこんでやっと可能性が見えて来る。だからクリスマスやお正月、誕生日は大切で楽しみであった。大人になってから知るのだが、子供の物の玩具にもランク分けがある。庶民向けと富裕層向けという差別化は最初からあったのだ。『サンダーバード秘密基地』もカッコよかったが高価で近寄りも触りも出来ない。近所に住むお金持ちの山本さんのお兄ちゃんが手に入れたと知り「ちょっとだけ触らせてよ」と押しかけたりした。

『ブリキのおもちゃ』は庶民の子供には手の届かない〝高嶺の花〟。ゴジラが欲しかったが、怪獣関係はあきらめていた。〝大きくなったら自分で稼いで、欲しいものを何でも自分のお金で買いたい〟と思った。そのために早く大人になりたかった。そのうちヒーローや怪獣のソフトビニール人形の玩具が出はじめた。おこずかいを貯めれば買えるものもあり嬉しかった。比較的小さくて安価なシリーズを狙って集め始めた。

この頃、一番力を入れて集めていたコレクションは「特撮ブロマイド」。特撮シーンや怪獣・怪人のポートレート。粘土で怪獣を造る時に形がわかりやすかった。カルビーの「仮面ライダースナック」はお菓子とカードが合体した魅力的な商品で大ブームになったが、買い食い禁止の家だったので買えない。代わりに駄菓子屋で売られていた「仮面ライダー」のメンコや10円引きブロマイドを集めた。私は、週に100円のおこずかいを握りしめ、一生懸命駄菓子屋通いをした。小さなカードのお宝は少しづつ増えていき、ノートに貼って〝自作のコレクションブック〟を作った。これを布団の中でこっそり見るのが最高の楽しみだった。

次に心を奪われたのが「怪獣図鑑」「妖怪図鑑」たち。動物や人体の図鑑も好きだが、テレビで見た怪獣や妖怪にまた会える図鑑が最高。誕生日に大人にオーダーして買って貰うのだが、いちいち理由が必要で、「怪獣は恐竜の仲間。だから勉強」など、ほとんどこじつけだが母親を説得した。

幼少期に、自分の心を楽しませるものをゲットするには親との交渉力が必要不可欠であると知った。故に、お宝など欲しいものや特殊な知識を得るためには「戦略が必要」と悟った。手を替え品を替え戦略を練ったお陰で、子供部屋に自分の宝が増えていった。

コレクションは、心の中で燃え続ける「子供の心」そのもの

通過儀礼なのか

ある日、事件が起こった。私の平和な世界がガラガラと音を立てて崩れたのである。乗り越えるべき壁があったのだ。家に帰って来ると、自分の部屋で大事に置いていたお宝が無い。「特撮グラビア」掲載の大事なマンガ雑誌も、宝塚ファミリーランドの水木しげるの展示イベントでやっと買って貰った「ゲゲゲの鬼太郎のふしぎな世界」のパンフレットも全部部屋から消えていた。必死なって探し回ったが何処にも無い。母親に聞くと「捨てた」という。「もう古いからいいでしょう」。何がいいのか？ 地球の終わり日のような絶望を感じた。ショックで2、3日落ち込んで、環境を恨んだ。「どうして、僕の好きなものを親は勝手に捨てるのか？」。親には逆らえない。でも私が大切にしたい思いはことごとく踏みにじられた。〝大切な宝は隠さないといけない〟と知った。冒険小説でも「お宝のありかは地図に書いて隠す」。何とかしてアイデンティティは自分で死守しなければいけないと知った。

家での危機はまだ続いた。小学校の高学年になるとおこずかいを貯めて「変身サイボーグ1号」を集め出していた。「変身サイボーグ」はGIジョーと同じく全身21か所の関節が動く人形だが、コンセプトが嫌いな戦争じゃなくSF。透明なボディもカッコいい。『コブラ』のクリスタルボーイの元ネタでもある。親戚のお年玉を集め、初めて買った時は嬉しくて添い寝した。次に敵の「キングワルダー（紫）」も入手した。「変身サイ

ボーグ」はアタッチメントで手足のパーツが取り換えられ、コスチュームで特撮ヒーローにも変身できたし、少年サイボーグ、サイボーグジャガー司令用レコードもあった。応接間のソファーに寝ころがって「変身サイボーグ」で遊んだり着せ替えたり、ストーリーを考えるのが至福の時間だった。そこそこ集めコレクターになっていた。そんな時また大事件が起こった。

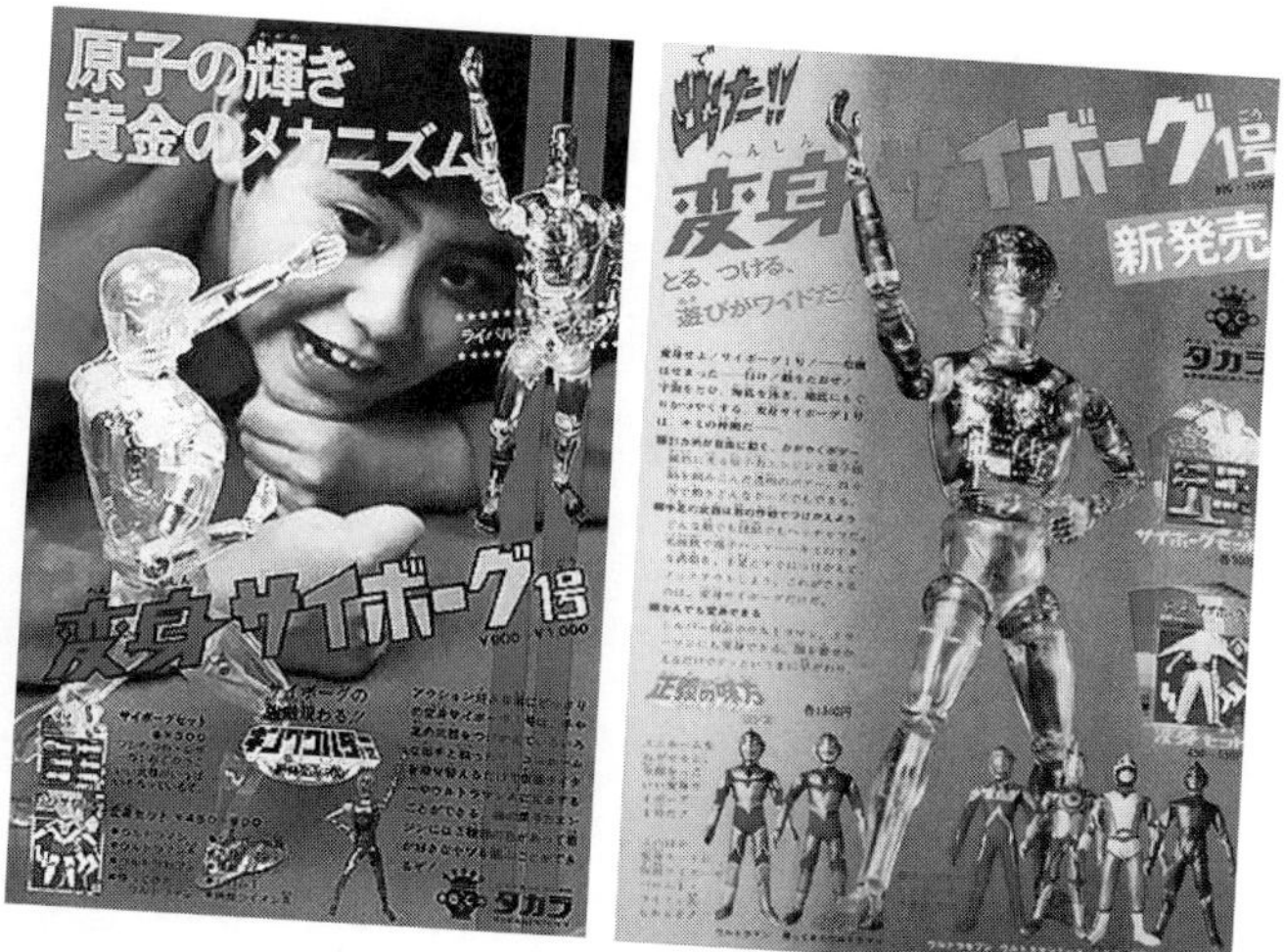

★雑誌に掲載された「変身サイボーグ」の広告

突然「もうお兄ちゃんでしょ。中学に行くんだから人形遊びは恥ずかしいでしょ」。母親がいう。理由は判らないが大人になったら玩具は捨てるのがルールらしかった。また「捨てられるのか」と戦々恐々としていると、もっと恐ろしい事をしれっと言い放った。「親戚の子供に全部あげなさい」。死刑宣告と同じだった。捨てられるのも、捨てさせられるのも嫌だが、無理やり自分の愛しているお宝を他人の子供にプレゼントさせるとは！　この家に生まれたことを恨みながら、でも逆らえず泣きながら我が子たちを段ボールに詰め親戚の家の、しかもそこが世話になっていたという近所の豆腐屋の息子にあげることになった。自分は一度しか遊んだこともない子だ。悲しみでその日はそのまま布団の中で泣いて過ごし、何日も落ち込んだ。大人になるということは痛みを伴って自分の愛するものを捨てる事なのか？　我慢することが大人なら、これから向かう大人の世界は悲しすぎる。

好奇心を失わない大人

中学に行くようになり、映画に目覚め、今度は映画パンフレットやポスターを集めるようになる。「玩具は子供の遊ぶもの」という固定観念から逃れ、また母親を部屋に入れないようすることで平和なコレクション生活は保たれるようになった。社会人になる頃にはいっぱしのコレクター気取り、二十歳そこそこでアメリカを旅し、憧れのコレクター、アッカーマンや世界的なポスターコレクターとも交友関係を築いた。そして海外に出て初めて「大人になることは好きなものを捨てる事でも、我慢する事でもない」と確認できた。アッカーマンはすでに70歳代で、友人のコレクターたちもみんな大人で立派に働いて自分の心の楽しみを知っていた。

「そんなもの集めてどうするの？」と言われた事もあったが、それらは映画の資料としてDVDの特典や本や映画館のリバイバルや講演、イベント、ギャラリーや博物館での展示などに活用されるようになっていった。私がコレクターとして半世紀を過ごし、自著を出すようになってからは、母親は何も言わなくなった。

「好奇心を大切にしなさい」と、アメリカで出会った、心の師匠アッカーマンにも、尊敬する特撮の神様ハリーハウゼンにも言われた。わくわくする心が「子供の心」ならまだ私の中でそれは燃え続けている。

その後、「変身サイボーグ1号（銀）」と「キングワルダー（紫）」は、展示など協力していた「スーパーフェスティバル」で再購入し、今も倉庫の箱の中で眠っている。

◎文＝梁鎮輝（ライター）

流浪する童子たち

——村山槐多による大人への抵抗

大正時代のロマンとデカダンスを養分として育った村山槐多（一八九六〜一九一九）という名高い悪童がいる。奇行を繰り返してきた彼の最期は「宿命的に、下へ下へ」（「遺書」、一九一八）という言葉のように、一九一八年に結核、翌年にスペイン風邪を患い、僅か二十二歳という若さで「最低の地獄」（同）へ陥るというものであった。

辞世する前日、悪天候にも関わらず、発作的に自宅から外へ飛び出し、畑で倒れているのを発見された。命が尽きるまで、槐多は自分らしく抵抗し、流浪を続けようとする。彼にとって、成長は向上ではなく、身体・精神の閉塞と苦痛に落ち行くことであった。

下級生の美少年（稲生潔）への愛慕から、両性愛者や少年愛者という枠の中で彼を解釈するのは安直すぎるだろう。彼は大人に対峙する形で精力に満ちた原始的かつ甘美な肉体を持つ童子たちを創造した。これらの「若い命」への執着と憧憬は、その精神世界の根源を成すものであり、村山槐多という人物を解読する鍵でもある。

★村山槐多「稲生像」（1913年頃）

代表作の一つに数えられる油彩画「尿《いばり》する裸僧」（一九一五）は、合掌する神々しい裸僧が托鉢に向かって小便をするという構図が採用されている。固体であるかのように重厚に塗られた尿や、その尿とペニスのアンバランスなサイズ感、いくら注いでも溢れてくることのない托鉢など、様々な不思議が詰まった作品である。

私は五千尺も上へ上りました。／そして青い空をとび乍ら一思ひに小便をいたしました。／私の股ぐらから小便で出来たまつすぐな長い金の杖がきらきらと下界をさして落ちて行くのを見て私は涙の出る程よろこんで居ました。

二年後の童話「五つの夢」（一九一七）にある一節「天の尿」を読み、ようやくその托鉢は下界へと繋がっていることを知った。自分自身の成長への嫌悪と、成長してしまった俗人への慈愛をその尿に織り交ぜているのではないかと思う。

しかし、一旦理想郷の「天」から離れ、下界の町へ訪れてみると、慈愛は忽ち失望や悲哀に変わってしまい、小説「鉄の童子」（未完）へと繋がっていく。公卿華族の二男として生まれた主人公は、「人工の地獄」である都が嫌になって、流浪を始めた。そして「壁の町」という場所に辿り着き、そこで冷酷な現実に直面することになる。

かくもこの平地へ下りて来つたのは何の為であつたらうか。（中略）この町はげに病毒に侵されて居る。麻痺して居る。げにこの町の人間の第一の特徴は彫刻的であると云ふ事である。金属的であると云ふ事である。

彫刻的・金属的になってしまった不憫な大人が支配しているこの町を、主人公は根本から転覆させようと、町中の童子に召集を掛け、大人への戦いを画策する。

自分の胸に熱き血潮はみなぎつたのである。げにわが臣下は喜戯に贈る是等美しき童子である。此赤き皮膚や無心の情熱がこの市の大人となり金属と変形せざる以前に自分は是等を用ゐねばなるまい。自分の武器としなければならない。そして俺は今からこの町に対する戦を始めてやらう。

未完の作品であるため、この戦いが如何なる道程を辿るのかは残念ながら分からない。しかし、その後、槐多のグロテスクな側面が露わになっていくことを鑑みると、この大人への挑戦は恐らく失敗に終わったのだろう。そのため、正面から潔く高貴な宣戦布告をするのではなく、彼は小説「魔童子」や「魔猿伝」などにおいて、通り魔に近い怪奇な殺人を続けることによって、内心の平衡を保とうとしたのである。

「魔童子伝」では、大人になってしまった自分が少年時代に出会った魔童子に襲われたのに対して、「魔猿伝」では山で捕獲した金色の猿が逃げ出し、十年後にその猿が人に化けて町に出て殺人を繰り返す。猿という表象は槐多の戯曲「酒顛童子」に繋がり、香取本『大江山絵詞』や貝原益軒『扶桑記勝』などからも酒顛童子は猿としての造形が付与されていることが分かる。作品中、猿＝酒顛童子の標的となるのは、「高利貸」「官吏」「女優」「紳士」などと言った大人の中でも最も彫刻的・金属的な人達であった。

★村山槐多「尿する裸僧」(1915年)

現世の変革への無力さに気づき、童子を殺人鬼へと変身させた

★村山槐多(1918年)

槐多にとって、童子は単なる幻想的な憧れであるだけでなく、現世の変革を目指し、果敢に挑む存在でなければならなかった。しかし、その無力さに気づいた時に、槐多は理不尽な報復を童子たちに託すしかなかった。聖なる存在から、暗闇に潜む殺人鬼と化す童子への変身は、まさしく槐多の情感の軌跡を辿っていると言える。

絵を描き、詩を詠み、小説や戯曲をも創作した槐多は、様々な領域で最適な自己表現の方法を苦しみながら模索していた。「未完」で終わってしまったものが多く、系譜的な評価を与えるのが頗る困難な人物である。しかし、彼の行ったすべての「創作行為」を俯瞰的に眺めれば、そこに「村山槐多」という一つの作品が浮き上がってくるに違いない。

少年少女の日記文学と、終わらなかった少年時代
——『にあんちゃん』と『ユンボギの日記』を例に

●文=穂積宇理(メディアリンクス・ジャパン)

『にあんちゃん』は、佐賀の大鶴炭鉱で両親を失った在日コリアン四兄妹の末っ子である安本末子が、小学校3年生から5年生(1953〜55年)にかけて綴った日記を元にした1958年の本である。52年に日本で『アンネの日記』が出版されたため、日記文学は当時よく読まれており、『にあんちゃん』はその代表的な作品でもある。母は末子が3歳の時に、父は9歳の時に亡くなっており、日記は父の四十九日の法要から始まっている。

四兄妹の長兄である東石《とうせき》は就職差別の中で出稼ぎ先を転々としており、後日神戸で落ち着いた後、佐賀から弟妹を呼びよせている。姉の良子は小学校を出てから裕福な家の住込みの子守になって家を離れたので、本書にはほとんど出てこない。次兄の高一《たかいち》は亡くなった両親や家にいない兄や姉の代わりに、小学生の頃から炭鉱や漁港で日銭を稼いで妹・末子を養っていた。妹からの呼び名である「にあん(二兄)ちゃん」は本書のタイトルにもなっている。兄と妹が逆境の中で悩み、懸命に生きる様子が瑞々しく綴られたこの日記は当時の読者たちに広く受け入れられ、この本の印税のお陰で、高一と末子は大学に進むことができたのだという。

初出である光文社版には東石によるまえがきがあり、東石が妹の日記を光文社に持ち込んで出版させたことがわかる。また裏表紙の「著者略歴」には、こうある。

「先祖代々、朝鮮の名家『ヤンバン』の中でも、由緒正しい豪農であったが、大正の末期、祖父の代に親友の借金の証文一枚の保証人になったばかりに、破産、没落したという」

これは恐らく民族意識の高い青年だった東石が書いたもので、先祖を誇るときのありふれた言い回しではあるが、末子の日記の見事さや礼儀正しさを見れば教育熱心な家庭だったことが分かるし、先祖が両班《ヤンバン》だったというのも分からなくはない。

また、光文社版には末子が差別を受けて大家から追い出される場面や、高一が自らの出自を呪う非常に痛ましい場面がある。

「ここにはおられませんのです。(中略)"*Binbó Chósenjin, Deteike. Oigatanoieniorasen*"と言われるのですから、おればつめたい目でにらまれて、やせるばかりです」(p.192)

※他人に読まれないよう、一部が筆記体のローマ字で書かれていた。「おいがたの家におらせん」は「俺たちの家にはいさせない」の意味。

◉参考文献
安本末子『にあんちゃん』光文社、1958
李潤福『ユンボギの日記』太平出版社、1965（原書は「저 하늘에도 슬픔이（あの空にも悲しみが）」1964）
李潤福・許英燮『ユンボギが逝って』白帝社、1993
李潤福『完訳 ユンボギの日記』、評言社、2006

逆境の中、懸命に生きた子供

「ぼくも朝鮮人の父母からうまれたのではあるが、朝鮮人は大きらいだ。朝鮮人といえば、無学で無茶で、人からにくまれるようなことしかしない」(p.205)

　これらは差別的な表現を含むため、他の出版社から出た本からは無くなっているが、まえがきや略歴も同時に削除されている。恐らく末子や高一の要望もあったのだろう。結果的に、改訂を経て『にあんちゃん』は「日本人の日記」であるかのように変化していった。2001年には日記の舞台となった大鶴分校跡地に、同級生有志らによって兄妹の銅像と記念碑が建てられた。記念碑の碑文には兄妹が在日コリアンであることは記されていない。

　『にあんちゃん』は在外同胞の窮状を伝える作品として韓国でも出版され、その影響で1964年には韓国では『ユンボギの日記』が出版された。ユンボギは、大邱《テグ》の市場で靴磨きをしながら弟と病気で働けない父を養い、戦後の貧しかった韓国を生き抜いた少年、李潤福《イ・ユンボク》の愛称である。小学校の担任によって書籍化された『ユンボギの日記』は大きな反響を呼び、日本でも出版された。何度も小学校の課題図書になったので、読んだことがある人は少なくないはずだ。

　ユンボギ少年のその後は、1993年に日本で出版された『ユンボギが逝って』（白帝社）で詳細に記されている。本が映画化されて少年は有名人になり朴正熙大統領と面会までしたが、映画の中で醜悪に描かれた父は腹を立てて家を出てしまい、書籍化した担任の先生も印税の一部しかユンボギに渡さなかった。『ユンボギの日記』は、彼にとって忘れたいものになってしまったようだ。全国から寄せられたファンレターの中には支援の申し出やラブレターもあったが、ユンボギは全て断ったようである。ユンボギはその高校を卒業して兵役に入り、除隊後は正体を隠したまま職を転々とした。妻と二人の娘に恵まれ静かに暮らしていたが、病魔に倒れ1990年に38才で帰らぬ人となった。亡くなった彼の手元には大量のファンレターが残されていた。彼はその後の人生をユンボギ少年として生きることは拒否したが、それでも全国から来た手紙は生きる支えになっていたのだろう。

　末子がその後日本社会に受け入れられて穏やかで平和な人生を手に入れたように見えるのに比べると、ユンボギの一生はいかにも報われないものに見えるが、自分の力で誇り高く生きぬいた人生であり、彼にとって「市場で靴を磨く少年時代」は死ぬまで続いていたのかも知れない。今世紀に入ってようやく著作権の問題が解決したため、2006年に再版された『完訳　ユンボギの日記』からは遺族が印税を得られるようになった。これを機に再読をお薦めする。

◎文＝志賀信夫（批評家・編集者）

日本の文学者たちと少年と性

——鷗外と芥川のヴィタ・セクスアリスを中心に

澁澤龍彦から

文学や美術で、「少年」というと、思い浮かぶのは、やはり澁澤龍彦なのだ。中学・高校時代からサド裁判の報道などで名前を知り、思春期の性への憧憬とともに気になる存在であったが、『別冊新評』の「澁澤龍彦の世界」（一九七二）でその写真をいくつも見たときの印象が大きい。それは、どの写真も「少年」そのものだったからだ。大学一年の二十歳の頃、そしてヌード、マッシュルームに近い長めの髪。トレードマークのセルフレームのサングラスにパイプをふかす写真もあるが、それでも少年的であった。さらに、土方巽由来の模造男根をつけて全裸で踊る写真も掲載されていたが、それも戯れる少年のようだった。

★『別冊新評 澁澤龍彦の世界』

一九八六年、唯一残されている土方巽の葬儀の映像での高いスピーチの声も、声変わり以前とも思えるようなものだった。さらに、澁澤亡き後、妹の幸子が書いた『澁澤龍彦の少年世界』（一九九七）、前妻、矢川澄子の『おにいちゃん——回想の澁澤龍彦』（一九九五）の印象もある。そして、近年しばしば目にする、細江英公撮影の鎌倉の浜辺で矢川澄子と遊ぶ姿も、まさに少年そのものなのだ。

また、著作でも、物に対する視点や博物学的関心、性に対する関心なども、少年の感性を強く持ち続けているゆえとも思えるのだ。だが、ここでは、その澁澤の永遠の少年性を論じるよりも、それ以前の文学者たちが、性の目覚めをどのように描いたかに視線を移してみたい。それはつまり、少年の性の萌芽であり、そこからどのように少年が性と向き合ってくるかが、顕著に表れているからだ。

そう考えたときに、まず思い浮かぶのが、森鷗外（一八六二〜一九二二）の『ヰタ・セクスアリス』（一九〇九）である。

ヴィタ・セクスアリスと鷗外

この『ヰタ・セクスアリス』が発表されたのは、明治四二年、鷗外四十七歳のときだ。

主人公の哲学者・金井湛《しずか》は、自然主義の小説に性的表現が多いことに疑問を抱き、「自分が人間一般の心理的状態を外れて性欲に冷澹［冷淡］であるのではないか、特にfrigiditas［冷感症］とでも名づくべき異常な性癖を持って生れたのではあるまいかと思った」（以下［］は、引用者が訳語、新字、かななどを補ったもの）。前年に起こった「出歯亀事件」、さらに美学書で、「あらゆる芸術はLiebeswerbung［求愛］である」とあるのを見て、自分がノーマルかそうでないかを知るためにも、自分の性的生活の歴史を書いてみる意味があると考える。そして、金井は、高校を卒業する長男への性教育の資料として、自らの性的体験の歴史を書くと述べ、遡って、六歳のときから書き始める。

六歳の体験は、近所の寡婦が近くの娘と春画を見ているのを覗き見したことだ。そのときには、大きな男根を「足だろう」といって笑われる。七歳では、番所跡に住む老人に、「父さんと母さんが夜、何をしているか知っているか」とからかわれる。

十歳のときには、春画を見つけて、ようやく意味がわかるが、自分は女性の性器を見たことがないと思い、近所の少女の裾の中を覗いたりする。

十一歳のときには、吉原などの遊郭や浅草奥山の接待女がいる楊弓（弓遊び）場の話や、娼婦とそれに愛される美青年のことを知ったり、寄席の落語でそういう知識を得たりする。

その年の秋、ドイツ語学校に入り、寄宿舎を訪れて、男色のことを知り、そこで襲われる。

そのうちに手を握る。頬摩［ほおずり］をする。うるさくてたまらない。僕にはUrning［壷：ホモ］たる素質はない。もう帰り掛に寄るのが嫌になったが、それまでの交際の惰力で、つい寄らねばならないようにせられる。ある日寄って見ると床が取ってあった。その男がいつもよりも一層うるさい挙動をする。血が頭に上って顔が赤くなっている。そしてとうとう僕にこう云った。

「君、一寸だからこの中へ這入って一しょに寝給え」

「僕は嫌だ」

「そんな事を言うものじゃない。さあ」

僕の手を取る。彼が熱して来れば来るほど、僕の厭悪と恐怖とは高まって来る。

「嫌だ。僕は帰る」

もう一人が手伝い、布団蒸しにされるが、危うく難を逃れる。戻って、父親に話すと「そんなやつもおる」といわれる。

★森鷗外『ヰタ・セクスアリス』（新潮文庫）

つまり、当時、思春期の男性同性愛行為が普通にあったことがわかる。以下、そのエピソードが続くのだ。旧制高校では、硬派と軟派がいて、軟派は軽くて女性相手だが、硬派を名乗る者たちは、男性を稚児にしようとする。

十四歳になって、軟派のきれいな男、埴生と仲良くなって、その誘いで一緒に料理屋に行ってごちそうしてもらう。それは、埴生が伯父の年賀で、芸者や酌婦が来ていて、その一人に手を握られた記念だった。それについて、鷗外は「この恋愛の萌芽とCopulationstrieb［交尾本能］とは、どうも別々になっていたようなのである」と書く。

そして、マスターベーションを覚える。

僕はこの頃悪い事を覚えた。（中略）西洋の寄宿舎には、青年の生徒にこれをさせない用心に、両手を被布団の上に出して寝ろという規則があって、舎監が夜見廻るとき、その手に気を附けることになっている。（中略）僕はそれを試みた。しかし人に聞いたように愉快でない。そして跡で非道く頭痛がする。強いてかの可笑しな画［春画］なんぞを想像して、反復して見た。今度は頭痛ばかりではなくて、動悸がする。

夏休みにできた友だち、尾藤裔一の継母に迫られ、「僕は急に奥さんが女であるというようなことを思って、何となく恐ろしくなった」。

十五歳のときに、古賀と児島という二人の親友ができる。古賀は硬派だが迫られず、児島は童貞で、二人といい友情関係が続く。三人で吉原を見に行ったり、友人が遊女におぼれているのを心配したりする。

十七歳のとき、周囲に嫁候補の女性が何人か現れる。二十歳のときに、文章を発表するようになる。そして吉原で花魁のような姿の顔の小さい女と初体験をする。婆さん（番新）は番頭新造の略、遊女の付き添い婆である。

八畳の間である。正面は床の間で、袋に入れた琴が立て掛けてある。黒塗に蒔絵のしてある衣桁が縦に一間を為切って、その一方に床が取ってある。婆あさんは柔かに、しかも反抗の出来ないように、僕を横にならせてしまった。僕は白状する。番新の手腕はいかにも巧妙であった。しかしこれに反抗することは、絶待的不可能であったのではない。僕の抵抗力を麻痺させたのは、慥に僕の性欲であった。

★ドイツ留学時代の森鷗外

★森鷗外の美しい後妻、荒木志げ

（中略）

あれが性欲の満足であったか。恋愛の成就はあんな事に到達するに過ぎないのであるか。馬鹿々々しいと思う。

次に吉原に行ったのは、最初の妻を亡くして、次の妻との間の期間だが、古賀たちに誘われて行って、腕ずもうして帰ってきた。そういう場所はその二回だけだと弁解している。だが、二十一歳のときには、古賀と、某省の参事官の望月と芸者の待合に行って遊ぶ。待合の芸者は、着物を着たまま、まくり上げてセックスした。

金井（鷗外）は結局、結婚せずにドイツに留学する。ミュンヘンのカールシュトラーセ通りの下宿屋では、女主人の姪が毎晩、下着姿でベッドに話に来る。商売女たちに迫られた話を書き、同じ日本人に、相手をしないのを臆病といわれて、誘いに乗っていくと、「妊娠線のある女だった」。そして、こう弁解する。

世間の人は性欲の虎を放し飼にして、どうかすると、その背に騎「の」って、滅亡の谷に墜ちる。自分は性欲の虎を馴らして抑えている。

そしてこれまで書いたところを読み返して、こんなふうに結ぶ。

さて読んでしまった処で、これが世間に出されようかと思った。それはむつかしい。人の皆行うことで人の皆言わないことがある。Prudery「慎重さ」に支配せられている教育界に、自分も籍を置いているからは、それはむつかしい。そんなら何気なしに我子に読ませることが出来ようか。

（中略）我子にも読ませたくはない。

息子の教育のために書き出すといっていて、結局この結論というのはあれ、と思いつつも、微笑ましいともいえる。

だが、性欲に支配されていないと繰り返し書いている鷗外は、一八八九年に赤松登志子と結婚し、長男於菟をもうけたが、一年半で破綻し、妻は再婚先で死亡した。そして、翌一九〇二年には十八歳下の荒木志げと再婚し、茉莉、杏奴、不律、類をもうける。この志げは、写真のように、なかなかの美女である。子どもたちはいずれもオットー、マリ、アンヌ、フリッツ、ルイという外国名の当て字なのは有名だ。そして、十八歳ごろから寵愛した妾、児玉せきを母親と一緒に近所に住まわせていたことも知られている。

ヴィタ・セクスアリスと芥川

鷗外が『ヰタ・セクスアリス』を書いたことに触発されて、芥川龍之介（一八九二〜一九二七）も『VITA SEXUALIS』を書いている。これは、一九一一、一二年の執筆と推定されており、芥川が二十歳のころだ。

こちらの特徴は、同性愛が中心といってもいい。最初は、鷗外同様、春画を、使用人の「熊さん」から見せられる。

そして、幼稚園で総武鉄道の重役の息子、本間徳次郎と友だちになる。その兄英麿が、弟のことをこういった。

「ポンチはばあやと一緒に寐るのだからばあやとOmankoをするんだ」と云つてからかつた　勿論自分にはこのOmankoの意味がよくわからなかつた

そして、本間が遊びにきて、ふいに「君Omankoをしないか」といいだす。拒否するが、結局やることになる。

　自分を疊の上へ寐かした　自分は本間が立つたまゝ前をまくつたのを見て　同じやうにした　猿股をはかない頃の事であるから二人とも腰から下の肉體がそのまゝ現れた

　本間は自分の腿の上に腰をおろしてOmankoをした　二人のZeugungsglied［ペニス］が接觸するのである

　本間は何度も「あゝ　いゝ心もちだ」と云つた　自分は僅に觸覺の淡い快感を感じたのにすぎない

　本間は自分の上に跨つてOmankoを幾度も繰返した　けれども二人ともZeugungsgliedは少しも勃起しなかつた

本間の兄は春画なども見せてきて、小学一年のときは、こんなことも教えてくる。

Zeugungsgliedを M［まら］と云ふのも本間に教つた　けれども　どうしても口に出しては云へなかつた　本間の兄さんは白い　小兒のはく乳かすのやうなものを掌へのせて　自分たちに「Mのkasu［かす］だぜ」と教へた

小学校二年のころ、英語を学びに行っていた東京都の職員（給仕）の大野に、「西洋人のやり方は珍しい」と、最近見たポルノのことを聞かされる。

　男も女も裸體になつて　女が仰向きに臥る　男は　其女の兩足を自分の兩肩にあげて女の腿を抱くそして兩足は女の腹の兩側へのばす　女は兩手で自分の胸の上に枕を抱く　それでするのである　女はもういゝ心もちになつて　目をつぶつてしつかり枕を抱きしめる　男もいゝ心もちになつてしつかり女の腿を抱きしめるとかう云ふのであつた

　共時自分ははじめてSexual Intercourse［性交］に愉悦が伴ふと云ふ事を知つた　しかし　それが本間が自分に教へたやうなOmankoかどうかはわからなかつた

★芥川龍之介の中学時代

そして、本間兄が幻燈会で、切り絵によってセックスを見せた。

　これを見て自分はSexual Intercourseと云ふものは　本間の云つたOmankoとはちがつて　單に接觸させるばかりではないと云ふ事をしつた　同時に自分は「はまる」と云ふ語をおぼへた　そして長い間　自分は人のまへで　この語がつかへなかつた　何となくこの語は　Sexual Intercourseに限つて用ゐるやうな氣がしたからである

「はまる」という言葉が恥ずかしい、というのは、微笑ましいが、わかる。さらに小学校二、三年からの友だち、桜井の利いちゃんがペニスを触るのを見た。

　實を云ふと　其頃から自分も　Schamglied［男性器］をいぢる癖がついてゐたのである　自分は袴をはいてゐたから　袴の下でした　寐る時は寐まきの下でした　そしてSchamgliedはいぢれば　大きくなると云ふ事を知つたのであつた

このようにマスターベーションを覚えるのだ。そのうちに、大野の英語塾に来ていた牛肉屋の姉弟と遊ぶようになって、姉の松枝に欲情を感じるようになる。

柔な女の手の觸覺と　油をつけた髮の香とは此時に覺えたのである　自分と松枝さんとの間には　これだけの關係しかすゝまなかつた　がそれでも自分の性欲を刺戟するのに充分であつた　自分が夜寐る前にSchamgliedをいぢるとき自分は　いつも松枝さんの事を考へた

松枝とは手紙のやりとりをするものの、友だちに見つかり、二人転んで脛が見えたのを囃されて初恋は終わる。そして芥川は、高等一年で、日直の相手、豊永と同性愛体験をする。

肩と肩とをくつつけて本を見てゐるうちに自分は豊永と二人で人のゐない教室にゐると云ふ事をせつない程明瞭に意識した　さうすると豊永の手がにぎりたくなつた　手をとつた　しつかりと抱きたくなつた　しつかりと抱いた　頬ずりがしたくなつた　頬ずりもした　まだそれ以上の事がしたくつてたまらなかつた　二人とも袴をはいてゐる　自分の袴の下では　嘗つて記憶しない程　Schamgliedが強く勃起した　自分は殆「Omankoをしやう」と口へ出して云ふ所だつた　丁度その時に始業の鐘がなつた　それから五分たゝないうちに生徒が皆列をくんではいつて來た　自分は殘惜しいやうな氣がした　これが嘗てSodomyと云ふ事を知らずにゐた自分が　自然に發したSodomyの情である　勿論其時は　又その後もしばらくの間はSodomyが如何にして行はるべきものか　と云ふ事を知らなかつた

自分が豊永に求めたのは　本間の教へたOmankoであつた

この頃、父のカバンで春画を見つけ、男性器や女性器の形状を知る。そして、女湯で見た少女の性器、少し大きくなった女中の性器のことなどを思い出し、子どもと大人の違いを理解するようになる。また「かまほり」という言葉を知るが、「Omanko」と同じようなことだろうと想像する。そして、「明にわからないながらsodomyと云ふものが存在すると云ふことを　比較的慥に記憶したのである」と書く。と同時に、講談や落語、新聞や小説で、獣慾、春情、強姦、淫慾などの言葉も知る。

高二のときに、四年生の舟戸という美少年が校庭で「相手を抱くやうに向ふに帶ぎはにかけて　體の下半部を規則的に前後に動してゐた」のを目撃する。そして、次第に「ほる」意味を理解するようになる。

其時に始めておかまをほると云ふ事はSchamgliedと肛門と接觸だと云ふ事がわかつた　しかし唯接觸させるだけなのか　又はSchamgliedが肛門へはめるのかその邊は不明瞭であつた

（中略）

かう云ふ風に　自分の周圍には男色の空氣が非常に濃厚であつた　殊に一級上の若林と云ふ美少年に自分は　はげしく戀してゐた　しかし若林とはほんの一面識しかなかつたし　其上まだ「ほる」と云ふ事を正當に理解しなかつたので唯若林と自分の知つてゐるOmankoとを連想してひとりであこがれるばかりであつた

（中略）

高等三年になつた

ある日　學校で相撲をとつてゐた木村が誰かとゝつてまけた拍子に　あほむけに仆れると　ぱつと裾がまくれてまつ白な腿と其間のSchamgliedとが見えた　自分の隣にゐた梅村と云ふ男が「やあChinbokoが見えた」と云つた

其晩　夢に木村を自分が仰へてゐる所を見た　木村は橫ずはりに座つて　前のはだけた間から白い腿が少し見える　自分はその手と肩とを抑へて「いゝぢやあないか　云ふとほりに御なりよね」と云つた　そして自分のSchamgliedがはげしく勃起したので目がさめた

そして、芥川はついに行動を起こす。今度は、背の低い内気な湯浅に目をつけて、「ほらおうと」思った。

それから湯淺をひき出す方法を考へた　第一の時には元徳様の縁日へ一緒に行かうと云つて誘つた

（中略）

そこで手をとつたり　首に手をかけてひきよせたり　いろ〳〵巫［ふ］ざけながら　空しくSchamgliedを勃起させたのに過ぎなかつた　けれども縁日を見て歸る段になると　自分のはげしい性慾は、第二の計畫として　道をかへて露路へつれこまうと試みた

それは半分がた成功して　露路の中途で背後から抱きすくめたりなり　湯淺のSchamgliedに手をふれやうとしたか丁度人の來るけはひがしたのでやめにした　そこを出てから二人で立小便をしたが自分は自分のSchamgliedの剛直になつてゐるのに　自分ながら驚いた

（中略）

自分はいきなり足がらにかけて湯淺を地の上に仆した　そしてその上へすぐに腹ばひにのつた　兩手は湯淺の顔の兩側から土の上へついてゐる　湯淺は仰向きになつて前がいゝあんばひにまくれてゐる　自分は手をいれて自分の勃起したSchamgliedを出して　自分の着物の前をくつろげると　すぐ湯淺のはだけた前の處へあてゝ　前後よりも　寧左右へ腰を動かして早くSchamgliedを接觸させたいとあせつた　湯淺は「あゝ　着物がよごれるから」と云つた

自分は「いゝや　おかまをほるんだ」と云つたけれども中々目的は達しなかつた　それは前に云つた湯淺の下ばきが邪魔したのである　約三分ばかり　自分のSchamgliedは　徒に綿ネルの下ばきの上を擦過した

が　遂に下ばきの間がうまくひらけて　温な柔な湯淺のSchamgliedが　自分のそれとぴつたりふれた　一度觸れる　二度觸れる　三度ふれる快い肉感に　殆夢中になつた

その時　鼻歌をうたつてくる人の足音をきいた　自分が急いでとび起る　湯淺も起きて立上る二人は何事もないやうにあるいて其處を去つた

（中略）

湯淺は其時十四才である　生理的におかまをほられることの出來得る年である　自分は一回も交渉を　しなかつたのを　しみじみ惜しく思つた

さすがの描写力である。ここから芥川は、体験ではなく、新聞などで読んで興奮した記事について書いている。下宿屋で学生たち七、八名に十五歳の美少年が犯された記事、中学二年生の強姦事件、そして、ある男が二人の車夫に女を犯させる記事だ。

学校では、薩摩出身の愛甲が吉川に迫ったり、三輪に乗っかったり、美少年香取に迫るのを見た。そして、家では「高」という女中が「何となくすき」で、「自分の性慾の對象」にした。炬燵に入ってきたときに、眠るのを待って、最初は脚で内腿を探っていたが、「もつと慥にふれて見たくなつた」。

其中に或日　家内のものが留守になつて　自分と高だけ留守をした事がある　高は炬燵へはいつた　そして睡つた　自分もその隣へはいつた　そして高が睡るのを見ると　右の手をのばして陰部をさはらうとした　ところがこれが存外容易に成功した　自分は指のさきて陰阜を押して見た　陰唇のふちをなでて見た　はては大膽になつて　高の手に自分の手をもちそへて　自分のSchamgliedをにぎらせた　自分のは甚しく勃起した　高は知らなかつた

その時から　自分のSchamgliedは一人前になつた　白い粘り氣のあるぶつ〳〵した青くさいsemens［ザーメン］は　幾度か自分の手先をぬらした　自分ははじめて正當に交接の悦を想像し得たのである

再び、新聞などの記述。

その時分に　野口男三郎の事件が毎日　新聞につゞいて出た　そしてその序に西洋の色情狂の話が出てゐたがそれはかうである

パリで起つた事だと云ふ　其狂人は自ら馬車を驅つて　巧に美しい女を自分の家へひき入れ

る　そして地下室で暴力にまかせて　之を強姦する　思ふまゝに淫慾をみたすと　之を絞り殺して　その陰部を抉りぬく　それからそれを酒精につけて　保存する
殊にその美しい女の肉ではハムを製造して賣つたと云ふ事である

野口男三郎事件は、有名で、「臀肉事件」と呼ばれている。一九〇二（明治三五）年三月、東京都千代田区二番町で、十一歳の少年が両目を抉られ、尻の肉を切り取られた殺人事件である。男三郎はこの少年殺害と義兄の野口寧斎殺害、薬局主人殺害で裁判の結果、少年と義兄殺しについては証拠不十分で無罪、薬局主人殺しで有罪となり、死刑に処されたという。そして、男三郎は切り取った尻肉のエキスを、ハンセン病の寧斎に食べさせようとしている。なお、経営難だった国木田独歩の出版社は、彼の手記を出版した。

パリの事件は、当時のものはわからないが、後の佐川一政のパリ人肉事件を想起させる。

さらに芥川は、読んで興奮してマスターベーションしたといって、「伊呂波文庫」の二つの記事を上げる。その一つが「和七とお蘭とが炬燵でする所」だ。

「つめたい足だねえ」と云つた時に和七は両足で御蘭の両足をからむ　そしてお蘭をひきよせる　お蘭も惚れてゐる和七の事だからすぐ手をまわして和七の帯をほどく　和七も手をまはして　お蘭の帯をほどく　下紐をほどく　とけきれない中に和七のSchamgliedはFUNDOSHIをはづれて勃起する　からんでゐた足をあげると　和七の内腿が年増の白いむつちりと肥つた腿をはさむ　それから和七が前のはだけた體をお蘭のあほむいた體の上へにぢりのせる　二人とも帯をといてゐるのだから胸と胸とあひ腹と腹とふれる　和七が唾を固くなつたSchamgliedにつけるお蘭もつける　ぬれたSchamgliedがやさしくふるへながらHAAR［陰毛］の間をSchamrinneに近づく　すでに口をあいた大陰唇に近づく　もうsemenがにじみ出した龜頭は和七の腰の力につれて優に毛を生じた大陰唇の外部からその濕つた内部へ小陰唇から膣へゆるい快い摩擦と共にはひつてゆく　和七の呼吸もお蘭の呼吸もせはしくなる　お蘭の下からもちあげるやうに押す二人とも身體に汗ににじんでくるし自分もしたいといつもかう思ふ

とても丁寧でリアルな描写だ。芥川は、前の経験も含めて、炬燵での行為に興奮するのだろう。

このように、芥川は、女性に対する性の目覚めから、一時はかなり少年愛、男性の同性愛に惹かれている。女性体験は、ここでは、炬燵で女中に悪戯するまでだが、新聞や雑誌で、興奮している。その引用なのか、あるいは自らのものなのか、いずれも描写が見事である。

その後、芥川は、二十二歳の頃に、吉田弥生と結婚を考えるが、家族の反対で断念、二十七歳で友人の姪、塚本文と結婚し、三男をもうける。次に歌人で人妻、弥生に似た秀しげ子と恋愛し、生まれた子どもが自分に似ているといわれて悩む。さらに十四歳上の松村みね子（片山広子）とも付き合う。そして自殺前には、秘書の平松ます子と心中未遂。女中へのラブレターも残り、没後、さまざまな恋愛が浮かび上がってしまった。

啄木のローマ字日記

石川啄木（一八八六～一九一二）の『ローマ字日記』（一九〇九～一一）も性の赤裸々な表現として知られている。だが、ここには、少年期の性の萌芽は登場しない。

有名なことだが、啄木は当時、東京の朝日新聞に校正係として就職し、言語学者の金田一京助らと交流し、妻子がありながら、吉原などにも通っていた。いまからみると、十代から年増まで多くの娼婦と触れ合った。そこには、かなり過激な表現が見える（原文ローマ字）。

強き刺激を求めるイライラした心は、その刺激を受けつつあるときでも、余の心を去らなかった。（中略）余は女の股に手を入れて、手荒くその陰部を掻き回した。しまいには、五本の指を入れて、できるだけ強く押した。女はそれでも目を覚まさぬ。おそらくもう陰部については、なんの感覚もないくらい、男に慣れてしまっているのだ。何千人の男と寝た女！余はますますイライラしてきた。そして、いっそう強く手を入れた。ついに手は手首まで入った。「うーーう」といって、女はそのとき目を覚ました。そしていきなり、余に抱きついた。「あーーあーーあ、うれしい！もっと、もっと――もっと、あーーあーーあ！」十八にしてすでに普通の刺激ではなんの面白みも感じなくなっている女！余はその手を女の顔に塗ったくってやった。そして、両手なり、足なりを入れて、その陰部を裂いてやりたく思った。裂いて、そして、女の死骸の血だらけになって、闇の中に横たわっているところを、幻になりと、見たいと思った！

★22歳の石川啄木

啄木は、二十六歳で早世したということもあるが、写真でわかるように、とてもその奔放な生活からは想像できない、まさに少年のような雰囲気である。なお、亡くなる前にこれを含めた日記を妻節子に託したが、節子は才女でローマ字が読めたと考えられている。

性の萌芽の意味

森鷗外は一八六二（文久二）年生まれ、石川啄木は一八八六（明治一九）年、芥川龍之介は一八九二年生まれと、それぞれ二十四歳、六歳違いだ。

三人とも、好色小説（ポルノ）などを好んでいることも、書かれている。鷗外は、江戸末期の男色を描いた『賤のおだまき』、中国の『肉蒲団』と『金瓶梅』をあげている。啄木は、江戸の好色本『春情花の朧夜』と『情の虎の巻』。『春の朧夜』には、ローマ字で筆写し始めたらはまって、最初は三時間だったが、次は朝まで、次は朝日新聞の仕事を休むほどの入れ込みようだった。芥川は、新聞が中心だが、『伊呂波新聞』に言及する。これは、一八七九年、仮名垣魯文が創刊した雑報や花柳界のゴシップ記事を中心とする庶民向けの娯楽新聞だった。つまり、三人とも、ポルノで興奮してマスターベーションするのだから、明治も今も変わってはいない。

鷗外は六十歳で亡くなったが、『山椒大夫』（一九一五）などで小説家、翻訳家として、さらに医師、官僚・軍人としても成功した。啄木は、わずか二十六歳で早世したが、歌集『一握の砂』（一九一〇）や『悲しき玩具』（一九一二）を知らない人はいない。そして芥川は、『羅生門』（一九一五）など、説話集を題材にした有名な小説をいくつも残して、三十五歳で自殺した。

鷗外、芥川の性の萌芽を読むと、多くの読者は、自分の性の経験などと照らし合わせたり、顧みたりして考えることになるだろう。そして、性の嗜好、志向、思考も、少年時代と大きく変わっていないと考える人も多いのではないか。もちろん性的関心や嗜好は、知識の広がりとともに広がり、新たな展開をすることも多いはずだ。だが、例えば、オナニー、マスターベーション、サディズム、マゾヒズム、フェティシズムなどの嗜好・性癖を考えると、意外と大きく変わってはいないようにも思える。おそらく、女性も同様ではないだろうか。そして、トランスジェンダーなどで、現在は別の性になったりしていても、それを自分の性の萌芽と重ねて考えたり、語ったりする人は多いだろう。

この多くの引用で示したのは、著名な文豪も、性については、少年の感覚を残しており、そしてまた、いかに多くの時間と労力を、性に費やしてきたのか、ということだ。最近、ダンテの『神曲』（一三〇四〜八）を読み直したが、そこで繰り広げられる罪と欲望にも、性にまつわるものが多々みられる。ダンテは男色の罪で自分の師を登場させている。私たちは、中世から現代まで、だれしも同じように、性の欲望、性の呪縛から逃れられないのだと、改めて感じるのだ。

生と死をめぐって

釣崎清隆

ヒトは死を恐れる。

現代文明人は、永劫回帰の地獄のような停滞的無為と相対化の不毛の環境にあってニヒリズムの官能を愛してむしゃぶり続けている。虚無という実存を生態的素粒子の停滞のままに機能不全の生を生き、なおかつ頑なに死に抵抗し続けながらも結局は苦しすぎる生を諦める。人は誰しも美意識に適う理想的な人生を生きたいと望むのに、なぜ最期くらい、死の理想に従えず悲しい往生際を見せるのだろう？

文明はわずかでも全能感の幻想に酔った瞬間から敗北する運命にある。世界中のその他すべての怒りを買って侘びしく孤立するからだ。我々はただ敗北者らしい死に方を選んでいるだけというわけなのだろうか？

〝原理主義者〟こそが未熟な文明構造における聖なる美徳をこれでもかというほどに見せつける。その高邁なる献身の思想はキリスト教徒やその他一神教の専売特許ではなく、たとえば仏教世界にあっても日本において従軍医僧の存在が鎌倉末期から確認されており、つまり当座の文明人にはどうやら〝神〟が必要であるに違いなく、〝神的存在〟が応急のつっかえ棒のように文明世界の平衡を維持させ、壮大でいかにも文明的な分離壁で自らを包囲して洞窟のイドラを肥大化させ、自ら育んだ神から演繹される狭小で歪んだ世界解釈で無闇に孤独感を深めるのだ。

文明人にとって〝ヒトが食われる〟イメージの耐え難い恐怖は堅牢な枷となっている。万物の霊長として君臨する誇り高い人間さまは、鮫や熊やライオンやその他犬畜生や蛮族によって実際に食べられたり、死して単純に土に返り他の生命の糧となって有機的循環構造に組み込まれる広義の被食のあり方を恐怖し抵抗するために、自らの上位に〝神〟のような高次知性の存在を仮定することでのみ自己をインテリジェント・デザインの世界で相対化し、大自然の捕食被食の構造から脱出しえ、救済される。高次知性の想定によって起こるさまざまな科学的矛盾は文明の現状の未熟が生むギャップであり、実にそれは〝不老不死〟という文明始まって以来の、文字通り〝神の領域〟に挑戦する大命題が解決した暁に初めて〝神〟の想定という暫定措置が晴れて無用となるのだ。

このような文明的人間存在をマクロ系全体像のミクロ系における特異性と捉えるならば、その叛乱的特徴は差し詰め癌細胞のそれに酷似している。不老不死と不治の病の両立という禅問答の妥当な回答であろう〝癌細胞〟という存在は、例えば生と死の二言論を鼻で笑う現象だ。それは単に第三の道の存在を提示しているわけではなく二原論そのものの無意味を証明する。絶対的な死と不確かな生とは観念論の逆説のようだが、結局は同じ現象を別の側面から言語化しているだけである。

ジョルジュ・バタイユによるセックスにおける誕生と死亡の同義性についての生物学的接近の試みはまんざら間違ってもいない。それでも彼が死の魅力に憑依された気味があって不公平ではある。バタイユは単細胞生物の無性生殖の過程に分裂しながらもいまだ連続性を保った生と死が融合した特権的瞬間だという。だが単細胞生物は分裂しても生物学的に同じ個体と見做せるので無性生殖を〝生死〟と無関係に解釈する向きはある。

いずれにしろ、どうしても生と死を同一視できない文明人の現段階における性質的偏りが残酷描写への条件反射的ヒステリーを現象として反映し、頑として越境を阻んでいる元凶だと思われる。将来、人間が不老不死を科学的に克服して死から解放される日が来れば、文明の位相が変わり、世界の総体を脅かす存在となった人間は原初的死生観の真髄を取り戻す可能性がある。さもなくば人間は癌細胞がそうであるように未来永劫延々と自らの存在を問い続ける、孤独を越えた異常な存在になるかもしれない。さすれば最強の利己的存在としての人間は存在悪として図らずも文明の現段階で想定されている〝悪魔〟そのものということになろう。果たして人間の英知はどちらを選択するのだろうか？ 僕はどちらも選択すると思う。人間は物理的な死を経験しない以上、決して同一の意識体として世界の全貌に触れることはできない。そのたった一微分点の秘境が人間を永久に強欲にし続けるのだろう。

　しかしこの期に及んで死後の世界の設定に拘る者はいるだろうか？ 老化ののち萎縮して幼生に戻るプロセスを永久に繰り返す実在の不老不死生物のベニクラゲやヤワラクラゲに負けまいと人類は細胞の不死化やヒトゲノム修復、はたまた全脳内情報のコンピュータへのダウンロードなどによっていずれ不老不死の秘術を手にするだろう。

　ソクラテスは二千四百年前、「国家が信じる神々とは異なる神々を信じ、若者を堕落させた」嫌疑の公開裁判における弁明で、

「死を怖れるということは智慧がないのにあると思っていることに他ならない」

と〝無知の知〟を説き、死が例え〝消滅〟であるとしても、それが「夢一つさえ見ないほど熟睡した夜」のようなものだとすればそれは「一種の幸福」であり、要するに霊魂存続の如何にかかわらず死は〝幸福〟であろうと結論し、死刑判決を超然と受け入れた。

　とはいえそれへの違和感、恐怖は、揺るぎない信念と鉄の意志で死の恐怖を易々と克服していくソクラテスやニーチェのような開明的解脱者はともかく、文明の孤独な凡夫のみならず、死の恐怖は生きとし生けるものに広く共通した本能的な反射であり業である。

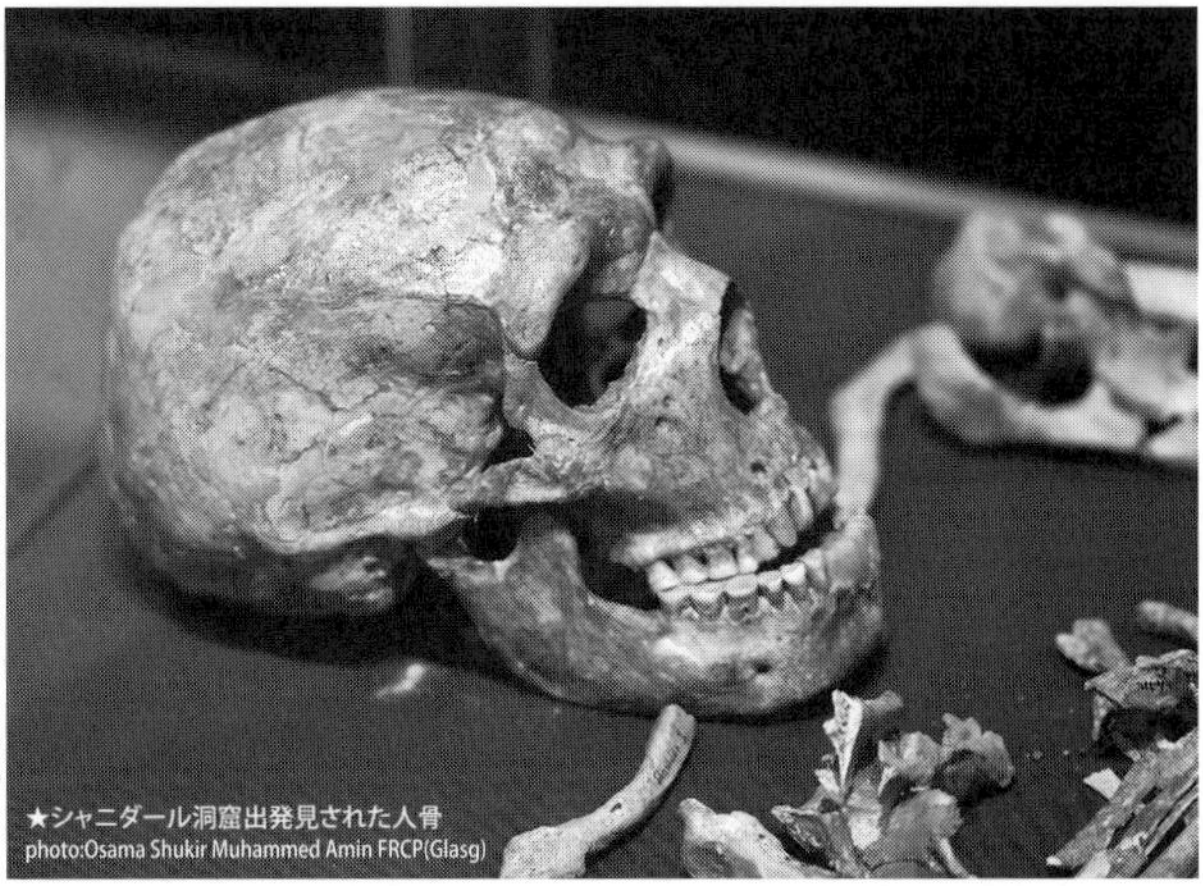
★シャニダール洞窟出発見された人骨
photo:Osama Shukir Muhammed Amin FRCP(Glasg)

　ネアンデルタール人がヒト属として初めて遺体を埋葬したといわれる十万年前に、生者は死者を凝視し始めた。イラク北部のシャニダール洞窟では特定箇所から複数体の屈葬化石とタチアオイなど薬草の花粉が発見され、そこには明らかな弔いの痕跡が見えるのだ。また大多数の遺棄遺体に比して圧倒的少数の埋葬遺体はなぜか男性がほとんどで生前から突出した存在であったはずであり、そのためにネアンデルタール人はその遺体を特別な存在として認識、凝視しているうちに眼前の具象に死の影が差した瞬間に発生した嫌悪と動物的貯食本能からその遺体を土中に屈葬で丁重に埋めてそれが目に触れないようにしたのである。原初的な死の恐怖は死体そのものの恐怖であり、つまりは自分が追体験する暴力の恐怖なのである。死の暴力性に対する恐怖なのである。死体は一刻も早く眼前から消し去って忘れなければならない。これは人類最古の知恵であるが、死体を視界から巧みに覆い隠したとしても脳内で死を穿り返してうじうじ思い悩むようになった文明人は彼らよりかえって不合理といえ、実に厄介な業を背負うことになってしまったものである。

　しかるにこうした苦悩を解決する方法はある。

　「アステカの生贄」になることである。武士道の死生観に身をゆだねることである。信仰や大義、公け、世のため人のため、愛するもののために死ぬのである。さすれば死は目標になる。死してなお叙事詩の中に生き続けるのである。簡単ではないが単純なことだ。野蛮の中にこそ安寧があるのだ。

カノウナ・メ
——可能な限り、この眼で探求いたします

加納星也

第45回 No Time to Lie

　長かった延長戦がこのほど解除され、やっと秋の過ごしやすいシーズン到来。世間にも映画館のお祭り騒ぎが戻ってくる!と期待しているのだが、なかなか周りを見渡しても、急に元に戻る訳でもないし、かと言って新しい日常がすぐさま訪れるとは思えない現実。皆さん引きこもりから卒業されているでしょうか?サブスクの何たらで、もう映画館は結構と諦めていませんか?

　という訳で、つい気を抜くとシリーズものの定番ファンタジー番組に飲み込まれ、すっかり暗闇に輝くスクリーンの秘宝を見過ごしてしまう日常。こちらは、そんな皆さんのためにも日夜、映画諜報員として潜入捜査に打ち込むという言い訳を武器に、街を走り回るのが仕事なので、一時期は引退したのかという噂もあったが、やはりこの眼で世界を見続けなければ気が済まない。まだまだスパイ活動は続きます。

『ラ・フロール 花』
（マリアナ・ジナス監督、2018）

　物語映画の話の流れを語れば語るほど本質から遠くなる事が多々ある。この映画の場合もそれにあたる。

　4人の女優演じるスパイが主人公。はじめは確か5人いたようなのだが、一番のスナイパーと思われた人物が早々に裏切り者として消される。ここが、まず外しだ。

　一貫して、ここに流れる主題は陰謀と裏切り。陰謀は世界レベルに充満している。この映画の舞台のような冷戦末期には特に。その内容は結局わからない。なぜなら、それが陰謀だからだ。私たちにとって、世界は部分的なものだ。決して全体などとらえることができない。しかし映画は一見、これが世界だというようなビジョンを提示するようなそぶりを見せる。

　この映画はその機能をよく描いている。物語が進むにつれ、時制は過去に戻り、ご丁寧にも、この4人のヒロインたちの生い立ちまでもっともらしいナレーションで解説される。ただ、それも良く語られた映画の筋なのだ。

　生まれつき南米のゲリラ組織のボスの娘だったり、旧ロシアの官僚の大物だったり、愛に翻弄される孤独なスパイだったり、口がきけないが故に任務に忠実に突き進んできた娘だの、それぞれの花の咲き方は多種多様だ。

　さて、この秘密組織はどこと対峙しているのだろうか? もちろん冷戦時代だから政治的体制の違いによる対立構造はあるようだが、スパイの世界は全く違う。大きな主題はもう一つの裏切りだ。

　一方の陣営が持っている思想や主義のことなど、極限すればどうでもいい。裏切りゲームにもルールはある。お互いに運命共同体のような仲間ではあるが、それは一時の状態を指し示す言葉でしかない。とりあえず、彼女4人は自分たちが属していた組織から刺客として差し向けられる4人のスパイたちを待ち受ける。逃げるのではない。わざわざ待ち受けるのだ。この待ちが、この映画にとって重要な問題である。何しろ、この4人の女スパイが主人公の第3パートだけで、313分の尺がある。

　それを見続けるしかない観客には、なぜ彼女たちがわざわざ自分たちを殺しにやってくる連中から逃れようとしないのか、分かるはずがない。組織によって仕向けられた刺客4人にしても、命令により、一時間も草むらの中で待機する。女スパイの上司であるタッカーマンも同じだ。ベルギーの古びた黒電話の前でハエの羽音と尿意に悩ませられながら、自分の思いどおりにいかない彼女たちに指示を出しながら、組織からのお叱りを聞き続けるのだ。

　女スパイは番号で呼ばれたり愛称で呼ばれたりしている。そのコードネームには何かルールがあるに違いない。そう

思わなければ物語自体が成り立たない。映画の中のドラマというのは、観客の思い違いとクリエイターの確信ある外しのドグマによって成立する。

この手のテーマで描き続けたシネアストとしては、フランスのヌーベルバーグの血を引くジャック・リベットが挙げられる。日本で公開された作品では『彼女たちの舞台』がよい例であろう。

しかし、ここでは、そんなことはどうでもいい！

この不条理な設定の4人の女スパイのパートは前述したように、868分にも及ぶ超特大物語の3つある全体の中核である第二部の313分にしか過ぎない。

第一部は、呪われたミイラにまつわるB級ホラーと解散寸前のデュオのレコーディングにまつわる広義のミュージカルの2パート。

第三部は、複雑で悲喜劇的なメタ映画、つまり映画についての映画。それとジャン・ルノアールの名作『ピクニック』のリメイク。そしてラストのパートが、19世紀のパタゴニアで幽閉されたイギリス女性の手記をもとにした古典的ともいえる映画。

それぞれが全く違うジャンルであり、独立した物語。共通するのは4人の花、女優たち。物語の筋は結局、魅力的な彼女らの眼差しのありか、つまり見続けているだろう真実を想像すればどうでもいいのかもしれない。

所詮、観客は待ち続けて868分に及ぶ自分の人生のありかを観客席で多少揺すぶられたにすぎないのだ。問題は「この終わらない映画」ではない。いくら自分が理解したつもりで用意した結末を投影できない、現実にある。それが、この監督のいる南米なのか？欧州大陸なのか？はたまた、このトンデモ映画を一気に上映した極東の地なのか？それは、この映画をイッキ見してからゆっくり考えればいいことだ！

少なくともゴダールの『映画史』と同様、この体験で映画の歴史を体現したような大いなる錯覚にとらわれてはいけない。そう思うことはすなわち、もはやアルゼンチンの鬼才マリアナ・ジナスの術中にどっぷりつかっているわけだから。

◎「イメージフォーラムフェスティバル2021」（21年10月2・3日）において一挙上映された。

『MINAMATA—ミナマタ—』
（アンドリュー・レヴィタス監督、2020）

あのジョニー・デップが製作＆主演するも、実は現在までアメリカ本国で公開の目途が立っていない。撮影ロケ地も日本ではなく、ほとんどがセルビアやモンテネグロというこのアメリカ映画。

漢字の「水俣」でなく、「MINAMATA」もしくは「ミナマタ」である。1970年代に「ライフ」誌で発表されたユージン・スミスとアイリーン美緒子夫妻の水俣病を描いた写真をもとに描かれている。

この時代を知っている人ならば、この「水俣」には様々な思いが交錯するだろう。もちろん、それは政府と企業が高度成長の名のもとに隠蔽してきた負の歴史であり、今なおその問題は完全に解決していない。

水銀中毒による深刻な健康被害や「水俣病」とその社会的な背景について、日本はまず自国で問題定義した映画を撮らなければならなかったと考えるのだが。それが約半世紀たってハリウッドスターの英断によって映画化され、これを観ることには複雑な思いがある。

一枚の写真が世界を呼び覚ます
MINAMATA

映画の冒頭で示されるように、このドラマは実際にあった出来事を元にしているが、フィクションであり、主役のデップはもちろん、日本の国際的な俳優も何人か出演し熱演をしている。にも関わらず、かなりドキュメンタリー的な臨場感があり、このミナマタをめぐる当時の状況が俯瞰的に理解できるのが不思議だ。

ここで描かれている美しい漁村ミナマタは実際にはセルビアやモンテネグロであるし、当時の村人たちは、集められた現地付近の日本人。あるいは良く観ると気が付くのだが、日本人に見えるように演出された非日本人。巧みな展開とカット割りによって観る人を飽きさず、アイリーンとの出会いからラストまで一気に見せていき、フツーの感じで感動できる映画になっているので、こうした違和感を感じる人は少ないと思うのだが。

やはり、この映画は「水俣」でなく「ミナマタ」である。「怨」とかかれた幟を掲げ企業と日本政府に抗議する漁民は作られた設定であり、決して現実ではない。

映画というものは時として、記憶にはりついた面倒くさい記憶や概念と遠いとこらから攻めることで、意外な真実に近づくことがある。この映画はあくまで欧米論理の市民運動的視点から、アーチストであるユージン・スミスを描いたもので、それ以上でもそれ以下でもない。しかも、ラストのクレジットにはミナマタ以外にも、チェルノブイリなどの原発事故や世界中の「公害」の写真が映し出される。

日本で作られていない映画で、日本人の俳優が意外な熱演をし、身近にあった問題が客観的にスクリーンに映し出され、それをいわばアメリカの娯楽映画として見て感動する。これをグローバルな視点というのだろうか？

そうシンプルに称える言葉を自分は持たないが、今や自国の「ミナマタ」についても全く知らない若い人に是非見て感動してもらいたい欧米の娯楽映画である。

ちなみに監督は彫刻家でもあり、造形美も美しい。

◎21年9月23日より日本公開

『アナザーラウンド』（トマス・ヴィンターベア、2020）

店で飲酒が出来ない期間に公開された酒に関する映画とはタイミングがいいのか？悪いのか？ さえない高校教師の同僚三人が、ノルウェー哲学者の「血中アルコールを一定に保つと仕事の効率が良くなり創造力がみなぎる」という理論を実証するために実験するという話。お気楽なライトコメディと思いきや、ドラマの酩酊度数はかなりキツイ！ うかつにほろ酔い状態がいいなんてことも言えない。デンマーク・オランダ・スウェーデンの制作。

タイトルは「もう一杯、おかわり」の意。デンマークでは、高校生でも飲酒は法律違反でないことを知ってびっくり。

◎21年9月3日より日本公開

『カナルタ／螺旋状の夢』（太田光海監督、2020）

ドキュメンタリーとは思えず、劇映画を見たかのような満足感がある。エクアドル南部のアマゾン熱帯雨林に住むシュアール族の先祖の言葉をおろし、薬用植物研究を実践するセバスチャンと女性のコミニティリーダーのパストラなど、民俗学的な視野に立ちながら、あたかも観客が実際に現在のアマゾンでの生活感が実感できるような構造になっている。

◎21年10月2日より日本公開

『MONOS（モノス）猿と呼ばれし者たち』（アレハンドロ・ランデス監督、2019）

どこでもない場所。そこでは世間と隔絶された世界がある。

山岳地帯にあるキャンプに8人のゲリラ兵士と人質のアメリカ人女性が一人。兵士たちはまだ少年や少女だったりする。彼ら兵士はコードネームで「モノス（猿たち）」と呼ばれ、博士と呼ばれる人質の女性の監視と世話を任されている。

ある日、「組織」からの伝令（メッセンジャー）より預かった乳牛を誤射してしまう仲間。そこから彼らの間に不穏な空気が流れ、「敵」の攻撃が始まる。砲撃と銃弾が響く中、ジャングルの奥地へと移動を余儀なくされ、人質との交流や脱走、仲間の対立と「組織」との決別。

『地獄の黙示録』の原作コンラッド『闇の奥』を思わす極限の中、ゴールディング『蝿の王』の少年たちのように、次第に狂気と現実のはざまで暴走していく姿を描く。

◎21年10月30日より日本公開

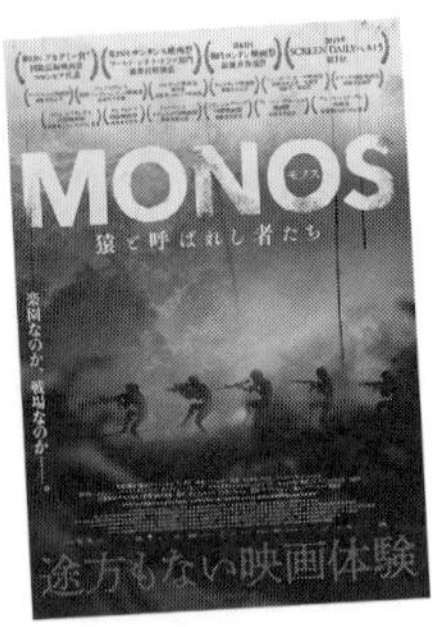

映画を観るという事は、ある面、既視感との闘いと言えるかもしれない。これを執筆していて、これらの作品がまだ一般公開直後か、公開前だったことに気が付いた。何が言いたいかというと、世界はこのコロナ禍によって、2年分の記憶がどうも混濁しているような気がする。

そういえば、今回書こうと思って、どうしても映画の題名が思い出せないものがあった。

誘拐拉致されていると思われる女性が、電話の向こうにいる自分の父親と話している。

「パパ、私よ！」というが、父親は信じない。娘であるかもしれない女性に彼は問題を出す。「お前が小さいころ、一番尊敬していたものは、①スーパーマン、②バットマン、③スパイダーマン」と。

こんな非常事態に際して、そんな問題を出す父親にあきれ顔で答えを吐き捨てる娘！ この場面が何故か気になる。

答えは敢えて記さないまま、本稿は終わりを迎えるが、質問の答えと映画のタイトルを知っている人は、ぜひ店で一人飲酒しながら、にんまりと、このほろ苦い自由さに酔ってほしい。

結局、映画の楽しみとはこんなところあるのかもしれないと思う。とりあえず、解禁は素直に喜びたい。これは〈嘘〉ではない。そう、死ぬ時間はないが、映画を味わう時間は、まだたっぷりある！

「アナザーラウンド！」

サイトで内容のサンプルを
ご覧いただけます。
www.a-third.com

TH ART Series
好評発売中!!

発行＝アトリエサード 発売＝書苑新社

球体関節人形たちの夢の迷宮。
可愛らしかったり妖しげだったり…
田中流が、12人の人形作家の
作品の魅力を写し出した写真集。

「Dolls in labyrinth
〜田中流・人形写真館」

A5判・並製・112頁・定価1636円(税別)

「日差しを浴びてその肌は、
小さな星屑がスパークするかのように
きらめいていた」——珠かな子が、
七菜乃の原初の力と「蜜」を写す。

珠かな子 写真集
「肌に降る七星」

B5判・カヴァー装・80頁・定価2500円(税別)

このうえなく美しき妖怪たち——
妖艶なるファム・ファタールから、
愛らしい少女まで、怪異や妖怪を
女性像で描く、九鬼匡規の初画集!!

九鬼匡規 画集
「あやしの繪姿」

A5判・カヴァー装・64頁・定価2000円(税別)

1日目、イヴ・サンローランに蠟を描いた。
COVID-19の流行で渡仏が延期になり、
緊急事態宣言発令中の45日間、
家にこもって制作し続けた芸術の記録。

小川貴一郎
「監禁芸術 confinement art」

A5判・カヴァー装・128頁・定価2500円(税別)

時間と空間の旅を続ける写真家が
世界7都市で捉えた水の表層の
鮮やかさの瞬間。水面にゆらぐ裸体。
タイナカジュンペイ初の写真集!

タイナカジュンペイ 写真集
「Undine—ウンディーネ」

A4判変型・並製・32頁・定価2000円(税別)

古の女神を現代の少女に重ね合わる——
魔術的なエロスやタナトスと、
御伽のような叙情性が混交する
村田兼一写真集、第7弾!

村田兼一 写真集
「女神の棲家」

B5判・ハードカヴァー装・96頁・定価3200円(税別)

好評発売中!! 書店店頭で見つからない場合は、書店にご注文下さい(通信販売やインターネット書店もご利用下さい)。

movie

新・バリは映画の宝島

寺子屋の心意気「虹の兵士たち」「ジャングル・スクール」——リリ・リザ総括

友成純一

子供たちの成長は、
インドネシアの庶民の歴史

リリ・リザの代表作にして最大のヒット作というと、「虹の兵士たち Laskar Perangi」（08）になるのかな。日本でも、今も折りあるごとにあちこちで自主上映されている。

大陸と呼んで良いくらい大きなスマトラ島の東南部に、ブリトゥン島がある。面積五千平方キロメートル弱の丸っこい島。平坦な島で、一番高い丘で五百メートルくらい。この島にある小さなオンボロ小学校を舞台に、三人の先生と十一人の生徒が頑張って生きる姿を描いている。インドネシア版「二十四の瞳」と、日本では呼ばれたりしている。

草原と森に覆われ、人間よりもはるかにデカい巨大な石がゴロゴロ転がる海岸の奇怪な風景など、映画は舐めるように撮っている。ワニが生息していて道端に横たわり、子供の通学の邪魔をしたりする。

島には錫の鉱山がある。一八六〇年代にここを統治した英国の手で開発され、以降百年以上、小さな島は大いに潤った。原作者アンドレア・ヒラタ Andrea Hirata は映画の舞台となったガントトン町に一九六七年に下積み鉱夫の父の下に生まれ、この小学校に通った。まさに自伝と呼んで良い小説である。マンガル町にある島唯一の高校に通い、ジャカルタのインドネシア大学に。そしてヨーロッパの大学に通って修士号を獲得し、作家となった。「虹の兵士たち」は小学校時代の話だが、続く「夢追いかけて」は高校時代、さらにヨーロッパの大学に通って——と原作は四部作になっている。リリ・リザの手で映画になったのは、第二部「夢追いかけて」までだ。

二〇〇五年に発表されたこの「虹の兵士たち」、五百万部以上を売る大ベストセラーとなっている。海賊コピーを含めると、千五百万部を軽く超えているとか——日本では考えられないだろうが、ビデオとかパソコン・ソフトばかりでなく、インドネシアには書籍やコミックスも海賊版がある。ちょっと田舎に行けば本屋などないし、あっても本代には輸送費も加算されるから、正規の本は庶民の手にはなかなか届かない。映画ばかりでなく書籍も、海賊版のおかげでインドネシア全土に普及しているという事情があるので、「海賊版、許せん！」などと〝先進国〟の延長で考えない方が良い。

本作の舞台となった小学校はモスレムの宗教学校で、いわゆる学業と同時に人間形成に力を入れている。町には普通の学校もあって生徒もたくさんいるのだが、お金持ちしか行けない。日本と違ってインドネシアでは、小学校も中学校もすべて自費が前提だ。宗教の学校は慈善によるので、貧しい家庭の子でも通える。お金持ちの学校と違って、校舎はボロボロで雨が降ると雨漏りが酷い。学校も生徒の家庭もお金がないので、制服などない。靴でなくサンダルが普通で、それすらなくて裸足で通って来る子もいる——学校というより、塾とか寺子屋と呼んだ方が近いか。

「生徒が十人集まらなければ、学校とは認めません」、地元政府からそう言われているが、始業の日に十人集まるか否か……九人まで集まったが十人目がなかなか来なくて、生徒も先生もヤキモキすること一時間、二時間……もはや学校の存続を諦めた頃、障害のある子が、学校に通えると嬉々として飛び跳ねながらやって来る。これで授業が始められると、皆んな、大喜び——

十人で始まった学業だが、途中で女の子が転入して来る。彼女はお金持ちの学校に行っていたのだが、ちょっと変わった娘で霊とファンタジーの世界に憧れていた。何を思ったのかプイと家出して、村中総出の山狩りまで行われ、森の中で発見され、彼女自身の強い希望で、このオンボロ小学校に転校して来た。そして他の子供たちを〝冒険〟に連れ出したりして、今度はオンボロ学校の先生たちを困らせたりする。

貧しい学校なので、金持ち学校から一段下に見られている。が、記念パレードのコンテストで、最後には学力を競う大会で、優秀な成績を治める。恵まれた環境にある金持ちの学校の子たちを、貧しいが故の創意と工夫で凌駕してしまうのだ。清く貧しく美しい子供たちが、誠実で心の広い先生のおかげで、お高く止まった金持ちの子に勝つという物語なので、そりゃあウケる。大当たりしたわけだ――しかし本作の本意は、そんな勝ち負けにはない。

スマトラの東南部にあるこの島は錫鉱山で大いに潤ったが、一方で住人の間に大きな経済格差を生み出した。原作者のヒラタさん自身が本作を、「世界で最も豊かな島だったのに、子供たちから教育の機会が奪われていたアイロニーを描いた」と語っている。大ベストセラーとなった本作には映画化テレビ化のオファーが殺到したが、彼は容易には受けなかった。「舞台は島の小さな村だが、しかしインドネシアで起きている現実、その歴史と実情がここに如実に顕われている。それを表現できる人たちに映像化を任せたかった」からだ。

この映画の子供たちや先生に感動できるのは、子供たちを巡る島の環境を、真正面から見据えているからだ。たとえば映画の冒頭は、村の人々が必死で働き生活する活気に満ちたシーンを垣間見せるところから始まる。そんな村の誰彼の家から、まだ幼い子供たちが一人、また一人、学校に集まって来る。リリ・リザ監督は、その日その日を必死にやり繰りする大人たち、ボロボロの校舎の修理もままならず、物資に事欠いて先生の給料もきちんと払えない学校の実情を、並行してそんな窮状を皆んなで助け合ってしのぐ姿をさり気なく、しかし丁寧に描いて行く。貧乏人が金持ちに勝つと言ったが、別に金持ちの子供たちや親を意地悪な悪人のようには全く描いていない。同じ島で暮らしているので、ボロの学校も村の衆皆んなが集まって修理する。

浜辺から望む海の美しさ、虹の素晴らしさ。丸い巨大な石がゴロゴロ転がる不思議な風景の中を、子供たちが走り回る。漁師の子供リンタンは、浜辺から遠い学校まで自転車で行くが、途中でしょっちゅうワニに出会う。この子は、一人暮らしの父親のただ一人の男の子。だから本当は父を助けて漁に出なければいけないし、彼もそうしようとする。が、父は、「お前は今は、学校で勉強をするのが何より大切なんだ」と、一人で黙々と漁に出る。そんな父と、幼い妹たちに囲まれて、この子はワニに邪魔されながら(?)も学校に通う。

こんな風なので勉強に対する熱意も違って、恐ろしく賢い――映画に描かれる人々の生活は、この島のこの村に限らない、インドネシアの歴史であり実情であろう。

一人で漁に出た父が死んで帰って来た。リンタンは学校を止めざるを得なかった。そこで「虹の兵士たち」は終わる。

語り手にして主人公のイカルは、あの漁師の子で賢いリンタンが学校を止めて後、遠い親戚の子だったアライにと一緒に住むようになる。アライは両親が亡くなり、他に身寄りがないので、イカルの家に引き取ることとなったのだ。間もなく二人は、両親を亡くして以来ショックでドモリになってしまったジンブロンと仲良くなる。モスレムの説教師が今は、ジンブロンの面倒を見ていた。アライもジンブロンも辛い経験をしているのだが、暗い顔は見せない。子供ってのは、どんな辛い状況でも受け入れ、遊びと笑いに変えてしまう才能を持っている。三人はいつも一緒に、家でも学校でも町中でも、元気に走り回っている。

八〇年代の始めにイカルの家にテレビがやって来た。三人はテレビで放映された「ローン・レンジャー」に憧れる。アライは〝カウボーイ〟に、イカルは〝インディアン〟に、そしてジンブロンは〝馬〟になって、ゴッコ遊びをした。馬を手に入れるのがジンブロンの夢となり、イカルとアライはまずジャカルタに出て、それからパリに行くことを夢見る。それを描くのが第二部「夢追いかけてSang Pemimpi」（09）だった。

彼らは一緒に育ち、共に島で唯一の公立高校だったアンガル高校に通う。七〇年代まで錫鉱山で栄えた島だが、三人が高校生だった八〇年代半ば、鉱山を経営していた公社が倒産した。イカルの父も失業。ガントンの町は怒りと絶望に支配され、人々は暴行と略奪に走ったという。時代の移り変わりは、人々の暮らしもガラリと変えてしまう。三人は臨時仕事で生活費を稼ぎながら、学業を続ける。相変わらず能天気にまで元気で、アライとジンブロンには、憧れの女の子に出会ったり、こっそりとポルノ映画を見に行って学校で大問題に発展したりする。

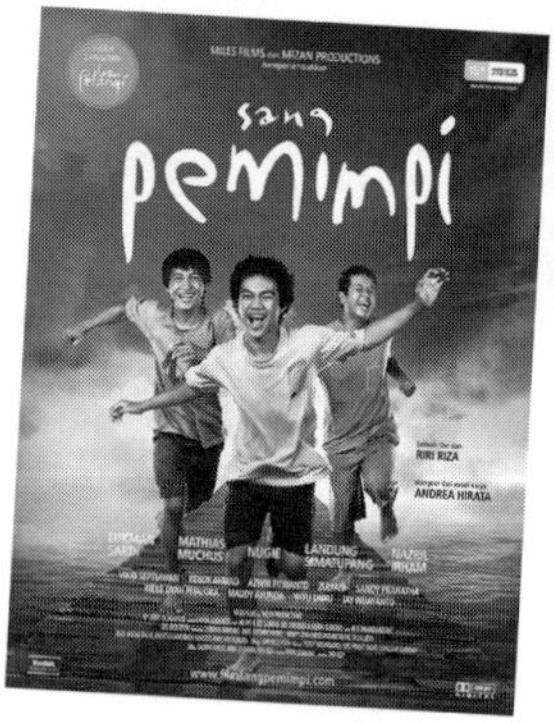

続く第三部「Edensor」、第四部「Maryamah Karpov」で、語り手たちは奨学金を得てヨーロッパに留学し、文化の違いに苦闘しつつ、未来を切り開いてゆくのだが、これはまだ映画化はされていない。

この二作を通じて目を惹かれたのは、中華系の人々の生活が、さり気なく描かれていることだった。「虹の兵士たち」ではイカルは、雑貨屋を営む中華系の娘に初恋を。「夢追いかけて」でも、三人がアルバイトをする港の倉庫〈亜龍〉の女経営者は中華系だった。中華系の住人たちはあの広大なインドネシアの全土を通じて、どんな僻地にも入り込んでいる。そして私が出会った範囲でも、彼らは街中では雑貨屋、港では貿易商を営んでいた。

中華系の住民はインドネシアでは余所者扱いされることが多く、政変があると迫害の対象となる。嫌がられているわけだが、しかし商人としては絶大な信頼がある。買い物に行くなら、中華系の雑貨屋だ。なぜなら朝早くから夜遅くまで必ず開いているし、置いてある商品の品質も間違いなく、値段も安い。地元民の店だと、親戚や友人が尋ねて来たと言っちゃあ店を閉めるし、開店閉店の時間も気紛れ。置いてある代物は埃を被っていて、乾電池なんかもう死んでいたりする。値段も人によって違ったり、釣り銭がなかったり……

ただし、インドネシアで（たぶん東南アジアどこでも）中国人とか中華系という場合、華僑を指している。中国本土の人間とは、民族的にも文化的にも日常会話で使う言葉も、全く異なっている。東南アジアの中華系住人を考える場合、これを知らないで彼らを〝中国人〟と一緒くたにするのは大間違いである。

リリ・リザの「GIE」は、六〇年代を代表する知識人についての映画だったが、このギーは中華系だった。敢えて彼を主人公に据えて映画を撮るというのは、九〇年代までは考えられないことだった。この映画については、また別の枠で語りたい。

それはそうと、原作者の苗字はヒラタさんだし、イカルの親友はアライ、劇中にはマルヤマさんも登場する。日本人みたいな名前が多い。ここは錫鉱山の島なので、太平洋戦争中の一時期、日本軍の占領下にあったのだろうか。だとすると、在留日本人は錫鉱山で働いたと思うのだが、日本人みたいな名前が多いのはそのせいか？——ふと思っただけだが。

学校で生きる術を知る

リリ・リザはもう一本、学校のお話を撮っている。田舎なんてものでなく、スマトラ島のジャングルの最奥地にある学校の話だ。一三年の「ジャングル・スクール Sokola Rimba」である。奥地で先住民族たちの学校を開く、一人の女性を主人公にしている。ブテット・マヌルンという、実際にこの地方で環境保護の活動をしている女性で、彼女の自伝的な活動の記録「森の学校 Sokola Rimba」の映画化だ。「虹の兵士たち」はスマトラ東南部の島とはいえ、錫鉱山で栄えた文明の真っ只中にあったが、今度の舞台はスマトラのジャングルの中、独自の文化と伝統に生きる先住民族のお話だ。

ブテット一九七二年二月二十一日生、本名サウル・マルリナ・マヌルン。パジャジャラン大学で人類学を専攻した後、スマトラ南部のジャンビ地方の国立公園で環境保護活動を続けているNGOに参加。文明社会と無縁に、奥地で独自の暮らしを守る部族に入り込み、共に生活しつつ、インドネシア語の読み書きや算数を教え始めた。その経験の後、オーストラリア国立大学で応用人類学で修士号を取得。〝ブテット Butet〟はスマトラの女性に一般的な名で、彼女自身はジャカルタ生まれだが、彼女が活動を展開した地域で親しみを込めて、こう呼ばれるようになった。

こうしたNGOの目的は基本的に、国立公園を設立することによりその地域の自然と環境を保護しつつ、地域独自の発展を促すこと。教育活動も含めて、そのための調査と記録が研究員・調査員の仕事で、地域の文化保護の観点から様々な活動方針や規制が設けられている。ブテットは先住民の暮らしに完全に入り込み、簡素な学校を開いて大人も子供も区別なく、〝読み書き算盤〟を教える。そんな活動をしつつ、土地開発で彼らが森を追われる様子、武装して樹木の伐採に来る連中を見る。先住民たちは文字が読めないので、契約書の意味も判らないまま、タバコと引き換えに土地を渡してしまったりする。読み書き算盤は、文明に対抗するための手段だと、ブテットは気付く。

彼らを〝守る〟のでなく、どうすれば彼ら自身で生きて行けるようになるか。〝啓蒙〟による文明の押し付けでも、〝教育〟で目覚めさせることでもない。〝開発〟とか〝発展〟の名の下に、スマトラ奥地は急激に変貌し、自然も先住民の暮らしも破壊されている。ブテットにとって、〝読み書き算盤〟を教えることは、逃げ切れない文明に彼らが対抗するための最小限必要な手段で、これにより生きて行く選択肢を広げられる。一方、何より彼女自身が先住民との暮らしを通じて、近代文明の弱点を、文明人の愚かさを思い知らされる。

ブテットはまず、NGOがすでにテリトリーとして確保している川の上流地域で、活動をする。が、彼女らのやっていることに下流の部族の若い衆が興味を持って様子を見に来るので、下流でも教えることを始める。NGOのボスたちは怒ったが、ブテットは無視して下流の部族にどんどん潜り込んで行く。

孤立して暮らす彼らは〝文明人〟との接触がなく、したがって免疫のない感染症を文明人が持ち込むこともある。彼らにはそれを恐れた。また大人たちは、子供や若い衆が勉強して知識を身に付けるのを、不吉な忌むべきことと見做したりする。それによって子供たちが古くから伝わる部族の伝統を馬鹿にしたり、〝都市〟に憧れて部族を離れたりするのも問題だった。

ちなみにブテットが教える〝読み書き〟はインドネシア語である。部族は同じマレー語系ながら、異なる言葉を喋っている。読み書きはただの読み書きでなく、別の文明に属する異なる言語を学ぶことでもあった。

私自身の経験だが、二十数年前にイリアン・ジャヤの離島に、ダイビングの仲間と上陸したことがあった。ダイビングして面白いポイントを、漁師に教えてもらうのが目的だった。手頃な深度にある漁礁は、そこに住む漁師が一番良く知っているから。お礼に、お金など持って行っても銀行などないから無意味で、子供たちのためにノートと筆記用具を段ボール一杯に詰めて行った。海辺で子供たちが遊んでいたので、その子たちに話し掛けて一緒に遊んでいた。すると向こうから叔父さんがやって来て、船長がいきなりポカポカ殴られた。私たち余所者が、子供に何か悪さしようとしていると思われたのである。余所者はそれほど警戒されるのだ。

幸い、船のクルーにイリアン・ジャヤ出身の奴がいたので、彼が間に入って取りなしてくれ、無事に解決した。いったん打ち解けたら、互いに笑顔で自己紹介をし合って打ち解け、その後は問題はなかった。が、私たちは、「これから訪れたところで、子供を見掛けてもいきなり近付くのは止めよう。殴られるかもしれない」と頷き合ったものだった。

勝手に下流の部族に近付き、そこで学校——というより、これこそ寺子屋——を開いたブテットだが、そんなやり方が既存のNGOと齟齬を来すようになり、彼女は二〇〇三年に独自のNGOを立ち上げる。彼女の開いた〈森の学校〉は今はジャンビばかりでなく、インドネシア東部のヘルマヘラやイリアン・ジャヤでも展開されている。

よりぬき［中国語圏］映画日記

小林美恵子

現代台湾における「白色テロ」の記憶

——『返校　言葉の消えた日』

八月二四日、香港政府は国家安全維持法に基づいて映画の検閲を強化し、国家の安全に悪影響を与える映画の上映を禁止するという条例の「改正」案を発表した。禁止された映画を上映すると禁錮刑だそうだ。おりしも（同日！）大陸では「習近平の新時代の中国の特色ある社会主義思想」を小学校から大学院博士課程まで、全教育課程で教えるためのガイドラインを発表、そして数日後には芸能界の管理規定も発表し、外国籍の芸能人を排除する「限籍令」がスタートするとも言われている。

とうとうここまで来たか独裁主義——という感じで、もはや香港も中国も気軽に遊びに行ける場所ではなくなってしまったようだ。いかに映画関係者が憂えて努力をしたとしてもこれからの香港や中国に心躍る映画が期待できるだろうか…と住む人々から言えばお気楽な発言で申し訳ないが、大好きな中国語圏も、中国語圏映画の世界がますます狭苦しく恐ろしい世界になってしまう気がする。

そんな中で一人ガンバル台湾映画、と言いたいところだが果たしてどうだろうか。

★返校　言葉の消えた日（二〇一九／監督＝徐漢強《ジョン・スー》）

ゲーム世代の若い監督が同名のゲームをもとに作ったこの映画は、「白色テロ」時代の台湾の高校を舞台にしたホラー・ミステリー。一九年の台湾で大ヒットし、金馬奨一二部門にノミネート、最優秀新人監督賞など五部門を受賞し、台湾総統選挙にも大きな影響を与えたと言われる。ゲームの人気があったとはいえ、映画化によってゲームをしないような世代の人々も含め台湾中の耳目を集めたのは、独裁化の進む中国、それに侵犯され市民的な自由が失われつつある香港を対岸に見て、自らは今のところ自由や独立をなんとか保ってはいるものの気が抜けない、明日は我が身的な台湾人の意識が反映したのかもしれない。

物語の舞台は一九六二年の翠華高中（高校）、「検挙匪諜人人有責（共産党スパイの告発は国民の責務）」「厳禁党結社（集会と結社厳禁）」などというスローガンが掲げられる校庭で国民党の教官が生徒たちの服装・持ち物検査をするシーンから始まる。反体制とみなされた教師が摘発・拉致され学校から連れ去られるシーンなどもあって、この体制の息苦しさ、恐怖などが描かれる。そして前半では、台風吹き荒れる放課後、教室で目覚めたヒロイン方芮欣《ファン・レイシン》が無人の校内を彷徨い、下級生の魏仲廷《ウェイ・ジョンティン》と出会って二人で学校を脱出しようとするが、外を流れる川の橋が流されてかなわず、校内に留まる。提灯を持った長身の妖怪に襲われたり、鏡に映る前髪を垂らしたファンの分身のような影におびえ隠れつつ動き回りながら、やがてウェイやその仲間が先生たちとひそかに組織する禁書の読書会や、その中心人物であるカウンセラーの張先生へのファンの思慕、ファンの家庭の問題なども絡んで、中盤の「密告者」（ファンの物語）後半の「活下来的人」（＝生き続ける人。捕らえられ処刑される張先生と、同じく捕らえられるが生き残り、大人になって学校に戻ってくるウェイ）へと展開していく。

実を言うとこの映画を最初に見た時感じたのは、「白色テロ時代を描いた」というが、ここで描かれているのは、共産主義者や大陸関係者が思想的・政治的に抑圧された「白色テロ」時代というより、もっと普遍的な人間の感覚とか感情的な自由が抑圧される世界なのではないか、それはもちろん一種の文化的な抑圧とも言えるのではあろうが…ということだった。物語の中心となるファンの密告は、必ずしも政治的・思想的な立場での共産主義告発ではない。心を寄せる張先生が、読書会のもう一方のリーダーである女性の殷先生と親密そうにしている様子にいわば嫉妬してということでもあり、また両親の不和の中で母の密告により?父が拘束されたというような事情も絡む。つまり感情に依拠したもの、あるいはジェンダー的なものと言ってもいいかもしれない―として描かれている。

この映画の中の読書会で取り上げられて禁書とされているのはタゴールと厨川白村だがどちらも共産主義称揚の書というわけではない。タゴールに関しては訳者の鄭振鐸という人が中共寄りだったというようなネット解説も見たが、厨川白村については日本でほぼ顧みられなくなった後も中国(台湾でも)では受容が続いたということ以外にここで禁書として取り上げられる意味はわからない(ゲームのほうには白村は出てこないようだ)。ほかに印象的なアイテムとして登場する台湾歌謡『雨夜花』もゲームでは禁歌(台湾歌謡自体が禁歌とされたのではないが、日本時代に軍歌として歌われたことにより国民党政府はこの歌を忌避したとか)として出てくるが、映画ではファンが紙鍵盤を書いて張老師にこの歌を教え、彼があとで音楽室のピアノでこの歌をたどたどしく弾く場面に使われ、二人の心を繋ぐものとして描かれているようだ。

というわけで、大陸で国民党軍の敗北が決定的になった一九四九年以後、左傾化した学生や日帝時代からの左派分子、大陸と結ぶ勢力を弾圧したという白色テロの方向と照らしても、この映画の中で禁止されているものが、史実上、本当に禁止されていたのかどうか疑問を禁じ得ないところもある。

ちなみに同時期の少年や白色テロを描いたとしてこの映画と比べられることが多い『牯嶺街少年殺人事件』(九一年/監督=楊徳昌《エドワード・ヤン》)でも、大陸勢力と繋がっていると疑われた父は拘束され自白書を書かされるが、子どもたちはアメリカ音楽に興じ、映画撮影を見物し、バンド演奏の集まりを開いたりもするし、その姉はキリスト教信仰に没頭する。それらの音楽・映画・宗教などが禁止・弾圧されていたというふうには描かれていない。

『牯嶺街』と『返校』を並べて気がつくのは、これらが社会の流れに巻き込まれつつ、自らの意志を正しく貫くことはできずに拘束され、世の中から取り残されたあと、一五年後に社会に戻る(であろう)少年の物語なのだということ。戒厳令は未だ解除されないものの、大陸の圧力からは脱し経済的にも社会的にも自由度が増していく社会の中で、彼らはどのように浮遊していくのか、あるいは現時点からみれば浮遊してきたのか。今『返校』に心をひかれているおとなたちももともとはそういう少年・少女たちだったのだろう。

「白色テロ」を描いたと言いつつ、それは局限された政治・思想へのテロとしてでなく、より普遍的な人間感情への抑圧として描かれている。この書物が禁書である、この歌は禁歌であるということは、その意味ではあまり問題にされていないのだろう。それはこの映画の、白色テロも戒厳令も知らない若い世代の監督の功であり、それゆえに若い世代だけでなく、白色テロを思い出したくない、語れないとする経験した世代にもこの映画は響いたのではないかとも思われる。そして、それはとりもなおさず、対岸の独裁的勢いの強化や、それが隣に及んでいる状況を、次は自分たちなのかという思いで見つめざるを得ない現在の台湾の状況に暮らす人々の思いの反映とみることもできるのではないだろうか。

DANCE

ダンス評［2021年7月〜9月］

復活と新生と……
大倉摩矢子、シンキミコ
吉本大輔、三浦一壮、藤條虫丸
摩訶そわか、長谷川六

志賀信夫

大倉摩矢子、復活！と声高に叫びたい。大森政秀の天狼星堂でデビューしたときに、その踊りに多くの観客が注目した。それは舞踏にとどまらず、コンテンポラリーダンスからも熱い視線がおくられた。

だが、二〇一五年に天狼星堂を離れてからは舞踏公演が少なく、ソロも長く踊っていない。ヨガを教えるなど多様な活動は耳にするが、大倉のソロを見たいというのが、東京・中野テルプシコールなどに集う舞踏家や観客の願望だった。

実は七月十六日に大倉のソロを奈良で見ている。大野一雄の晩年に通っていた田中誠司が、故郷の奈良で二〇一二年からスタジオと稽古場を開き、大倉が呼ばれて、久しぶりのソロを踊ったのだ。

この奈良の公演で、改めて大倉の舞踏の魅力を体感した。何気ない自然態で登場するが、フッと入り込むと、踊る身体が現出する。最初は畳一畳を本当にゆっくり踊るのだが、それだけで、初めて見た奈良の観客も魅了されている。細腰の少年体型の動きが、次第に存在感を増して空間を支配する。何とも不思議だ。

十数年前、初めて大倉の踊りを見たとき、天狼星堂の舞台で、後ろをゆっくり上手から下手に動いていくだけで、引き込まれた。

奈良の舞台では、それから中央で踊り、やがて手前の光に向かってくるが、最初の数分で引き込まれた観客は、息を止めるようにして、見つめ続ける。極端な身体のデフォルメもなく、無理な負荷、筋肉の緊張の表出もない。それでも惹かれるのは、踊りが憑依する、という巫女的な踊り手だからだろう。巫女を演じるのではない。踊りに強く入り込んだ身体が生むなにかの力を発する踊り手なのだ。

今回の九月二十三日、テルプシコールの舞台は『ＨＥＲＥ』。「ここ」という意味だが、強いて訳せば、「いま、ここ」ではないか。大倉が、いま、ここにいる、ここで再び踊り始める、という強い決意のタイトルだ。おそらくここ（HERE）に至るには、さまざまな試行錯誤があったろう。演劇的舞台にも出たが、成功ではなかった。大森の元を離れたのが、よかったのか、悪かったのか、の思いも兆したはずだ。

舞台は、サイモンとガーファンクルの有名な『ボクサー』の音とともに始まる。観客に話しかけながら自然体で入ってきて、「大森さんが……」といったまま、踊りに入り込んだ。

白っぽい普段着感覚の長袖シャツとズボンで踊り出すが、景ごとに少しずつ装いと身体の雰囲気が変わる。次の景では、しゃがんで頬を膨らませてコミカルな雰囲気。ショートパンツで少年のように踊る。それを見ていて、大倉の魅力は性の薄さもあると思った。入り込んだ表情は、ルーカス・クラナハの絵画にも似る。欧州北方派、白く細い裸身のヴィーナスやイヴで有名な画家だ。逆三角の顔貌に細い目、薄い唇。小さい乳房にちょっと腰を前にした姿勢が個性的で、ルネサンスの豊穣さとは異なる美がある。大倉の姿にはそれがある。動きにも表れ、徐々に体を傾けていく動きが、どの場面も絵になる。

三景は、スカートで右手の人差し指を延ばし、どこかを探り、追い求めるように踊り、その希求する姿も強い。大森政秀も人差し指を延ばす動きをみせることがあるが、それは彼の重厚さに一種の軽やかさを与える。大倉は、細身の軽い身体から人差し指を延ばして一点を求めることが、重さを生む。それとともに観客に徐々に迫り、暗転し終わると、私たちが、大倉とともにどこかへ向かうような思いを生じた。それは新たな世界を求める意識の表れだ。

京都は舞踏のメッカである、というと驚かれるだろうか。大駱駝艦の創立メンバーの一人、大須賀勇の白虎社がかつて京都で活動し、出身の舞踏家たちが現在も活発に活動しているからだ。その一人で、国際的にも活動する桂勘が主催する京都国際舞踏フェスティバルは、「Dancing Blade」となり、その第二回にトークで呼ばれて京都アバンギャルドを訪れた。

ここで桂に、笠井叡の弟子、福岡で活動する原田伸雄、日本維新派出身、屋久島から各地で活動する藤條虫丸というレジェンド二人が加わり、三日間、弟子を含め二十一組が踊った。詳しくはサイトに書き、踊った一人が発行している『踊りたいムズ』に掲載されるので、ここでは一人だけ取り上げる。それは、一六日のシンキミコの『裂傷』。原田伸雄の舞踏青龍会に所属する。彼女は、白いドレスに手を挙げたポーズで長く不動。動き出すと、口の中から小さい万国旗を次々と導き出す。それが、名曲『ファイト』とともに演じられたときに、いいようのない感動に震えた。このフェスティバルでは、天狼星堂のワタルも踊り、大森政秀の弟子二人が同時期に奈良と京都で踊ったことを付け加えておく。

★大倉摩矢子『HERE』photo：高島史於

さらに藤條虫丸は、秋にツアーを行った。その一環で、東京・京島近くの下町で踊った。曳舟の北の向島は永井荷風と花街で有名だが、南の京島には美術家などが移り住み、古い店舗を活用したカフェや店舗などが増えている。舞踏家出身の大川原脩平も仮面屋おもてを開いた。その京島の三軒長屋「旧邸」の中庭に、巨大な「東京大屋台」が出現した。竹で組んだ三階建て、屋上を含め四階の高さの城のような建物だ。

一階には個人のアートショップなどが出店し、二階では飲食と舞台、あちこちに展示物がある。七月一〇日から九月五日、期間限定の建物で、画家・海野貴彦と美術家・イワモトジロウのアートユニット「野営」がつくった。すみだ向島EXPO2021の一環。東京ビエンナーレの展示の一つでもあり、連日さまざまなパフォーマンスが行われた。

九月五日、ここで藤條虫丸は、弟子の摩訶そわかとともに、シタールの南沢靖、石原啓行の声などと共演した。その舞台は、野外と室内の中間のような開放感に溢れた空間で、真に自由な踊りの魅力を感じさせた。身一つで上の階で踊り、降りてくる姿を竹組みの柱越しに見ていると、身体が生み出す非日常性に引き込まれた。

七月十一日、六本木ストライプスペースの星埜恵子の展覧会で踊った吉本大輔と三浦一壮のデュオも極上だった。六〇年代から活動した三浦は、吉本とは当時から関り、いま、ともに八〇代。だが踊りは枯れた味よりも、破天荒なエネルギーにあふれる。赤いランドセルを背負って、バックルを留めずに、お辞儀をすると中身が出るコミカルさ。ともに赤いハイヒールで女装する二人は、大野一雄よりもファンキーな魅力。吉本は、一九七七年に大野が『ラ・アルヘンチーナ頌』で再デビューしたときの舞台監督。三浦は、土方巽と大野の息子、慶人の師、及川廣信の最初の弟子で、七七年に舞踏舎を率いて欧州に渡った。ともに舞踏の歴史を生き続ける舞踏家である。

最後に、七〇年代から『ダンスワーク』誌を主催し、長年、ダンスや舞踏に暖かいまなざしを注ぎ続けた批評家、プロデューサー、舞踊家の長谷川六さんが、三月に亡くなっていたことをお知らせし、合掌とともに、心からお悔やみ申し上げる。

まだまだ、公演数も少なく、また、座席を減らすなどで観劇したくてもなかなかできない状況が続いている。2・5次元舞台に限ったことではないが、配信が観劇のポピュラーな手段になりつつある。

舞台「信長の野望・大志～最終章～群雄割拠関ヶ原」、シリーズ第五弾にして最終章だが、コロナ禍で延期が続き、7月にようやく上演にこぎつけた作品。この前の第四弾で描かれたのは本能寺の変、ここでの織田信長は本能寺で死ななかった。明智光秀も史実では、この本能寺の変のあとで死ぬのだが、彼も生き延びる。織田信長と明智光秀がいる関ヶ原の戦い。現代になぜか明智光秀が、あの格好で。それから彼は再び、自分が元いた時代、すなわち戦国時代に戻る。そんな出だし、史実ではいないはずの武将がいる。

2幕もので1幕では本能寺の変以降の武将たちの姿が描かれ、2幕では戦い、となる。今回のシリーズのキーマンは織田信行。もちろん史実では兄の信長に呼び出され、毒殺されているので、このタイミングでは無論、いない。だが、ここではヒール役、東北の一大勢力となっている。信長に敵対するポジションであり、兄に対して並々ならぬ恨みを抱いていることは容易に想像できる。しかも史実では父である織田信秀の葬儀の際、信長の奇行に対して信行は礼儀正しかったとの逸話が残っている。そんなことからも信行は信長とは絶対に手は組まない。

「コミック・アニメ・ゲーム」×ステージ評

信長の野望・大志、ヒミズ、虹色とうがらし

高　浩　美

★舞台「信長の野望・大志～最終章～群雄割拠関ヶ原」

原作はゲームで、「if」ではあるが、そういった史実がベースになった「if」なのである。本来いないはずの上杉謙信が信長のサポートをし、そして前田慶次郎といいコンビぶり、こんなところはフィクションらしく楽しい設定。またことあるごとに「本当の歴史では」というフレーズが出てくるが、一種のパラレルワールド的なところもあり、そこが面白い。何人かの武将は現代の記憶を持っている。メインキャラクターの織田信長もその一人で、だから本能寺の変で生き延びることができた。

長きに渡って続いたシリーズ、しかもその全てがWストーリー。シリーズは第五弾まで、つまり10のストーリーを創造したことになる。シリーズは終わってしまったが、こういったWストーリーという手法、他の舞台の刺激となったはずである。

さて、映画化もされた『ヒミズ』が舞台化された。カテゴリー分けをするならコミック原作なので2・5次元舞台だが、コミックの絵に寄せることに注力するよりも、キャラクターの心情や生き様によりフォーカス。舞台だけのオリジナルキャラクターも設定され、描かれる時代も現在なので登場人物たちはマスク着用。ストーリー展開は原作通りだが、そういった細かい部分は舞台、演劇という特性を生かしている。

主人公は裕福ではない住田。漫画家

になる夢を持つクラスメイトを罵ったりする。「特別」という言葉は好きではなく、ささやかで普通の暮らしをしていたが、母親が家を出て行ってからは普通が崩れていく。重なる不幸、それは住田だけでなく、友人をも巻き込む。学校に行かなくなった住田、父親のクズっぷり、住田に手を差し伸べる茶沢、そんな状況で住田は変わっていく。父親をコンクリート・ブロックで何度も殴り、殺人。友達と笑いあいふざけあうが、ふと見せる陰りのある表情。夢を持たない、普通でいいと思う彼の心。閉塞感に満ちた状況の中で必死な住田、彼を救いたい一心の茶沢。キリキリとした緊張感が舞台に充満する。

そして住田にしか見えない存在・ソレ。時には皮肉ったり、時には住田の心を代弁したり。そして衝撃のラストへと向かう。住田と茶沢とソレ以外は複数役を演じる。住田を演じていたのは西山潤、実は繊細で壊れそうな住田をしっかりとした細かい表情で表現。その住田を支えようとする茶沢を松田るかがストレートに演じて好感が持てた。父親、暴力団組長を演じたのはモロ師岡、抜群の存在感。2・5次元舞台でも異色で挑戦的な作品となった。

また懐かしい作品、あだち充原作の『虹色とうがらし』が舞台化。〝SF時代活劇〟と銘打ち、楽しい舞台に仕上がった。舞台の中央に虹、この虹は色々な場面に変化する。主人公・七味（長江崚行）がからくり長屋にやってくる。賑やかに6人の異母兄弟が暮らす長屋。舞台上にキャラクターが一人、また一人と登場する。映像、モノローグ「これは未来の話」、SFなので！ ここは原作にもある。時代劇らしい展開、将軍を狙う黒幕、将軍の落とし胤、陰謀、忍者の暗躍、刺客、もうお約束感のあるキャラが登場するが、そこに留まらないのが、この原作の面白さ。SF時代活劇と銘打っている通り、異人のバン艦長（富山バラハス）、アメリカ人風味な格好だが、その正体は?! また、秋光（松田賢二）の弟である貴光（光宣）が登場した途端に〝悪者感〟満載。旅をしながら様々なことが明らかになっていき、菜種はある夢を見るのだが、その真実も後半、明かされる。また兄弟のキャスティングが絶妙、長男・胡麻を演じる桂鷹治はリアル落語家でキャラの設定も噺家。大食漢で大酒飲み、周りで戦っているのに一人、落語をやっている場面もある。

青春あり、恋愛あり、そして兄弟の絆ありのあだち充ワールド、もちろんバッドエンドにはならないので、そこはご安心を。始まってすぐにコミックを読んでいなくてもオチが何となくわかってしまうのだが、それでも見入ってしまう。物語の中心は〝将軍のお家騒動〟ではあるものの、七味と菜種の恋模様や周囲の人間関係も見逃せない。SFと時代劇、相容れないような気がする2つの要素を見事にマッチングさせ、SFとくれば最新技術駆使、と思われがちだが、演出はアナログベース。これぞ演劇という舞台作りで好感の持てる作品であった。

そして11月には「終末のワルキューレ」の舞台化がある。こちらはなんと、現役プロレスラー・関本大介（大日本プロレス）がゼウス役として出演が決まっている。

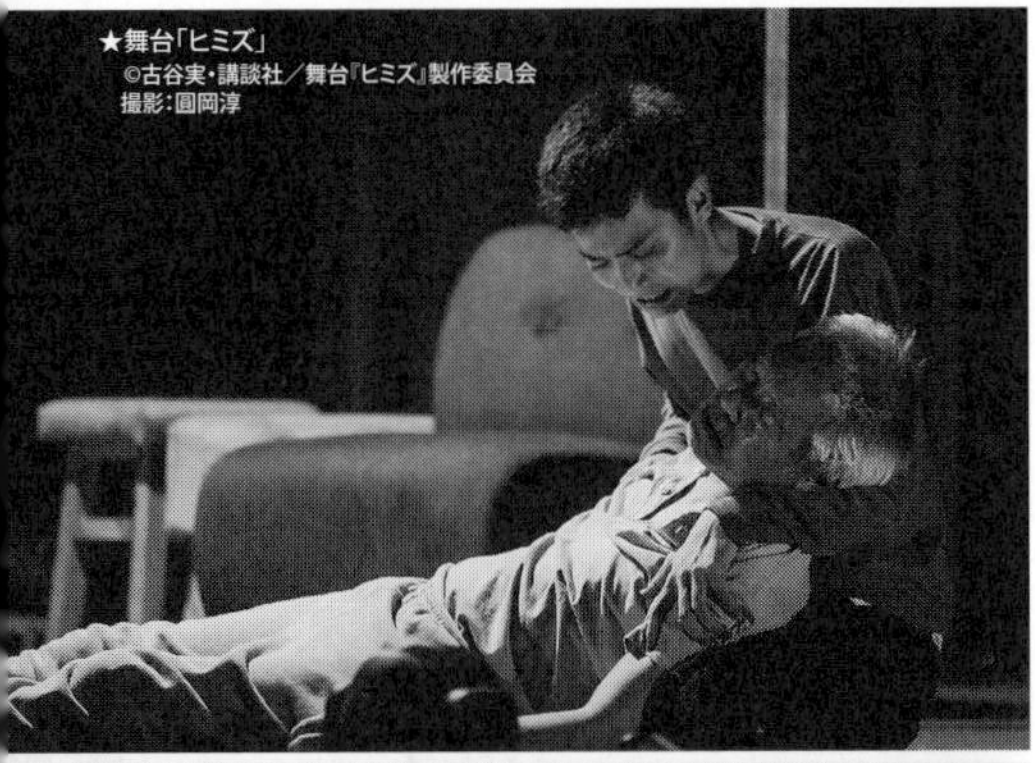

★舞台「ヒミズ」
©古谷実・講談社／舞台『ヒミズ』製作委員会
撮影：圓岡淳

★SF時代活劇「虹色とうがらし」
©あだち充・小学館／SET

アフロフューチャリズムの父、サン・ラーの再評価
教義的SF映画日本初公開と、エジプト来訪ボックスCDの世界発売

ケロッピー前田

コロナ禍にあって、奇しくも2021年、世界的には「新宇宙時代」が進行しているのだが、お気づきだろうか?

それも、世界トップのビリオネアたちが巨額を投じて、民間宇宙事業を押し進めている。

2021年7月11日、ヴァージン・レコードの創立者リチャード・ブランソンが自身の民間宇宙企業ヴァージン・ギャラクティック社のグライダー型宇宙船「スペースシップ2」で地上80キロのサブオービタル飛行を達成した。続く、7月20日、アマゾンの創業者ジェフ・ベゾスが自身のブルーオリジン社の垂直離着陸ロケット「ニューシェパード」で地上100キロに挑んだ。さらに9月15日、電気自動車の最大手テスラ・モーターズのイーロン・マスク率いるスペースXは宇宙船「クルードラゴン」に乗り込んだ民間人4人をロケット「ファルコン9」で地球周回軌道に送り出し、3日間の滞在を成功させている。ちなみに、その乗組員には黒人女性が含まれていた。

一方、アメリカ政府が推進するNASAも、アポロ計画以来、50年ぶりに月面に人類を送るアルテミス計画を進めている。ここでもスペースXなどの民間企業のロケットを併用するところが新しいわけだが、重要なことは、アポロ計画では「白人男性」だけしか月面に行かなかったことから、「女性」や「黒人」を優先して月面に送ることが盛り込まれていることである。

近年の黒人運動だと「ブラック・ライブズ・マター」が有名だが、国家規模の宇宙計画でも人種や性別のバランスが優先事項となっているところがポイントだ。

そんな時代の変化を象徴する映画が、2018年公開の『ブラックパンサー』であった。単に黒人を主人公にしたアクション映画として楽しんでもらうだけでも構わないが、アフリカに根ざした黒人文化の様々な要素がサイエンスフィクションというフィルターを通して、未来的なビジョンに投影されており、大ヒットにつながったと言われる。そんな『ブラックパンサー』のベースとなったのが「アフロフューチャリズム(黒人主義的宇宙思想)」であり、その創始者が今回ご紹介するサン・ラーである。

サン・ラー(1914-93)は、長らくフリージャズのミュージシャンの一人として語られ、彼の独自の宇宙思想はそのストレンジな音楽と相まって、〝キワモノ〟的な扱いを受け続けてきた。生前にリリースしたアルバス数だけでも160枚(そのうち約100枚は自身のレーベルからの自主制作)を超え、熱心なサン・ラーのコレクターにとっても、彼は稀有な〝電波系〟黒人ミュージシャンかもしれない。

それでも、NASAが黒人を月面に送ろうという2020年代、世界的なサン・ラー再評価の動きがあり、日本でもその機運が高まっている。

その一つが、サン・ラーの教義的SF映画『スペース・イズ・ザ・プレイス』(1974)の日本初公開であった。

映画のなかで、主人公サン・ラーは、1969年にヨーロッパ・ツアーに旅立ったまま行方不明になっていたが、実は宇宙に帰っており、宇宙船でアメリカに戻ってくることとなる。彼にとっては、黒人差別がなくならない地球よりも宇宙こそが理想郷であり、地球でのライブ演奏ののち、何人かの新たな信奉者を宇宙船に招き入れ、宇宙に戻って行った。SF映画としてはチープなB級映画かもしれないが、ホドロフスキーの『エル・トポ』(1970)や『ホーリー・マウンテン』(1973)と同時代であったことを思えば、カルトムービーの先駆としてはかなり頑張っていたと思う。

世界規模のサン・ラー再評価の事件としては、1971年、ヨーロッパ・ツ

アー終了後、サン・ラーの思いつきで突如として決まったエジプト来訪の全貌を音源で辿るCDボックスのリリースがあった。

当然、エジプトではまったく無名のサン・ラー&アーケストラ（総勢22名）の突然のエジプト来訪は、受け入れ側にも大きな混乱をもたらすこととなる。それでも、支援者ハートムート・ゲーアケン宅及び路上（12月12日）、現地のテレビ番組（12月16日）、バルーン劇場（12月17日）での演奏は、不思議な高揚感が伴うものとなっている。CDボックスは過去リリースされた3枚のアルバムに未発表音源（CD2枚分）を加えている。

1940年代、シカゴでビッグバンドのピアノ奏者として頭角を現した彼は、50年代からサン・ラーを名乗り始め、奇怪な旋律の演奏を探究し、60年代には自身の自主レーベル「エル・サターン」を立ち上げていた。

大きな転機となるのは、1970年に始まるヨーロッパ遠征で、それに先掛けて、当時の最新楽器であったシンセサイザーとしてミニ・モーグを導入。名実ともにスペースサウンドに生まれ変わった。

同時期のもうひとつの演奏上の激変は、アフリカン・ドラミングからの影響である。1968年、ビッグバンド体制のサン・ラー楽団は、フィラデルフィアに拠点を移し、共同生活を始めるが、ある日、住居前の大木に雷が落ち、その大木を使って太鼓を作ることとなる。その太鼓は「エンシェント・エジプシャン・インフィニティ・ドラム（Ancient Egyptian Infinity Drum）」と名付けられ、ラーの代表曲「ラブ・イン・ザ・アウタースペース」でたびたび、そのソロ演奏が披露されている。

★『サン・ラーのスペース・イズ・ザ・プレイス』（2021年リリース BR&DVD キングレコード）

★Paul Youngquist "A Pure Solar World: Sun Ra and the Birth of Afrofuturism" 2016

★"Egypt 1971"（2021年リリース Strut Records 4枚組）

70年代以降のサン・ラー・サウンドを特徴づける要素が完成されていくのも、ヨーロッパ・ツアーとその後のエジプト来訪なのである。

ちなみに、黒人たちにとっては、古代エジプト人は黒人であり、ピラミッドもエジプト文明も黒人が作ったものである。サン・ラーが誇らしげに古代エジプト風の衣装を身につけるのも、黒人こそがそれを纏うのに相応しいと思っているからに他ならない。

サン・ラーのエジプト来訪は、彼にとっての宇宙への帰還であったのかもしれない。パンデミック以降の新宇宙時代にあって、宇宙を目指しているのは、ビリオネアたちばかりではない。黒人の宇宙飛行士が月面でサン・ラーを聴く日もそれほど遠くはない。僕らが生きる21世紀とは、そういう未来なのだ。サン・ラーよ、ありがとう!

LOMBROSO

「天才は狂気なり」という学説を唱え
犯罪人類学を創始した奇矯な精神病理学者

チェーザレ・ロンブローゾの思想とその系譜〈42〉

村上裕徳

プロスパア・アンファンタン

ロンブローゾは続けて言う。

プロスパア・アンファンタン〈一八九六〜一八六四。フランスの銀行家の息子で実業家。サン・シモン派の最高指導者。詳細は後述〉は技師であり鉄道監督だった。そして数学のように理性的だが殺伐としたことに関係したにもかかわらず、(自分を)サン・シモン(ここでのシモンはフランスの空想的社会主義者のサン・シモン〈一七六〇〜一八二五〉を指す。辻潤の訳では「シモン尊者」で、キリスト教の各宗派により五名以上の聖(サン)シモン〈シメオンとも言う〉があり、そうした尊者ないし聖人と誤読しかねないので訂正)の再来で新宗教の開祖であると真面目に信じるようになった。彼(アンファンタン)は美貌を有していた。額は広く(ギリシャのオリンポスの神々の様に)オリンピアン型だった。彼は極めて親切だった。彼の確信は非常に強かった。およそ、どんな場合でも不可能なことは無いと確信していた。実業でも哲学的問題でも絵を描くことでも料理のやり方でも、彼の知らないことは一つとして無かった。彼は、いわゆる偏執狂特有の言葉で「周回的思想」(circumferential ideas)と自称するものを持っている。それによって、どのような新しい局面に対しても必ず解決されるというのである。彼の新宗教というのは男女平等を理想とし、経済および工業の言葉を詩的にするというのである。彼は自身で父をもって任じ、絶えず理想の母を求めていた。その母というのは自由の女、すなわちイヴである。彼女は女性の持つ本来の能力の他に、加えて男性のような理性を持っていなければならない。彼女は女性のあらゆる欠点を自覚して、まずそれを告白し、(その上で)婦人の権利と義務を明確に宣言しなければならない。しかし、その理想の女性は、なかなか現れなかった。彼と彼の友人は、ある時、マダム・ド・スタエル(フランスの女流批評家スタール夫人〈一七六六〜一八一七〉のこと。父は革命直前の総理大臣だった銀行家のネッケルで、貴族の称号は夫がスウェーデン大使スタール男爵のためである。後、離婚し多くの男性と交渉を持つ自由恋愛派。多くの著作を書き大著『ドイツ論』はロマン派文学の源泉とされた)とジョルジュ・サンド(日常的に男装して社交界に出ていたフランスの女流作家〈一八〇四」〜一八七六〉のこと。連載五回参照)に目を付けたが、彼はそれらの人々を嘲笑してしまった(アンファンタンの年齢から考えて、スタール夫人は年上すぎ、サンドは若すぎるので、実際に会っていたというより話題の上での評価であろう)。彼は理想の女性を東洋に求めコンスタンチノープルに求めた(現実に、というより詩人サッフォー〈両性愛者の娼婦で、哲学者と対等に渡り合えるほど聡明だった――とされる〉のような、古代の伝説上の女性に――という意味か?)。そして女性の代わりに得たのは、牢獄に入れられたことだった。しかし彼は、なおも懲(こ)りずに、その(女性の)幻影を求めることをやめなかった。彼は常に、偉人だけが単独で新宗教を創成するのだと口癖のように言っていた。

ロンブローゾは続けて言う。

彼の善心は見事に美しいものだった。そして絶えず彼を信奉する人々のために自分を犠牲にした。彼は、その人々を自分の息子と呼んだ。これらの信者たちは、ある時から偏執狂患者がやるような象徴的な揃いのユニホームを着て歩いた。愛を表すための白いズボン、勤勉を表すために赤のチョッキ、信仰を表すために紺の上着を着衣していた。これは彼の宗教が愛を基盤に、労働によって精神力を鍛え、その全体を信仰によって包むという精神を表したものである。信者は誰もが胸に名前を記し、三角形と半円の飾りのあるカラア(襟章のことか?)を着けていた。半円は、例の(課題となった)母なるイヴが見付かり次第、円になるというアイデアであった。

ロンブローゾは続けて批評を加える。

これは例の偏執狂および「半狂者」に

付き物である象徴癖なのである。

その信仰箇条の中には次のような言葉が書かれていた。

「男性は過去を意味し、女性は未来を表す。二つの結合が、すなわち現在である」

しかし、それはさておき、彼はスエズ運河に関する先見の明があった。そして、その設計さえ始めたほどだった。彼の弟子にはシエヴァリエル（後述のシュヴァリエのことか?）、ランバート、ジュールダンなどという人々がいた。

ロンブローゾの紹介は散漫になりながら唐突に終わっている。アンファンタンには解説が必要だろうが、その前に彼が信奉するサン・シモンに触れておかねばなるまい。

サン・シモン

サン・シモンはカール大帝の血を引くフランスでも名門貴族の末裔として生まれ、宮廷人に必要な教育と軍事教練を経て、一六歳で義勇軍としてアメリカ独立戦争に参加。それを指揮するのはヨークタウンの戦いなど多数の戦いで武功のあったラファイエット侯爵で、彼（ラファイエット侯爵）は援軍としてアメリカ軍を指揮し、後のフランス革命および四一年後の七月革命でも重要な役割を果たし「両大陸の英雄」と呼ばれたほどの人物だった。

サン・シモンは、この時期、アメリカの産業階級の勃興に出会い、感銘を受けている。また、その当時すでに、パナマ運河の建設計画を考えている事でも、サン・シモンの関心が産業と商業の諸問題だったことがわかる。そのため彼の影響を受けたアンファンタンにスエズ運河の発想があるのは、ロンブローゾの言うようにアンファンタンのオリジナルではなく、師のサン・シモンのパナマ運河の発想を継承したものだった。アメリカから帰国し退役したサン・シモンは、一七九三年の秋に始まる革命の恐怖政治の時代には、多くの貴族たちと共に、監獄として転用されたリュクサンブール宮殿に幽閉され、釈放されたのは一年後だった。

サン・シモンの学説は後の社会主義の発想の多くを含み、生前には認められず生活にも困窮したが、弟子のアンファンタンやサン・アマン・バザール（後述）などによって継承され、晩年の中絶した著作「新キリスト教」（一八二五）のせいもあるが「サン・シモン主義」という宗教的伝道に近い学説として社会に影響を与えた。社会学者のオーギュスト・コント（一七九八〜一八五七）もその一人で、コントが一八歳の時からサン・シモンの助手となり晩年まで一〇年近く仕え、サン・シモンは科学的手法による「社会再組織」という考えをコントに伝えた。これは後にコントの実証主義社会学として結実する（コントはサン・シモンの死後、アンファンタンたちと行動を共にしなかった）。科学と宗教と社会学と実証主義というような、一見対立するものが同時に語られていることについては、後述の「サン・シモン主義」で詳述する。またフランス革命後の第二帝政で皇帝となったナポレオン三世（一八〇八〜一八七三）はサン・シモン主義の信奉者であり、帝政期にはサン・シモンの主張した産業や商業を重視した政策がとられた。

サン・シモン主義

サン・シモンの思想は革命で成し遂げられなかった社会変革を志向するもので、主張する「産業主義」も単なる産業活動の振興や公共事業の奨励ではなく、社会組織全体にかかわりを持つ社会体制の変革論だった。

サン・シモンは一九世紀の新時代の学問として、天文学、物理学、化学が実証的学問となったように、生理学や哲学も実証的になるべきと考えていた。一方で彼は政治的主張をするようになり「システム」という言葉は学問体系だけでなく、社会制度を示すものにも併用されてくる。著作『産業』では次のように言っている。

あらゆる社会制度は哲学体系の応用である。したがって、制度に対応するはずの新たな哲学体系をあらかじめ確立することなしに、新たな制度を設けることは不可能である。

その実証として、ソクラテスを発端とする哲学的革命は多神教から一神教への移行とともに起こり、一神教が組織（システム化）されたことで政治的革命が生じたとサン・シモンは考えた。つまり社会の下部構造は精神的なものであり、社会の精神的基盤を構築するのは科学的、宗教的、道徳的、あるいはその他の思想や信仰だと考えていた。この社会を上部と下部構造に分類する方法や考え方は、エンゲルスを刺激し、マルクス主義の形成に大きく影響する。詳細については議論の分かれるところだが、マルクスとエンゲルスは、これを逆転させて批判的継承を行い、政治や経済を下部構造に、宗教や道徳を含む文化全般を下部構造に従属させる上部構造に分類した。

　サン・シモンの思想の要点は次の三つである。

①すべての社会は産業に基礎を置く。産業は、あらゆる富の源泉である。

②政府は社会の代理人である。その唯一の役割は生産における自由と安全を維持することである。

③社会を指導すべきは有益な事物の生産者、すなわち「産業人」である。

　彼の想定した「産業人」とは企業家や経営者に限らず、その下で働く労働者、店員、さらに農業従事者では小作人をも含む概念だった。またサン・シモンは、国家の行政は市民の才能に任されなければならないと考え、市民の財産権は政治憲法よりも、市民社会の信頼基盤を形づくるうえで重要な法律と考えた。サン・シモンの生産階級の重視を表す言葉として「五十人の物理学者、科学者、技術者、勤労者、船主、商人、職工の不慮の死は取り返しがつかないが、五十人の王子、廷臣、大臣、高位の僧侶の空席は容易に満たすことが出来る」――が挙げられる。この発言は一八一九年に告訴までされている。サン・シモンが後の技術官僚主義（テクノクラート）を予言したと評価されるのは、こうした点からである。

　その思想においては、資本家と労働者は対立関係ではなく、互いのエゴイズムを抑制し相互に愛し合うことが必要であると説き、そのような精神を「新キリスト教」（後に「サン・シモン教」とも呼ばれた）と名付けた。

　またサン・シモン主義にとって、資本家と労働者の階級対立は想定されていないことも重要である。一八一〇年代に産業革命による機械生産の普及によって労働力の削減が行われたため、労働者による機械破壊運動が行われ、これを労働者の反乱の先駆としてラッダイド運動と呼んでいる。サン・シモンは、この運動に着目しながらも、「資本の所有者はその精神的優越によって無産者に対し権力を獲得した」――と、資本家の優位を当然のことと考えていた。つまり労働者は自力で自由を獲得する自立した存在ではなく、使用者である資本家に保護されるべき存在と考えていた。また国王の権力についても、王権神授説の「神の恩寵による王権」と「人民主義」が対立することを承認しつつも、この二つの主権概念が対立しながら、相互に依存しあうと考えていた。つまり表裏一対で、他方があってこそ、初めて存在する概念であると考えていた。こうした社会観を支えるのが「新キリスト教」であり、そこにおいては資本家と労働者の対立は有り得ず、相互信頼の下に産業の繁栄があるとしていた。

アンファンタンの協力者バザール

　アンファンタンは一七九六年のパリに銀行家の息子として生まれ、理工科学校卒業後の一八二三年に師のサン・シモンに出会う。サン・シモンの亡くなった一八二五年以後、同じくサン・シモンの弟子のバザール（一七九一～一八三二　アンファンタンよりも五歳年長）と共にサン・シモン主義の普及のための指導的役割を果たし、一八二九年に二人で二頭体制のサン・シモン派最高指導者の「教父」となった。

　バザールは、それ以前の一八二一年に、急進的な立憲自由主義を主張する革命的秘密結社フランス・カルボナリ党の創立に関わったとされる資料もあるが、詳しいことはわからない。

　カルボナリ党は「炭焼党」を意味し、一七七六年にドイツのバイエルン公国で創立されたのが始まりで「啓明結社」（現在では、誤解も多い秘密結社のイルミナティと言った方がわかりやすい）と呼ばれた。創立者はドイツ人の修道士で哲学者のアダム・ヴァイスハウプト（一七四八～一八三〇）とイタリア人のコスタンス侯爵である。一七八六年にナポリで「フリーメイソンの装いの下に」啓明結社の支部を開設し、以降はヨーロッパ各国に支部として拡大してゆく。「フリーメイソンの装いの下に」というのは、ヨーロッパにおいてフリーメイソンが表面的には、秘密結社ですらない社会に公開された公的団体であり、それを隠れ蓑に反体制政治結社を秘密裏に組織させていたという意味である。バザールが創立に関係した「フランス・カルボナリ党」は、この秘密結社のフランス支部のことであろう。

　一八〇〇年代になって、このカルボナリ党を再組織したのは、フランス人の旧ジャコバン党員ジョセフ・ブリオとされ、彼は社会を「森」、政府とその手先を「狼」、支部細胞を「炭売場」、党員を「善良な従兄弟」、党員で無い者を「異教徒」と隠語で呼び、一八一〇年ごろにナポリの「啓明結社」を母体として始まったという。カルボナリは炭焼職人を意味し、当時は賎業とされた炭焼人のギルドを模倣した組織作りがなされた。その組織はナポリを本部（後パリに移動）としイタリア全土に拡大する。組織は徒弟制型の階層構造で編成され、徒弟は親方に従属した。党員は宗教への言及が固く禁じられていたが、実際には守護聖人が定められ、それを崇拝するなど、宗教的色彩を帯びていた。

彼らの掲げた「自由・平等」という理想は、結社内部に対しても対外的にも強い実行力を持ち、背くものに処刑を含む厳罰を科し、また専制独裁体制打倒の大義のためには殺人も厭わない過激思想だった。人員はナポレオン体制に反発するジャコバン的共和主義者を結集したもので、自由主義的政治団体としてイタリア南部にまで拡大し、一九三〇年代まで反絶対主義闘争の中核としてリソルジメント（イタリア統一）運動の初期を代表する運動体だった。弾圧される中でフランスやスペインにまで広がったという。こうしたカルボナリ党の組織編成や情宣の方法論がバザールを通じて、この新キリスト教に流れていることは確実と思われる（ピラミッド型の位階制の導入などはフリーメイソンからかもしれない）。またバザールに従って入信した人々の多くが、この旧カルボナリ党員であったのも確かであろう。

サン・シモンの没後にバザールは情宣誌『生活者』の編集人の一人となり、サン・シモン主義の社会主義思想としての理論的整備、発展に貢献した。しかし合理主義を信奉するバザールは、神秘主義的傾向を深め、また自由恋愛の聖化など、独自の「性の自由」を説くアンファンタンと対立し、同派を脱退し、まもなく亡くなった。

アンファンタン

アンファンタンは親族に貴族や将軍もいる裕福な一家に生まれた。しかし生後しばらくして父が事業に失敗したため苦学し、奨学金を得てパリのリセ・ナポレオン（当時の理工科学校。現在のアンリ四世高校）に通い、高等数学や物理化学を学ぶ。ここで彼は、後に高名な数学者で経済学者になるオランド・ロドリゲス（一七九五～一八五一）と出会っている。一歳年長のロドリゲスはユダヤ人の銀行家の息子で、サン・シモンの高弟であり、一八二五年にアンファンタンの弟子を最晩年のサン・シモンに紹介もしている。また新キリスト教（サン・シモン教）の経済的援助者でもあった。実権は譲るが、二頭体制前の「教父」でもあった。

こうして一八一三年アンファンタンは、わずか一七歳で数学教授資格（現在の修士か？）を得ている。そしてアンファンタンは一八歳の時、従兄の紹介で貿易商社に入り一八二一年（二五歳）から一八二三年（二七歳）までドイツ、オランダ、スイス、ロシア各地へ派遣された。この間、各地で友人と交流し、土木工学を学んだほか、哲学、社会学、経済学なども学んだ。そしてフランスに帰国すると、両親が家を持つドローム県の都市カーソンに戻り、愛人と息子と愛人の母の家族で暮らし始める。この頃の職業はエッセイストと経済学者であった。この頃、愛人を介して、後にフランス銀行総裁になる銀行家のジャック・ラフィット（一七六七～一八四四）と知り合う。ラフィットは後にアンファンタンが行う鉄道事業の相談役になっている。アンファンタンがサン・シモンと初めて会った時の紹介者が誰かわからないが、おそらくロドリゲスかバザールだったであろう。

サン・シモンの死後のアンファンタンは、資本金五万フランで小さな会社を設立し、サン・シモン主義の普及のために新聞や雑誌を発行する。バザールと二頭体制で運動を続けるが、これは前記の事情で長く続かず、バザールをはじめロドリゲスも去っていく。ロドリゲスとの決別は一八三二年の終わり頃とされる。

以降のアンファンタンは単独の「教父」となり、パリの下町に小さな自由恋愛の共同体を作り、それを週二回一般公開していた。こうした事で道徳と教会への冒涜罪に問われ、懲役一年と百フランの罰金が科せられた。四部屋のアパートのような監獄で後述のシュヴァリエ（アンファンタンより一〇歳年少）と過ごし、刑務所の所長の夕食に招待されるような優雅な暮らしだったという。

アンファンタンと一緒に共同体の一員として入獄していたのは、同じくサン・シモン主義者であるミシェル・シュヴァリエ（一八〇六～一八七九）で、彼は後の鉱山技師であり、経済学者であり、ナポレオン三世の政治顧問でもある政治家にもなった青年だった。つまり後にナポレオン三世をサン・シモン主義者にしたのは彼だったのである。シュヴァリエの二〇代の著作『地中海システム』(一八三二年刊)には、サン・シモン派が目指したのは「普遍的結合」つまり全人類が共同して進歩へ向かうこととされ、それを実現させるには精神世界と物質世界の世界観を代表する西洋と東洋の対立を解消することが急務だと説かれる。そして注目された場所が地中海だった。また東西融和の方法としてシュヴァリエが着目したのが鉄道であり、交通網のネットワーク技術により社会の進歩がもたらされるという考えは、師のサン・シモンの思想でもあった。半年の入獄だったシュヴァリエは、サン・シモン主義はそのままに、ここでアンファンタンと決別し、行動を別にしている。

　出獄後のアンファンタンは、オリエントへの関心が深まり、彼と一緒に最高の「司祭夫婦」を形成する女性を見つけるために一八三四年エジプトに向かう。同行した二一人のサン・シモン主義者の弟子たちは、医療や各種技術を有難がる副王のために、副王自身サン・シモン主義者になったが、ある意味で副王に利用され、エジプト奥地で疫病により死ぬ者や行方不明になる者もいながら、医療や道路整備、教育活動に貢献していた。その間アンファンタンはエジプト北部で伝染病を逃れ、副王の経済的加護の下、地元の美女と楽しい生活を送っている。しかし理想の「司祭夫婦」の相手は見つからなかった。サン・シモン教が宗教的活動をしていたのはこの時期までである。それ以降はサン・シモン主義者たちの個別の思想活動に移る。書ききれない多くの人々がサン・シモンの影響を受け、金融界、運輸業界、政財界、文化全般にわたって大きな足跡を残したのだった。

　この後アンファンタンは、スエズ運河の開発事業やパリからリヨンまでの鉄道事業なども行っているのだが、それらの事業は先駆者としてだけでなく、実業としても経済的にアンファンタンを支えながらも、それらの完成は彼の死後のことだった。その死は脳卒中であり、六八歳になった一八六四年のことである。決別したシュヴァリエとの和解は一八六〇年になされたという。

(この項、続く)

SCIENCE FICTION

山野浩一とその時代(17)
「ロック世代」と個人の主体性

岡和田晃

「虹の彼女」と「ロックでいこう」

　二〇二一年八月二四日、ローリング・ストーンズのドラマーを長年務めたチャーリー・ワッツが亡くなった。同バンドの正規メンバーだった者が世を去ったのは、ブライアン・ジョーンズが一九六九年に没して以来であり、時の移ろいを感じないわけにはいかないだろう。「ニュー・ワールズ」誌の編集長として、ニューウェーヴSF運動の立役者であったマイクル・ムアコックはホークウィンドやブルー・オイスター・カルトといったバンドに参加したロック・ミュージシャンでもあったが、〝ジャパニーズ・ムアコック〟と呼ばれた山野浩一もまた、バンドを組んでこそいないものの、「ロック世代」をよく知るSF作家らしい作品を書いている。「虹の彼女」（『SFマガジン』一九七〇年二月号）、「ロックでいこう」（『SFマガジン』一九七一年一月号）の二篇であり（『鳥はいまどこを飛ぶか』早川書房、一九七一および同名のハヤカワ文庫JA、一九七五所収）、どちらにもストーンズが重要な役割を果たしている。

　「虹の彼女」では、「二十七歳」の「私」が、「定職を持たず、毎日をもてあましているかのように、また何かを待ち続けているように過ごしている連中」の一人として描かれ、そういった連中は「過去から未来という時間帯の体系を持って語り合うことはな」い者たちであり、その一人であり、ストーンズの熱狂的なファンであることから「ミック」と呼ばれた若者は、公園で見知らぬ男を刺し殺し〈理由なき殺人〉と呼ばれる。ミックは自らの存在を、殺人に用いたナイフに仮託させていた。ミックの生きる世界――すなわち「内宇宙」はナイフそのものであり、それが現実と衝突・侵食を果たしたことで、ミックは殺人を犯してしまったというわけだ。

　対して「私」にとり、ナイフにあたるものは、中華料理店の裏手にある路地で見かけた一人の女である。「赤いスカート、薄い水色のノースリーブのシャツ、そして腕と脚の輪郭が、四角い空間に調和よくおさまっている」と、女は描写される。「私」にとり、その女は「半ばは実在」でありながら、「半ばは願望存在」である。彼女を追いかけていくうちに、「私」は「現実世界とはまったく別の存在」としての「世界」へ迷い込む。ここは誰の「精神世界」でもなく、ただ「世界」でしかないという。「私」はミックが、「現実」により復讐をされたと考える。だからこそミックは抵抗のために殺人をせざるをえなかったというのだ。

★ローリング・ストーンズの「虹の彼女」

　そして「私」は、自分が目にした女性が、言うならば「私」の「内宇宙」とミックの「内宇宙」の境界に住まう、特異な存在「虹の彼女」だと考える。「虹の彼女」とは、ストーンズが一九六七年に発表したセルフ・プロデュースのサイケデリック・コンセプトアルバム『サタニック・マジェスティーズ』に収録されている楽曲であり、「髪をとぐ」ように「すべての空気を色でとぐ」彼女が、「色彩のなかにやってくる」と歌われる。この箇所は作中でも引用されるが、「虹の彼女」は境界を歩き周りながら「私」とミックの「内宇宙」を繋ぐだけではなく、新たな「内宇宙」をも生成する存在だとして語られる。まったき自由と混乱に満ちた「世界」が彼方に存在し、「私」はそこに憧れながらも、ミックのように一歩を踏み出してしまうことはできない。

「ロックでいこう」は、ストーンズの初期代表曲「サティスファクション」をそのままバンド名にしたグループのリーダーであるティーンが登場し、ザ・ビートルズをモデルにした「ザセンチュリーズ」の面々と、メンバーであるジョンの妻（ヨーコならぬキョーコ）の六人が蒸発したという事件の新聞報道から幕を開ける。そこから「ザセンチュリーズ」は解散寸前であり、次のレコーディングが最後になると語られる。後期ビートルズを思わせるシタールやギターに上絵、ティーンはそこに、次のような歌をかぶせる。

命令だ。好奇心を殺せ！
命令だ。のんびり生きろ！
命令だ。好きなものを捜せ！
命令だ。好きなものを愛せ！
命令だ。人の命令など聞くな！
（「ロックでいこう」、『鳥はいまどこを飛ぶか』一九七一年版より）

ここでは「命令」と自由の様々な相克が歌われる。やがて全員は「旅へ出たい」とコーラスし、そこからギンズバーグを彷彿させるビートニクな歌詞がそのまま埋め込まれる。

★山野浩一『鳥はいまどこを飛ぶか』（早川書房、1971）

飛んでいる
スフィンクスが
かえるの大群が
スロットマシンが
片目の三つ目小僧が
ハムエッグとハムレットとオムレットが
（「ロックでいこう」）

ここで六人は時空を実際に移動し、「十万人の乞食たちの大拍手」で迎えられるという光景が描かれる。それは現実とも取れるし、別な「世界」の光景とも取れる。サイケデリックな演奏を介したトリップが、実際の旅《トリップ》になるという可能性が示唆されるものの、「旅に出たい」という希望は〝もとの世界からの脱出なんてできやしない〟という幻滅が育んだものである。こうして、演奏の模様に合わせ、次々と世界の位相が転変する模様が語られ、バンドとしての共同体と、個人の差異が何処へあるのかが問い直される。

山野浩一のロック観

これはどういう意味なのだろうか。「ミュージック・ノート Then」二号（一九七一）では特集「あらためてロックとは何か」が組まれていたが、そこで山野浩一は座談会「ロック世代どこへ行く？」に参加している。他の面々は、ポップアート批評で著名な日向あき子、『時代はかわる フォークとゲリラの思想』（一九六九）の編者・室謙二、司会は翌一九七二年に『都市音楽ノート』（一九七二）を刊行する浜野サトルという面々である。一九六九年、四〇万人を集客したウッドストックの野外フェスティバルが象徴するように、英語圏でのロックの盛り上がりが頂点に達してから、以降、ロックはどうあるべきかという一種の転換点が訪れていた。室はウッドストックでは、「聴いている人よりやっている人の方が生き生きしていた」と論じ、観客たちが自生的に連帯を遂げるのではなく、「百人」だかの演奏者にリードされていることに不満を隠さない。それに対して、山野はこう、意見表明をするのだ。

問題は結局、集団であるかどうかということじゃないかな。ヒッピーの考え方というのは、やはり個人の集まりとしての集団だと思うんです。たとえば、中央集権に対する個人というものがあるとすれば、小集団に対する個人というものがある。その小集団の主体性や、小集団のなかでの個人の主体性の問題に置き換えることができる。その主体性が失

★「ミュージック・ノート Then」2号（1971）

われたときにマスになるんであって、そのマスというものがいつのまにか小集団を通り越し、大きなもののなかに吸収されているということ、ウッドストックの問題もそういったところにあるのではないかとぼくは思うんですよ。

（「ロック世代どこへ行く?」）

まさしく「ロックでいこう」の種明かしのようにすら読めるが、この座談会の背景には、一九六〇年代後半から一九七〇年代前半にかけての、いわゆる「日本語ロック論争」が大枠としてある。端的にまとめれば、もとは英語で歌われていたロックを日本語で歌うことは可能なのか、という問題提起ということができるが、室が「ライト・ミュージック」一九七一年一月号に書いた「反(正論)的ロック論――模倣からは何も生まれない」について、冒頭から言及されることからもそれは明らかだ。

論争のメイン・プレイヤーには、はっぴいえんど(松本隆や細野晴臣・大瀧詠一や鈴木茂のバンド)がいた。しかし室は、はっぴいえんどや岡林信康は中心に聴いているが「それ以上はあまり興味がない」とかわし、個別の「論争」への批評的な介入というよりも、個別の論客が自前のロックをめぐる状況認識をどう捉えるのか、という方向へ座談会は進んでいく。そして山野は、ロックを「新しい音楽そのもの」として捉えようとしていた。

ぼくは音楽としてロックが好きなわけで、それを体系化しようという気持はあまりない。音楽というのはそれほど体系化できるものではないんじゃないかと思うんです。音楽がもつ思想性といったものは、文学的なそれとは全く違うものですね。それを、思想から運動、あるいはジェネレーションへと広げてゆく割合単純な押しつめ方に問題があると思う。むしろ、そうしたものが別々に、無関係に、新しい音楽そのものとして、あるいは新しい思想そのものとして出てきているように思う。

（「ロック世代どこへ行く?」）

ここで興味深いのが、山野がロックのあり方について、SFと比肩する形で論じていることだ。しかも、グローバルな動向としてのロックを、オリジナルと模倣(シミュラークル)の関係を入れ替えるものとして捉えている。「白人がものまねして成功したように、日本人がものまねしてうまくやれたら、それがものまねとしてオリジナルになるんじゃないですか」という言葉に、そのスタンスがよく現れている。それが可能になっているのは、レコードという複製としての文化が「作品」としての意味、「行為」としての意味をも含有していたからだ。つまり映画や小説とは異なる「参加可能」なメディアとしての音楽の可能性に、山野は期待していたのだろう。

ぼくはね、ロックが必ずしもインターナショナルなものだとは思わない。それは、簡単に何でもインターナショナルになりえるものではないと思うんだけれども、ただ、アメリカと日本というのは今非常に似ている。それはたとえばSFを見れば、今世界で一番SFが盛んなのはアメリカで、次は日本なんです。文化というか思想というか、そういった意味で民族意識といったものが失われてしまっていて、何が支えているかというと、いわゆる科学文明における国家繁栄みたいなものと、もうひとつは戦後モラルですね。ぼくはロックが日本でアメリカ的役割を果しうるかどうかというと、むしろできるんじゃないかと思っている。問題は、やはりミュージシャンの問題じゃないかと思う。すぐれたミュージシャンが必要なんじゃないか。

（「ロック世代どこへ行く?」）

ここに来て、優れた「ミュージシャン」としての「SF作家」の役割が問い直されるわけで、「虹の彼女」は、まさしくその主体的な実践であったということができるかもしれない。

山野浩一と土方潤一

しかし、山野はどこでロックを聴いていたのだろうか。ウェブログ「月猫にっき」では、当時「クソ生意気な10代」だった「もう還暦越えた」ブログ管理人が、たびたび「お宅にお邪魔」していた模様が綴られている(「山野浩一氏 追悼」)。「ガキおすすめのハードロックも一緒に楽しんで聞いてくださいました」とあり、ちょうど山野は三〇代だったとあるので、「ロック世代どこへ行く?」と同時期か、少し後の話ではないかと推察される。いずれにせよ、拠点としていたNW-SF社に出入りをしていた若者から、山野は自分より下の「ロック世代」の感性をも、柔軟に吸収していたのであろう。フォーク、ロック、現代詩はゆるやかに連続し、世代ごとの「主体性」を橋渡ししていた。

　山野が主宰した「NW-SFワークショップ」には、高校生も参画していた。土方潤一である。土方は「NW-SF」六号(一九七二年六月)に「二つの奈落についてのC、あるいは」、同七号(一九七三年五月)に、「窓」という二篇の短編小説を寄稿していた。商業誌に発表されたこの時代のSFのなかでは異彩を放つ傑作である。もともと土方潤一は、国領昭彦の同級生で、その関係でNW-SF社へ出入りしていた。とはいっても、国領曰く、「土方氏も山野氏に敬意を持って接していましたが、傾倒するというほどの熱意は見せませんでした。土方氏は同好会のように人が群れるのを好まない性格だったので、NW-SFワークショップに参加したのは、合評会の1回か、2回程度でした」と、適度に距離を置きながらの関係だったものと思われる。

　土方潤一は二〇一二年四月二七日に病没したが、「二つの奈落についてのC、あるいは」については、晩年まで思い入れがあったようで、数多ある遺稿のなかにもそのテクストを遺している、そちらを下敷きに、「二つの奈落についてのC、あるいはランゲルハンス戦記」と改題された最終版の前半部を見てみよう(国領・北村剛経由で遺族より提供)。さながら現代詩のような煌めきがある。

　風が唸っている。黄昏色のさざめきの中で鉄柱に寄りかかって待っている。淡黄色の光。金網を通して解析されるそれ。その一条一条に電気で濾過された声がのめりこんでゆく。

　風が唸っている。頬をなぶる。黄昏色が落ちてゆく。闇の眩めき。土踏まずから這い上がってくる疲労感。鉄柱の表に平面化していくあなた。靴が見える。昨日、あの道、銀色の高圧塔。そしていまだ三次元にしがみつくこの靴。傷んでいる。

　黄昏色が網膜の上を滑り落ちる。後頭部で風が螺旋をつくる。渦巻き、ウェルニッケの木の葉を舞い上げていく。朽ち果てた記憶。数珠つなぎのそれ。

　子どもが目の前を走る。寒天のような風を切り裂いてゆく。死の空間を握りしめたもみじ。かれの落下のイメージと走りすぎる彼がオーバーラップする。背中と鉄柱の隙間に風が入り込む。彼は去ってゆく。あなたの目の前に残る耳、そのうしろから伸びた白いよれよれのゴム。左手の指がそれを握りしめようとする。腕から肩へと拡散する重たい鉛色の絵具。

　光。銀色のなめくじ。風が唸り、緑の中のひとつ目。幾条もの光を不器用に押しつぶしながら、緑の箱がいくつもそれに続く。塊。その塊の中の肉塊。腹背を密着させあい、吊皮をきしませ、未練がましく残像の尾をひきずる。熱い吐息、断末魔。自意識に膨れ上がった彼ら。扉がはじける。群がる。両側から。ブラウン運動のように、水の中の無数の微生物のように。押される、ゲル化した分子同士の圧力。閉まるドアの狭間に猫がいる。昏い背景の中、挑む横顔、疑いを拒む、くっきりと浮かび上がるその姿、猫。深淵を欺く瀝青色の瞳が細く輝く。眼底を、前頭葉をそれがおおいつくす。あなたはドアの前を動くことができない。(「二つの奈落についてのC、あるいはランゲルハンス戦記」)

　風のイマージュが光へと繋がり、みずみずしい身体感覚を通して、都市的・幾何学的な死のイマージュと切り結ぶ。自意識と肉体、詩学と自然科学が対比させられ、それらを取り繋ぐものとして、扉の狭間にいる猫という形象が召喚されるのだ。

　寺山修司に激賞された早熟の詩人・帷子耀が詩集『スタジアムのために』を出したのが一九七三年。帷子は国領や土方と同世代で、彼らのスペキュレーションには響き合うものがある。そして山野は、「NW-SF」ワークショップで、「窓」と思われる土方の作品を絶賛したという。次回、そのアクチュアリティを検証していきたい。

「イラストレビュー」◎絵と文＝三五千波
「#わからないフェス」
主催・イニツィウム・オーディトリウム
府中の森芸術劇場ウィーンホール（9月2日）
小阪亜矢子（歌）河崎純（作曲）
「夜半楽／春風馬堤曲（与謝蕪村による18曲の詩劇）
Live version
昨年春のロックダウン下に新しい音楽に出会うための配信の場として立ち上がったイニツィウム その参加アーティストによる音楽フェス
この曲ではフランス語の訳詞ラップにのせて歌い手が踊り狂い 漢文読み下し文に現代語訳と自由なシアターピース 配信映像も幻想的で キツネが出たり（？）
やぶ入や　浪花を出て　長柄川
松平敬編曲 シェーンベルク「ワルシャワの生き残り」2台ピアノ 打楽器のための版
ふくめんコーラス
♡ピアニストとアイコンタクト♡
ソプラノで即興演奏の根本真澄
終了後twitterで「わからないものをもっとわからなくするフェスですね」といった書き込みで観客も出演者も盛り上がる
最後の曲は配信元の合唱団「ヴォーカルコンソート イニツィウム」による キンツラー「トマス・タリスへの上塗り」
現代音楽とは？ そもそも一般庶民にとってわからない音楽の代名詞
その中で自分でも楽しめる表現をよくわからないなりに探してみよう？がこのレビューの趣旨なのだが…
川島素晴 plays… vol.3「法螺貝」
（7月1日 杉並公会堂）
新作初演「ほらほら、ホラの法螺がちらほら」より
作曲者が寝っころがってホラ貝をつついて遊んでるだけの作品である
ごろん
ほら貝はサンゴの天敵オニヒトデの天敵です
ケージの指示した松ぼっくりのはぜる音（の映像）
実はジョン・ケージ作品4作を柱にした真面目なプログラムなのである
「金管楽器なら何でも使用可」で採用した曲もあり…ホラ貝の音域ではかなり無理が…
ぱちっ
ごぼっ
これはケージ「INLET」燃える松ぼっくりと水中に沈めたホラ貝の気泡との華麗なる共演である
（次回のテーマは「百均グッズ」）

サントリーホール　サマーフェスティバル2021
アンサンブル・アンテルコンタンポランがひらく
テーマ作曲家・マティアス・ピンチャー
芥川也寸志サントリー音楽賞選考（8月22日〜28日）
22日開幕に
細川俊夫のオペラ
「二人静
〜海からきた少女〜」
（演奏会形式）
青木涼子とK.アヴェモ
初演歌手の二人が演ずる
後半はコーティーズ編曲
マーラーの「大地の歌」
藤村美穂子の君子の別れはまさに絶唱
23日と24日はE－Cの室内楽いろいろ
ピアニストだけでも三人それぞれ
永野英樹のリゲティ
ヴァシラキスのブーレーズに加え
ヴィシャールの特異な打撃音に仰天
グリゼイの「時の渦」では
ブルーローズが熱狂の渦と化した
E－C音楽監督のピンチャーは
曲の題材はヘブライ思想から科学
現代美術に文学と幅広く取材している
初オペラ作品は夭折の詩人が主人公の
「トーマス・チャタートン」
Treatise On the Veil
なんちゃって
模写
「音蝕」では
トゥオンブリー
「光の諸相」では
バーネット・
ニューマン
抽象度の高い
タブローが
題材に
なっている
Who's Afraid of Red, Yellow and Blue
作品も作家も
物語性が
乏しいせいか
日本の美術ファンの
知名度は低い…
渋谷慶一郎「スーパーエンジェル」
総合プロデュース・指揮・大野和士
台本・島田雅彦　演出監修・小川絵梨子
総合舞台美術・針生康　振付・貝川鐵夫
新国立劇場三部門連携企画（8月21日観劇）
「オルタ3」は思いのほか
ぬるぬるよく動く
でも機械の声は
ノイズが多くて
よく聞き取れない
島田雅彦の
リブレットは
字幕映えする
美しい言葉なので
文字で頭の中に
直接語りかけている
設定と
いうことで
前に座ってた
スーツの大人が
「どの面に力を
入れるかですな〜」
手話コーラスに
ダンスにAI
二兎を追うもの
一兎をも得ず

芸劇eyes 番外編 vol.3
「もしもし、こちら弱いい派
かそけき声を聴くために」
いいへんじ・ウンゲツィーファ・コトリ会議
東京芸術劇場シアターイースト（7月22日観劇）
「弱いい派」の名を初めて聞いたのは早稲田演博の現代演劇の展示
池袋の3劇団公演では劇団「いいへんじ」の「薬をもらいにいく薬（序章）」がマリンバの劇伴からして優しい
薬がないと病院に行けないくらい弱い人の話なんだよ？
コトリ会議「スーパーポチ」
作・演出・山本正典
こまばアゴラ劇場（9月24日観劇）
2ヶ月後に本公演が「スーパーポチ」が始まった「コトリ会議」
「おみかんの明かり」でもストレンジシード2020「しばふ暴風警報」でもSF短編劇では秘められた暴力を感じていたのだが
誰かが多分死にそうな話なのに何も解決しないで謎のまま終わる
菫が家を出る前こっそり宣言する「私はこれから漫画家になる」が二度と出てこないのも謎だ
「弱いい派」の何がこんなに私を惹きつけるのかというと（ものすごく雑な言い方をするけど）まるで2・5次元の大島弓子だから
いけないよーっ
爆発するよーっ
「弱くていい」というよりは「弱いから滅びる」女たちかもしれないが
残酷な運命と戦うすべもなく狂乱するお姫さまや破滅する悪女
「ルル」はMETライビュでケントリッジ演出の三幕版を見ただけ
二幕版にはゲシュヴィッツちょっとしか出ないんだ…
ゲシュヴィッツ嬢の存在が大きく百合でフェミの要素が強いのに驚いた
ベルク「ルル」東京二期会（二幕版）
指揮・マキシム・パスカル 振付・中村蓉
演出・カロリーネ・グルーバー
東京フィルハーモニー交響楽団
新宿文化センター（Bキャスト・8月29日観劇）
マネキン人形のように男たちの望む女性像を演じさせられてきたルルが
幕切れに解放する押し殺して来た魂のおどり
画家
シェーン博士（右下）
アルヴァ（左）
Bキャスは演技派の贔屓三人が見られ眼福であった

エルヴィーラ狂乱の場
花婿を待つ哀れの姫…
藤原歌劇団「清教徒」
演出・松本重孝
（新国立劇場・9月11日観劇）
光岡暁恵・山本康寛組
念願の演目だったが…アルトゥーロの高音の調子が悪かったのが残念
エルヴィーラは狂乱の場だけでなく結婚式前と終幕以外ずーっと悲しみで正気を失っているね
コンテンポラリーオペラ「PLAT HOME」
作曲・高橋宏治　指揮・浦部雪
脚本・ステファン・アレクシッチェ／ヤニック・ヴェルウェイ（英語上演）
演出・照明・植村真　美術・映像・岡ともみ
ソプラノ・薬師寺典子　杉並公会堂（7月28日）
「私は　私は警察官だった」「私が皆を助け導かねば」
「私が犯人に見えるの？」「大丈夫私にはちゃんと出来る」
2016年の「ブリュッセル連続爆破テロ事件」などを題材としたモノオペラ
薬師寺のIctusアカデミー修了公演のため「記憶と政治」をテーマに製作開始
2020年にゲントで初演された
警察官にテロリストニュースキャスター移民の少女…ぜんぶ演じちゃう
This is war.
宮本研「反応工程」
演出・千葉哲也
新国立劇場小劇場（7月24日観劇）
昭和20年8月　新型爆弾も落ちたというのにこの芝居の中だけで何人の人が死んだんじゃ
息づまるセリフ劇
命で命を救われるクライマックス
憲兵を一喝する荒尾
そして正枝ちゃん…
生産増强
観劇後の9月に舞台のモデルとなった「三井化学・J工場」の解体が始まるというニュースがあった
終戦半年後のエピローグでぞっとしたのが監督教官の清原助教授が「戦争が終わった途端にデモクラシーの講義なんです」という
あの先生……許せる？
いいえ。

TH特選品レビュー

（イ）イガラシ文章
（市）市川純
（岡）岡和田晃
（高）高浩美
（沙）沙月樹京
（馬）馬場紀衣
（日）日原雄一
（並）並木誠
（南）南天堂
（放）放克犬
（三）三浦沙良
（水）水波流
（M）本橋牛乳
（八）八本正幸
（吉）吉田悠樹彦

きゅんくん
継往開来

新宿眼科画廊、21年7月2日〜14日

★ロボティクスファッションクリエイター。それがきゅんくん氏の肩書きである。そう名乗りだしてからずいぶんたつ。

以前からの知り合いで、倉阪鬼一郎の話をブログのコメントでしたり。被服部にいた、という話はそのころ聞いた気がするが。まだ震災前ごろで、私もトーキングヘッズ叢書に文章を載せてもらうようになる前のことだ。私が書いた落語台本がえらばれて、落語協会の台本コンテストの会にも無理に来てもらった記憶がある。

高校生になり、大学に入り、成長する姿をとおくから見ていた。いつのまにやら名が知られて、テレビやトークイベントでも数多く活躍し、今度は個展もやるという。メカにはまったく詳しくない日原さんだが、新宿眼科画廊なら何度か行ったことがある。新体制の病院勤務にも、ようやく慣れるかどうかというさなか。のんびり足を向けた。

個展タイトルの「継往開来（けいおうかいらい）」とは先人の事業を受け継ぎ、発展させながら未来を切り開く、という意味。と、自身で解説してくれている。これまでのまとめ、ではなく、これから活動を切り開くスタートとしての個展なのだという。

飾られているのは、モデルさんが着用した、ロボっぽいファッションの服。リモコンぽいもので動いたりもして、カッコいいんだ。

ウェアラブルロボット「Fylgear（フィルギア）」の実験もやるという。被験者を集めた実験結果は、のちに論文でまとめるそうだ。若い才能はすごいなあと、しみじみ思いながら帰路についた。（日）

アダム・ウィンガード監督
『ゴジラvs.コング』

★遂に決戦の時は来た!

二〇一四年の『GODZILLA ゴジラ』以来、全怪獣映画ファンが固唾を呑んで待ちに待っていた瞬間である。

映画公開前後のSNSやチャットでのファンの言動が、とても興味深かった。

それぞれの鑑賞日時に差が生じるので、それはもう、ネタバレに対する配慮がハンパなかったのである。それだけ、この作品に寄せるファンの想いが熱く、同時に繊細だったということだ。これは、観客動員数や興行成績では見えてこない側面である。

というわけなので、ここでもネタバレは最小限にとどめておこう。何らかの事情で劇場では観られず、これからBlu-rayで観る人もいるだろうからね。

前作『ゴジラ キング・オブ・モンスターズ』をしのぐ怪獣バトルの応酬に、ただただ圧倒される。やっぱ、怪獣映画はこうでなくっちゃ!

一九六二年の『キングコング対ゴジラ』以来の因縁の戦いであり、日米怪獣王決定戦といった趣きもある。それだけに対立軸がシンプルで、ストーリーもストレートだ。

もちろん、「モンスター・ヴァース」として語られてきた数々の謎に対する答えも提示されるが、それに関しては完全に解き明かされたとは言い難いので、続篇の製作に期待したいところだ。

とにかく怪獣同士のバトルがメインの作品なので、人間たちのドラマは添え物でしかないのだけれど、コングと意思を疎通する少女ジア（ケイリー・ホトル）と、前作でも大活躍した行動的な少女マディソン（ミリー・ボビー・ブラウン）が物語を引っ張ってくれるので、メインの怪獣バトルが単調に陥る危険を、うまく回避し

ているところも、この映画を心地良く観せてくれる美点である。

ある情報を完全に隠した予告篇もまた、本篇鑑賞に付加価値を与えていると言えるだろう。

というわけで、文句なく楽しめる作品なんだけど、一点だけ苦情を言わせてもらえるなら、主要キャラクターのうち唯一の日本人キャストとして出演した小栗旬の役柄は、シリーズ前二作で渡辺謙が演じた芹沢博士の息子という設定なんだけど、その設定はほとんど生かされていなかったのが、ちょっと残念だった。(八)

アミール〝クエストラブ〟トンプソン監督

サマー・オブ・ソウル

(あるいは、革命がテレビ放映されなかった時)

全国公開中

★一九六九年のウッドストック・フェスティヴァルを私がはじめて知ったのは中学英語の教科書の記述だった。四〇万人もの観客を動員したヒッピーの祭典は、「日本」においてさえ歴史の一部として登録されているのだ。それに比べ、ほぼ同時期に開催され、三〇万人もの観客を集めたハーレム・カルチュラル・フェスティヴァルは知られていない。キング牧師の暗殺一周年として企画され、配備されたニューヨーク市警の横暴から黒人を守るためにブラック・パンサーが派遣されたという経緯が雄弁に物語るが、「人種」差別に覆いをかけるカラーブラインド性が、このフェスを半世紀もの間、忘却に付したというわけだ。

しかし、この映画により、忘却の帳は上げられた。リマスターが行き届いた当時の映像は、実にみずみずしく、アーティストの若々しさをはっきり伝える。スティーヴィー・ワンダーの演奏は弱冠一九歳にもかかわらず圧倒的で、フェスが今まさに展開されているかのごとく観る者を画面へ釘付けにさせる。性別・人種混交バンド、スライ&ファミリー・ストーンが象徴するように、このフェスはハイブリッドな連帯を示すもので、公民権運動において文化と政治は切断不能であることを示している。むろん、ライヴ映像の合間には出演者や映像者の現在の姿やインタビューが挟まれ、時間の経過は否応なしに意識される。ただ、それが〝古きよき時代〟のノスタルジーに終わっていないところが、ウッドストックとの大きな違いなのかもしれない。本作は圧倒的に「現在」の映画なのである。(岡)

★配給:ウォルト・ディズニー・ジャパン

マイリス・ベスリー

ベケット氏の最期の時間

早川書房

★作家・劇作家のサミュエル・ベケットの最期の時間を扱った小説、タイトルそのままですね。ベケットはパートナーに先立たれ、いわゆる老人ホームのティエル=タンで余生をすごしている。1年にも満たない時間の中で、過去の作品を想起し、身体はゆっくりと衰弱していく。

他のどんな作家でもなく、ベケットの最期である。ベケットの作品、とりわけ晩年の作品は、人の最期の時間、消尽してしまった人間の最期の姿を描いてきた。例えば、「いざ最悪の彼方へ」の主人公はすでに葬られた墓場の土の中で語っているようなものだし、それ以前の「ハッピーデイズ(しあわせな日々)」も同様。「クワッド」と「クワッド2」は、すべての可能性がなくなった世界が描かれる。消尽した世界のその先に、人はどうあるのか、そのことが描かれてきたと思う。

だから、消尽しようとするベケットはどのような姿だったのか、作者の想像力はそこに向かって行く。ベケットにとっての「エンドゲーム(勝負の終わり)」とはどのようなものなのか。

ベケット自身は、かつて自分が描いた世界に、創造的に入っていく。いくつかの作品が繰り返し語られる。「ゴドーを待ちながら」は言うまでもない。それ以上に、最晩年のバスター・キートンを主役に据えた「フィルム」について語られる。喜劇役者としてすっかり消尽してしまった姿を、もはや喜劇として扱えない喜劇を、ベケットは繰り返し思い出す。消尽してもまだ、命があるかぎり、というよりなくなったとしてもなお、ベケットの世界が存在するように。残りの時間を、読書をしてすごし、規則正しく生きながら死に向かって行く。対比されるのが、生き生きと患者にむかう医療・介護スタッフの仕事の姿である。ドラマティックなことは何もなく、死に向かって少しでも前向きにあたりまえのように生きている。そして静かに終わる。

ちょっと安易なつくりの小説という気がしないでもないけれども、ベケットにとってのベケットの人生の最期の時間としてのベケットの作品を、もう書くことができないベケットにとってどのようなものであったのか、ということは、その作品そのものが、ベケットの作品を裏切っているようで、そのくらいの皮肉があってもいいと、そのことを楽しんだ。

どうでもいいけど、表紙を見たとき、早川書房ではなくみすず書房の本だと思った。(M)

劇団扉座

解体青茶婆

厚木市文化会館、21年6月26日／座・高円寺1、21年6月30日〜7月11日

★横内謙介率いる扉座は、１９８２年に「善人会議」として旗揚げし、93年に「扉座」に改称。主に横内のオリジナル作品を上演している。この『解体青茶婆』は劇団扉座第70回公演、劇団創立40周年記念企画。

舞台セットは極めてシンプル、四方をろうそくが取り囲む。『お伽の棺２０』の時も四方をろうそくが囲む形をとっていたが、このナチュラルでほのかな明かりが、作品を彩る。物語は杉田玄白が腑分けをする話ではなく、ここでは杉田玄白（有馬自由）は齢83歳。立派な後期高齢者で、娘が足腰の弱った父の面倒を見ているという、現代にも通じる介護状態。そんなある晩のこと、屋敷で玄白は青茶婆（中原三千代）に出会う。お腹から腸とか出てくる、暴れる、自身の姿を晒す奇行を行う。その姿は、娘の蘭（砂田桃子）には見えていない様子、つまり、自分にしか見えていない、怖すぎる出だしだが、そこはエンタメ、中原三千代の挙動が可笑しく、笑いを誘う。

ドラスティックな展開はないが、少しずつ、様々なことが見えてくる。メインの物語は青茶婆と腑分け、解体新書にまつわるものであるが、サイドストーリーも見逃せない。宇田川玄眞は杉田玄白の娘と結婚し、養子になったが、放蕩ゆえに離縁された人物。ただ、彼の功績は大きく、蘭学の発展に尽くしただけでなく、化学、科学、自然哲学などの分野で日本の礎を築いていくことになり蘭学中期の大立者と言われている。ストーリーは史実をベースに創作、実際に青茶婆の腑分けをしたのは腑分けの技術に長けた虎松（犬飼淳治）ではなく、彼の祖父と言われている。本来は彼が行う予定であったが、当日急病でできなくなったと言われているが、そのわけは…。

心に刺さるセリフも多く、皆、己の信じる道、使命、意志、考えがある。「真実を追求することに身分は関係ない」「人間は皆、同じ」…、杉田玄白は「技術に遅れは許されぬ」と言う。玄白らがオランダ語医学書『ターヘルアナトミア』を入手し、その本と照らし合わせながら腑分けを行い、その本の図版の精密さに驚愕し、翻訳を試みた時代。彼らが、医学の進歩に寄与したことは歴史が語っている。その使命感、功績だけでなく、彼らの心模様、心意気をぐっとクローズアップして観客に提示する。そしてヴァイオリンの生演奏、新日本フィルハーモニー交響楽団の吉村知子とビルマン聡平の、繊細で、時にはドラマチックに、時には控えめな響きが心地よい。繰り返し上演して欲しい作品。(高)

金田一蓮十郎

ラララ10巻

スクエア・エニックス

★「ラララ」については、前回の特集で書いたのだけれど、完結したのであらためて。

当初は、裸族の美人医者というヒロインが仕事も恋人も失った男性と離婚前提の偽装結婚をするところから始まった。裸族であるということは、自分自身であるというヒロインの象徴的な行動であった。

では、どのように完結したのかといえば、新たな家族の物語としての結末を迎えたということになる。中学生どころか生まれたばかりの女児までも家族として迎え、主人公の桐島君はこのことをきっかけに保育士を目指すという。血がつながっていなくても家族。落合恵子の

「偶然の家族」が30年たって東京新聞で復刊されたけれど、そこではアパートの住人がみんな家族になった。ということで言えば、金田一がアニメ化された「ジャングルはいつもハレのちグゥ」を書き始めたのも25年前。金田一の家族観は変わっていないし、マンガの中では家族観はすっかり更新されているのに、小説では落合の「偶然の家族」が復刊される。

　さらに言えば、青弓社の「テレビは見ない」というけれど」で指摘される、ドラマで提示される新たな家族観としてのシスターフッドって、「スライム倒して300年、知らないうちにレベルMAXになってました」における女性だけの家族と一致するなあ、と思ってしまう。たぶん、ドラマ以上に、アニメということで言えば、家族観なんてすっかり昔に更新されていたんじゃないか、と。

　「ラララ」において、桐島君が保育士という職業を選ぶということは、家族におけるケアということを外部化させていくということでもある。ということでいうと、金田一にとっての家族というのは、そもそも血のつながりなんかじゃなくって、ケアしあう関係ということにもなってくる。そしてその関係においては、描かれる男性は両性具有的に描かれる、というのは、「ラララ」の前作にあたる、ストレートなのに女装して生きることを選んだ「ニコイチ」と重なってくる、ということで、この話は小川公代の「ケアの倫理とエンパワーメント」につながっていく。というか、「ジョジョリオン」も結局は家族の話だったな。(M)

GoldFishTheatre
GFT版 贋作・桜の森の満開の下

大阪市立芸術創造館、21年8月7日〜9日

★坂口安吾の代表作とされる2本の短編小説を、日本を代表する劇作家・演出家である野田秀樹が大胆にアレンジした『贋作・桜の森の満開の下』。

　1989年の初演から日本全国で上演を重ね、名作とされるその戯曲を、「演劇界の芥川賞」と称される岸田國士戯曲賞の最終候補に二度選出され、いま大阪で最も注目される演出家であるサリngROCKが更に大幅に脚色を加え、関西の若手俳優たちとともに創作した舞台作品が上演された。

　物語は、野田秀樹の戯曲『贋作・桜の森の満開の下』とサリngROCKの手によって追加された『現代日本』の世界が交差することで進行してゆく。野田の戯曲は坂口安吾の同名小説に加え『夜長姫と耳男』を元に構成されており、仏師・耳男を主人公とし、人間と鬼が共に生きる時代で翻弄される若者の姿が描かれている。ヒダの国王より夜長姫と早寝姫のために三人の仏師で競い合って弥勒像を彫るように命じられ、耳男は悩みながら作品に取りかかる。一方、現代日本は大学の漫研部室が舞台となる。友人たちが就職活動を進める中、漫画家を目指すと言いつつも行動に移せず悩む大学生・コースケは、戯曲『贋作・桜の森の満開の下』を読み始める。

　「好きなものは、呪うか殺すか争うかしなければならないのよ」

　夜長姫のこの言葉に翻弄されながらも作品に取り組む耳男の生き様を、戯曲の外の現実世界から眺めながら、コースケもまた自分の生き方を探しはじめる。

　本作は、戯曲の読者であるコースケ(=観客)が戯曲から受けた影響を、「実際の観客」が観客席から眺めるという二重構造になっている。原作である野田秀樹の戯曲は、坂口安吾の2つの物語を見事に消化した幻想的な世界が描かれているが、それゆえに現代の若者目線では自分の身に照らし合わせてテーマを実感しづらい。当日の客席を見るに、本作の主たる観客層は、出演する20〜30代の俳優と同世代の若者や演劇鑑賞慣れしていない方も多かった印象だ。そのためこの二重構造は、観客自身が「自分にも起こり得る等身大の出来事」として作品テーマに近づきやすくするため、観客層を考慮した演出上の仕掛けであると考えられる。これこそ「現代を生きる若者の感じる不安や憤り」を描くことに定評のある演出家：サリngROCKの真骨頂である。

　実はこの作品、関西で活動する若手の俳優たち総勢約90名が結集し、昨年3月に上演を予定していたものの開幕前日にコロナ禍の影響によって中止になったという曰く付きの作品でもある。リベンジを果たすべく再結集した今年も、直前に大阪に緊急事態宣言が発出され、再び状況が厳しくなる中で数々の対策を実施し、なんとか上演にこぎつけたそうだ。

　様々な苦難をくぐり抜け、上演を果たすことができた若手のアーティストたちには、この経験や思いを胸にぜひ今後の関西の舞台芸術を支えていってもらいたい。(水)

まじんプロジェクト
伝説の男

中野ザ・ポケット、21年9月15日〜19日

★舞台はホームレスが住むエリアのような、場末のアパートがあるような、そんな

感じで設定されている。

　冒頭の場面は、作家を目指す中年男性と、水商売で彼を支えている女性。新人賞に応募するが、いつも落選、それでも夢をあきらめない男性と、彼に執筆に集中してもらうために働きづめの女性。

　そこから一転して、現代のパート。ホームレスが集まって暮らす中に、かつて作家を夢見た高齢の男性がいる。若いホームレスたちを中心に、明るく暮らしている。テンポのよい喜劇がここから始まる。土下座の極意から、いかに自分をみじめにみせるか、その努力まで。指名の入らない風俗嬢、彼女を雇っているお店のおばさん、など。そこに虐待から逃げてきた子どもと自殺未遂の女性も加わる。生きる力ということが表現される一方、作家を夢見た男性はまだ身体は動くものの、実際には末期がん。30年前に彼と別れた女性は、静岡でお金持ちと結婚して幸せに暮らしているらしいが、もし本が出ることがあったら、贈ることを約束している。

　作家志望の男性が死ぬ前に、みんなでお金を出しあって、彼の本をつくろうとする。そして、本は完成し、45年間見てきた夢はかなうこともあるんだ、ということを知る。でも、30年前に分かれた女性は、実はそのときには白血病を患っており、別れたあとにすぐに亡くなっていたことを知る。それでも人生に悔いはないと思い、男は死んでいく。もし彼の本がこの先、売れるようになり、高く評価されるのだとしたら、彼は伝説の男になる。

　というストーリーなのだけど、全体がテンポのいい喜劇としてまとめられているし、ホームレスの中心にいるわかい男性役が、切れのいい動きで舞台をひっぱっている。見ていて楽しめる舞台ではある。

　また、45年間、誰も認めてくれなくても、そのことにこだわって生きていく人生というのは、それはそれで豊かだと思うし、納得する生き方なんだろうと思う。

　とはいえ、劇全体としてみたときに、ホームレスであることがもうひとつリアリティを持っていなくて、昭和時代の貧しくても肩を寄せ合って生きている世界にちかい。30年前に分かれる場面は60年代か70年代の感覚で、それはそれでいいのだけど、そうすると現代パートは90年代か00年代となる。たぶん、そういうアナウンスがないと、違和感があるだろうな、とも思った。

　だから、風俗嬢と言ってしまう設定、自殺未遂の女性が身体を売ろうとしても誰も止めないという展開、何かモラルがちがうことが、それが描かれているものだとして、すんなりと入り込めない。ということも含め、何か掘り下げが足りないって思う舞台だった。90年代が舞台だとして、それを20年代に演じる意味が感じられないということ。作品が時代の中にきちんと置くことができるのかどうか、それは制作する側はつねに考えなきゃいけないし、問われていることでもある。

　例えば、最近、ニール・サイモンの「おかしな二人」を読みながら、今でも人気ある戯曲ではあるけれど、どうやって演じているのか、気になった。今の日本で演じるとしたら、BLとしか思えない話なのだから。そうしたことを突き詰めて考えて落とし込んでいくことが、時代の中に置くということなんだろうと思う。（M）

黒猫クレマ・夏の茶話会
Close theatre
トレモロ

たねtane、21年7月18日〜19日

★観客と俳優がひとつづきのテーブルに着き、close（親密な）空間で物語を上演するというClose theatre（クロースシアター）と名付けられた取組み。この企画は「隠れ家カフェでお気に入りの本を開くように芝居を楽しんでほしい」という、中村真利亜（俳優）、林敦子（コーポリアルマイムアクター）、坂本見花（物語作家）の三人の思いから始まったそうだ。毎回三人が気に入った場所を見つけて上演を決めるスタイルだそうで、今回は大阪府交野市私市《きさいち》にあるカフェで7名限定の小さな上演がされた。
　それぞれが小さなこどもを持つ母親でもある三人の「こどもと一緒に音楽や舞台にふれたい。幼児向けのものではなく、ひとりの大人としても楽しめるものを」という強い願いから、黒猫クレマの公演はちいさなこども連れでも鑑賞できるようになっている。両親の膝上や、ちょっと背伸びして大人用の椅子に腰掛けたこどもたちも見つめる中、物語はひそやかにはじまり、たった1人の女優が、ちょっとした身振り手振りや視線、指先を使った演技で、場面を表現していく。物語の主人公は小学2年生の女の子。彼女にはある願いがあり、それを叶えるためになんと魔女になりたいと思っている。

　テーブルの上で語られるちいさな心の冒険。大人である私達もこどもの頃にきっと悩んだであろう、大人にとっては小さいけれど、こどもにとっては大きな悩みが描かれる。私は4歳になる娘を連れて家族で鑑賞したが、帰宅後に娘が「さあ物語をはじめますよ」と言い出し、自分なりにアレンジしたその物語を何度も何度も語ってくれた。彼女にとって、ただ受け止めるだけでは消化しきれない体験だったのだろうと実感した。

　お話を最後まで聞いていたこどもたち。大きくなってもこの夏の体験を、覚えていてくれるのだろうか。（水）

ツボちゃんの話
佐久間文子
新潮社、21年6月

★あの夜はほんとうにびっくりした。平成三〇年の一〇月。坪内祐三が死んでいた。
　『本の雑誌』や『ユリイカ』の追悼特集はすばらしくて、とくに『ユリイカ』の小沢信男「東京の人・坪内祐三」がよかった。その文章は「私もまもなく消えますので、またお会いしましょう外骨忌で」と〆られている。その小沢氏も亡くなった。

　亡くなってから出た評論集『みんな、みんな、逝ってしまった。でも、文学は死なない』は何度も読み返した。中学高校のころから、神保町でよくその姿を見かけ、つい話しかけてしまったこともある。ファンには優しいひとだった。

　妻である「文ちゃん」のことは、『酒中日記』などにでてきたときしか、知らない。そのひとが書く坪内祐三の姿を読んで、とてもハラハラした。結末はわかっているのだけれど、「この一、二年は体調もあまりよくなく、家で過ごす時間が長くなっていた」、「けれどもその日は、いつもとようすが違っていた」と、暗示させるような文章に、胸をつまらせながら読んだ。

　「死にかけた日」や「怒るひと」、「ロマンティックなエゴイスト」など、坪内祐三らしい危うさをえがいた章もある。種村季弘、『東京人』時代の上司である粕谷一希との交流なども面白かったが、『週刊朝日』編集部時代の著者に、坪内氏があれこれ企画提案してるのも楽しそうだった。「常盤新平さんに『ニューヨーカー』の戦争報道の歴史を書いてもらえばいい」とか、元電通マンの『靖国』新宮司インタビュー」とか。

　坪内氏が死んでから出た、『本の雑誌の坪内祐三』も『最後の人生天語』も、とても面白かった。けれど、東京堂でよくひらかれたトークショーにはもう行けないし、このコロナ禍で禁酒令のさなか、坪内氏が生きていたらあの『酒中日記』がどうなっていたのか、読めないことがとてもかなしい。（日）

キャラクター
永井聡監督

★演　菅田将暉、SEKAI NO OWARI のFukase が映画初出演の話題作、だと思って観に行くとメンタルをやられるか、蠱惑されて帰ってくるかの2択。作中漫画の一部を古屋兎丸が手掛けているからというわけではないが、ガロなんかに載っていたような芸術性・作家性の高い漫画の系譜を感じる薄暗さと耽美っぽさが絶妙。観ているだけで呻き声が出てきそうな描写が続く場面も少なくないが、反面描かれているのは至極パーソナルな、アイデンティティを巡るふたりの人間の闘争だ。かたや描きたい漫画と描ける絵のギャップ＝アイデンティティの乖離に苦しみ続ける売れない漫画家、かたやそもそもが〝アイデンティティを持たない〟、ただただ美しいだけの猟奇的な殺人鬼。ふたりの間に芽生えるヒリヒリするような関係性は、最近謎に流行り始めたBLドラマのそれなんかよりもずっとスリリングでエロい。
　11月に円盤が発売、配信も開始するのだが、個人的にはクライマックスだけでも観てほしい。己の手によって産み落としてしまった美しいバケモノの命に、ピリオドを打つ瞬間の快楽とはいかほどのものか。ともあれ菅田や小栗旬などの名優を押しのけてFukase の存在感が凄い。自分自身の〝創造主〟によって息の根を止められる瞬間の彼の無垢な少年のような笑顔は、数奇な運命に翻弄される無力な〝キャラクター〟か、はたまた得体の知れない殺戮の天使のそれか。（イ）

社史・本の雑誌
本の雑誌社、21年6月

★もちろん別々に読んでいた。目黒考二の『本の雑誌風雲録』と、椎名誠の『本の雑誌血風録』。でも合本になると、圧力がすごい。風圧もすごいし、血圧もすごい。この機会に読み返すと、やっぱり面白かったのだけれど。
　いっしょについてきた『付録』が豪華である。これまで四十五年四五〇冊ぶんの、全表紙がカラーで観れる。伝説の『和田誠装丁劇場』も収録されている。そして、なんといっても、目黒考二・椎名誠・木村晋介・沢野ひとしの四人にくわえて、『本の雑誌』の現・編集兼発行人の浜本茂、炎の営業・杉江さんたちのエッセイも読める。

あの二〇〇八年の「本の雑誌経営危機」、すごくとつぜんだったイメージがあるのだけれど。そのことについても言及がある。きっかけは、本の雑誌の在庫を管理していた、倉庫会社の倒産。

そんなことで経営危機になるのか、と思ったら、なってたからビックリだ。それを乗り越えて今日があるわけですが。このコロナ禍で、本屋さんも休業したりして、あの雑誌もこの雑誌も危機だという話を聞いた。コロナでだれがいつ死ぬかわからない世の中だからこそ、いまもあるものをありがたく感じる。（日）

高田有輝監督

茶居古風主奇以の城

江原朋子は映画作品を発表しDVDを作成した。「茶居古風主奇以の城」の中で江原は構成・演出・振付を手掛けてる。ポストモダンダンスの代表作家の一人である江原は、舞踊劇もまた得意としている。そんな彼女の作品が映画になった。

江原は川越の蔵を利用したスタジオで活動を重ねている。和の情緒とポストモダンの接点を重視した物語は先祖にダンサーがいたーお爺さんと娘たちという寓話からはじまるオリジナルストーリーだ。茶居古風主奇以（チャイコフスキーへの当て字）の城とあるように文字通り音楽の城といっても良いような映画だ。この作曲家による交響曲第6番「悲愴」やバレエ音楽の「白鳥の湖」、「くるみ割り人形」といった名曲が構成され次々に流れていく。ピアノ演奏の音源もレコードによるそれもいずれも叙情的である。2020年代の新世代による音楽・舞踊映画といっても過言ではない。舞台映像や記録映像ではなく、記録をかねたドラマ映画になっている。この音楽家の創造の始原に導いていくのは幻想譚だ。

音とダンサーたちの動き、音に合わせて展開される各場面の展開が映像世界を組み立てていく。踊る身体の音楽性を上手にとらえながら編集されている。場面を彩るのは高田静流や鶴田聖奈葉、栂川真理子、畑中里子、渡部早紀といった江原と活動を重ねるメンバーのみならず、バレエシャンブルウェストのバレエダンサーの藤島光太も客演する。

新しい時代の映像作家によるダンス映像は映像史にも2020年代のダンスの姿を記録することになった。同時にダンスにとっても江原と彼女と共に活動を重ねる面々の姿を記録した大事な映画ともいえる。映像はニジンスキーに代表されるように本当にちょっとしたものでも、たとえ一般人を振付けたものでも、そのダンス・アーティストの世界を伝えてくれる。

一世を風靡したフランスのヌーヴェルバーグは演劇に接することで映像表現を豊かにしたという見解がある。今日では映像はメディア芸術となり映画よりさらに幅が広がったジャンルとなったが、演劇・ダンスとの接点を経ることで新しい映像表現がさらに出てきて欲しいものだ。（吉）

藤山鈴加

「Contemplation」展

SAN-AI GALLERY+contemporary art 21年7月11日〜17日

★藤山鈴加の最初の展覧会が21年の夏に行われた。「Contemplation」とは瞑想などを意味するタイトルだ。馬喰横山駅から近い現代的なギャラリーに入ると、そこには竹林（「The bamboo forests」）や郷土の風景（「House of the village」）、青や黄の草花（「Ixia」）といった心安らぐ作品が展示されている。日本画の技法を用いながら、古典と現代の相互を楽しむことができる。

作品たちの中からはいくらかの傾向を見い出すことができ、中でも印象的だったことは色を楽しむことができることだ。赤いアンスリウムの花が隙間なく広がる作品（「Anthuriums」）がある。、その一方で夏ならではの南国風の赤いハイビスカスの花（「A cloud of Hibiscus」）は白黒の墨絵になっている。ここに予期せぬ視覚効果の面白さを見い出すことができた。

現代表現ではサボテンが受けられた鉢（「Maison Cactus」）や海中のクラゲ（「Blue damsel」）が登場する。これらは昨今の日本のアートシーンのトレンドと通底するとはいえる。

現代的な作品たちの傍らに大自然や原風景のような画があることで、一人の才能のユニバースがギャラリーいっぱいに込められることになった。若き日に日本画を学んだこの才能が拓いていくアートが楽しみだ。（南）

Dohriki

動力の舞踏

かつての舞踏の飯田晃一はDohriki と改名し新境地で活動を展開している。

彼はポストモダンダンスの江原朋子に出演をオファーされ、その作品をみた雑賀淑子にみいだされ、雑賀の公演に参加するようになった。練習や振付はほとんど受けているのではなく、公演とサイガバレエ研究所を介して、雑賀の舞踊の一端に触れている。

会場は戦後に創作バレエなどで知られた雑賀のスタジオであるDohriki は常に踊る場所からのインスピレーションを重視している。東京理科大の裏手にある神楽坂のスタジオは日当たりも良い。公演全体を通じてピアノの大久保みどりによる演奏が非常に良い。大久保はヤマハの教材に多くの作曲を提供している才能だ。

冒頭、跳躍を通じ重力と拮抗する肉体が描かれる。男は飛び散るエネルギーを象徴するような色彩が勢いよく飛び散っている模様の服をみにつけている。やがて演奏するピアニストに絡む。元藤燁子とかつて舞踏の土方巽のスタジオだったアスベスト館で学び活動したこのダンサーのワイルドな肉体表現が空間に広がる。

やがてDohriki は頭の毛を剃ってしまう。そして服を脱ぎ、虎刈りのままふんどし姿になる。小銭を結び付けた赤い紐を体にまきつける。この紐を揺らしながら蠢く。舞踏やコンテンポラリーダンスといった既存の枠組みの中に納まることなく、まだ形にならない踊りを模索している。Dohriki はインドを旅したときに踊ることに目覚めたという。バレエや舞踏といった芸術舞踊の地平から民俗芸能も含む芸能の始原ともいうべき地平にじっくりと挑んでいく。そんな姿勢が伝わってくる。そしてラストは紐を払い取ると、男は自らの原風景の中で勢いよく動く。カテゴリーのつかない新しい身体表現を模索する姿勢が鮮烈だ。

そんなDohriki の事を雑賀は優れた才能だと語る。彼は長くサイパン島など世界中の戦跡で踊るという活動も重ねてきた。場所から生まれてくるインスピレーションを重視しながらサイト・スペシフィックなパフォーマンス・プロジェクトもロングランで継続している。様式化した大野・土方の舞踏が閉塞しているが、Dohriki の時空の根源に潜りながら新しい芸能を探求する姿勢には可能性を感じる。跳躍を通じ重力と拮抗する肉体がやがて始原に深く潜り新たな地平を切り開こうとする、そんな公演だった。雄大な時空からのインスピレーションに基づく、舞踏でもコンテンポラリーでもない、新たな芸能、身体表現の目がここに芽生えつつある。（4月25日、サイガバレエ研究所）（吉）

Kバレエ
ドン・キホーテ

★チャーミングで演技力豊かなキトリ（小林奈美）とバジル（堀内修平）の鮮やかな踊りが喝采を浴びた。熊川版の本作は演出や音楽でも様々な工夫が凝らされているが、第二幕のドン・キホーテの心理描写が1つの特色とされる。娯楽性と踊りの面白さを盛り込んだ振付・演出・舞台美術・衣裳デザインのいずれにおいても主張がある版だ。メルセデス（渡辺玖莉夢）の表現力とエスパーダ（栗山廉）のフレッシュな踊りにも注目したい。（5月20日マチネ Bunkamura オーチャードホール）（吉）

追悼ライムント・ホーゲ

★ライムント・ホーゲ（1949-2021）が5月に他界した。ホーゲはピナ・バウシュの台本（代表作を含む）を書いたり、バウシュに関する邦訳をされた書籍『ピナ・バウシュ タンツテアターとともに』などを発表するうちに、自分もダンサーになり作品を上演するようになった。映画の仕事をすることもあった。評論活動や台本執筆を重ねていくうちに、自ら踊るようになった池宮信夫に近いような才能だ。ホーゲの作品は賛否両論を引き起こしたことも思い出深い。厳しいものでは黒沢美香が作品途中で席を立って帰ってしまったりするようなことがあったが、その一方で素直に踊ることに賞賛の声も上がった。ワークショップでは脇川海里が活躍し、一頃関係者の注目浴びたカンパニーのイマージュ・オペラへつながっていく足掛かりとなった。私にとっても批評活動をはじめたばかりのこの頃に横浜で交流した。当時、まだ踊りを学んでいて黒澤美香&ダンサーズにいたダンサーと一緒に作品をつくり上演したがあった。その最中にホーゲと交流をした。やがて今日につながっていことになった思い出深い人物である。（吉）

侘しい星　寂しい星

渋谷spaceEDGE、21年7月21日〜24日

★中年の歩みシリーズの3作目。3年計画で演じてきたという。本作品は、離れて暮らす母親と娘の物語。2つのユニットによる公演で、ぼくが見たのは女性二人による公演。もうひとつのユニットは男性二人が母娘を演じているらしい。

中年なのは娘の方。舞台には左右に

ベッドが置いてあり、二人ともそこに寝そべっている。娘がまず起きだし、誰も聴いていない放送をはじめる。インターネットで少数の人に向けて放送する人たちは実際にいるが、娘はそもそもリスナーがいないのに放送しているということだ。引きこもりになった中年という設定である。放送している場所は、ラジオでは遠い惑星という設定。もちろんアパートの一室なのだけれども。地球の寂しい人々に語りかける。

放送にあたって取りだすのは、母親から送られてきた段ボールの箱の中にあったライト。送ってくれるなら、缶詰とか食糧なんじゃないか、と文句もいう。でもまあ、ライトは小道具としてこのあとも使われるのだが。

この芝居で驚くのは、役者がぼそぼそと話すこと。それはまあ、そういう雰囲気ではあるが、舞台でやってしまうというのは、声が伝わらないリスクもあるのに、とも思うけれども、実際には狭い場所なので、伝わっている。それは、けっこう勇気ある演出だと思った。

娘は仕事がなく、あまり希望が持てる生活をしていないけれども、母親も一人暮らしで、老後にさしかかっていて、それはあまりかわらない。

救いがないような話だろうか。でも、過去はそうじゃなかった。魔法少女を夢見た時代もあった。でも、今は侘しい独身の中年女性。希望はないかもしれないけれども、生きていかなきゃいけない。胸が詰まるような閉塞感なのに共感もするし安心もする。そんな芝居だった。（M）

野田彩子 画業10周年&『ダブル』第4巻 発売記念展

ヴァニラ画廊、21年7月13日～25日

★人間を含むすべての生物は言わずもがな質量を持つ立体的な生身の肉体であるはずだが、一方で〝視覚〟ただひとつの感覚に頼るとするならば、我々の姿かたちですら〝線〟と〝色〟によって表現しうる平面の存在でしかない。

今年画業10周年を迎えた漫画家・野田彩子の原画展。現在連載中の演劇漫画『ダブル』の原画を中心に、過去の作品や別名義のBL作品も含め網羅した内容となっていて、かなり密度の濃い展示だった。キャンバスの上に単なる〝線〟で構築されているはずのそれらは、しかし見れば見る程に〝人間〟そのものとして立ち現れてくる。

デジタル彩色で着彩されているものが多いが、カラー絵は油絵や水彩画のような厚みや透明感、儚さすら感じられる。それどころか、皮膚の下に流れる血潮や陽光を弾く皮脂、じわりと滲み出す熱や汗、骨格や筋肉、脂肪など、〝何処かに居そう〟どころか〝そこに居る〟と思わされる程に重く、厚い質量を孕んでいる。

作者はもともと、キャラクターを〝キャラ〟として描かない、何気ない生活感のリアルさを描くのが上手な作家だと感じていたが、それは何も〝漫画家〟としての展開や描写の上手さだけによるものではないことがよくわかる。触れてしまえば〝線〟と〝色〟によって描き出された平面の構造物でしかないことがわかるはずの絵達は、しかし観る者の網膜の内側に取り込まれることで、我々と同じ、切れば血が出る生身の肉体としての実体を持つ。（イ）

バレエシャンブルウェスト ジゼル 全幕

★コロナ禍の最中だが全幕バレエの上演は続いていて嬉しい。八王子から中部日本にかけて活動を展開するバレエ・シャンブルウェストによる「ジゼル」は詩人ゴーチェの原作の世界を見事に伝えるものだった。配役が妙を得ていてジゼルを柴田実樹、アルブレヒトを芳賀望、ヒラリオンを正木亮とそれぞれのキャラクターを見事に活かしている。1幕の正気を失ったジゼルが命絶える場面の演技が見事だ。2幕では石原朱莉によるミルタと土田明日香らによるウィリがバレエ・ブランを描きだした。

現代舞踊の平田友子によるコンテンポラリーバレエ「In The Light」も上演された。男女のデュオと線状の群舞がシューマンのピアノ協奏曲イ長調 Op.54 と共に情景を彩る。吉本真由美らが音楽を鮮やかに視覚化してみせた。（5月22日マチネ、オリンパスホール八王子）（吉）

コメディオンザボード イカイノ物語ファイナル

シアターX、21年7月6日～11日

★猪飼野とは、現在の大阪の鶴橋あたり、今はもうない地名だ。コリアン・タウンがあることで知られている。また、済州島から来た人が多いらしい。済州島は今ではリゾート地、エネルギー業界的には、再エネ100%を目指している、ということになるけれど、1948年には同じ民族で殺しあう虐殺事件が起きている。猪飼野には、済州島から逃げてきた人たちが住んでいる。

猪飼野の人たちは、日本社会でどうに

か暮らしている。女性たちは昼も夜も働いて暮らしを支えている。日本とも、韓国・朝鮮とも微妙な距離感を持って生きている。

このホームドラマは、1984年、光山金家の法事のシーンからはじまる。一家を支えてきた母親は、早くに夫を亡くし、三人の子どもを育て上げた。地元にいる次男・勝治と東京に出て舞台に立つ長男・正雄はいつも喧嘩している。それを末っ子の長女・町子が見守る。それぞれにはすでに子どももいる。母親は反映する子どもたちを長椅子の上で見守る。そうした中、遠い親戚も、法事に訪れる。親戚以外にも、バーのマスター、この舞台の登場人物の中で唯一の日本人もまた、法事に訪れる。

半島から切り離されても、日本で肩を寄せ合って生きる人々の、祖先と子孫が交差する法事の場面から始まる喜劇は、とくに何か大きなドラマがあるわけではない。ただ、法事のやり方そのものこそ違うけれども、そのために親戚が集まる姿からは、半島と日本列島は遠いわけではないということも感じる。

舞台は何日かの場面とそれをつなぐ兄弟の電話のやりとり、バーでの場面がある。子どもの結婚があり、町子の死がある。娘に死なれた母のシーンは、アクセントとして示される。それでも人々は日本社会の中で生きていく。日本社会に完全に溶け込むわけではなく、むしろバーのマスターは猪飼野の社会に溶け込み、ラスト近くで太鼓を持ち出し、韓国・朝鮮の歌を歌い始めるのもこのマスターである。それに合わせ、みんなが踊り出し、舞台はラストに向かう。

そこに人がいて、歴史があり、生きているということそのものを感じる、ある意味では、それだけの話だ。でもその歴史は軽いものではない死、生きていくことは重いものでもある。

母親を演じた矢野陽子がすばらしかった。舞台上の長椅子の真ん中でちょこんと座り。中年にまでそだった子どもたちを見守る姿は、すべてを成し遂げた母親でもある。ただ座るだけで、それを表現してしまう姿というのは、重さを感じる。そして、終盤の踊るシーンも、年齢を感じさせる表現力を持つものだった。

演出の永井が、長男の役で舞台に上がっている。マルセ太郎の印象はというと、もっと泥臭いボードビリアンなのだけれど、ここではインテリ感を漂わせる芸人として演じていた。無理にマルセ太郎の感じを最初から出さず、永井なりにインテリ芸人らしさで登場するというのは、その方がらしい舞台で良かったと思う。

マルセ太郎の舞台は2回ほど見たことがある。今はもうない渋谷のジャンジャンで。スクリーンのない映画館の「ライムライト」と、トーク中心の舞台のそれぞれ。猿の歩き方の解説が記憶に残っている。スクリーンがなくても、観終わった後の感動がきちんと伝わる話芸というのもすごいものだ。

マルセ太郎が劇団を旗揚げし、喜劇を上演するようになったのは晩年のこと。「イカイノ物語」を見ていると、ボードビリアンではないマルセ太郎が浮かび上がってくる。（M）

静かな息

勅使川原三郎

★勅使川原三郎が時折ピアノの伴奏が流れるだけで、無音で長時間踊り続ける。際立った演出といえば、冒頭の戦闘場面のような音と、全て自らの手でデザインしている照明だけである。時折、暗転し、闇の中で踊り手が全く見えないまま息遣いだけが伝わってくるという場面も登場する。呼吸とテクニックのつながりがうっすらと垣間見え、男がただただ動く姿とが情景を立ち上げ稀代の芸術家の年輪を紐解いていく。情景には日常的な表情や意識／無意識の境界線も登場する。

〝三郎〟とは彼が若かりし日に木下サーカスでピエロをやっていた時代の芸名というがキャラクターの中に潜んだコミックな横顔や、ブルーノ・シュルツなどのテキストと共にみせる幻想的な象徴表現が、変化を重ねていく情景の中から立ち上がってくる。シンプルだが長時間展開する振付世界の背景には80年代から疾駆を重ねてきた孤高の才能の積み重ねをみてとることができる。

コロナ禍の最中、＜呼吸＞は日々の切実な問題ともいえるが、舞台表現者にとって重要な発想の源に立ち返りながら、円熟の境地を示す秀作を送りだした。文句なしに今年のソロダンスの中で最高峰の1つといえる。舞踊ファンやダンサー・関係者のみならず、幅の広い年代の人々に見て欲しい作品だ。（5月21日、KARAS APPARATUS）（吉）

菊地びよ
たゆらふ　余白の鼓動　その交々

六本木ストライプスペース、21年8月5日～6日

★タイトルの『たゆらふ』は、「ゆらふ（揺らう）」、ひとつところにとどまる。進行することをとどめるという意味のある言葉と「たゆたう（揺蕩う）」、ゆらゆらと揺れ動いて定まらないという意味のある言葉とを掛け合わせた出来た菊地びよの造語。ある意味、コロナ禍の社会全体の分断による停滞感や焦燥感をあらわした言葉である。びよのタイトルに秘めた思いは、個と全体、個人と社会との軋轢などが秘められている事が伺える。

今回のパフォーマンスは、びよの抜群の集中力や繊細さを秘めた、強くしなやかな身体を鮮烈に感じさせるものだった。また和紙を舞台美術として効果的に用いたものでもあった。和紙が空間全体を満たし、その和紙との交感といった自然な波動の流れも印象深い。冒頭の和紙に包まった身体から、抜け出る、謂わば、蛹から蝶への成長の過程の一連の流れを示すパフォーマンスは、自然で美しかった。ストライプスペースの地下ギャラリーの上方部の採光の窓から差し込む光やノイズがリアルに反映され、同時に生起する様も精彩がある。繭から出ると、和紙が天井から降りてきて、観客の視界を遮るが、コロナ禍の日常である、パーテーション越しにみる光景との既視感を彷彿とさせるものでもある。最後は屋台崩し的に、びよが実際にギャラリーを飛び出して、路上に出る様をライブ映像で壁に映写させるのだが、パフォーマンスをギャラリー内や劇場内での閉じた、ある種の虚構的産物として考えるものではなく、コロナ禍での劇場文化の在り方を積極的に観客に問う、寧ろ、びよの真骨頂のそれでもあったといえる。そうした路上への視点の延長上に、そのまま体話舎やナイトスキップといった彼女の舞踊家としての社会的な実践があるのだから。美学的にも優れ、社会的にも作品に触れるものすべてに開かれた公演であった。（並）

カロリーナ・セカ
無形〝Intangible〟

★ビジュアル・アーティストのカロリーナ・セカの新作映像がスペイン大使館で公開された。白い光あふれる空間の中で、舞踏ダンサーの身体表現を軸に人間の日常を蜜蜂の寓話に喩えた劇が展開していく。舞踏を披露するのはこの美術家にインスピレーションを与えた大駱駝艦の舞踏家・塩谷智司だ。舞踊や演劇の作品ではなく、視覚芸術の表現として舞踏を素材に用いている。仮面をかぶった人物や蜜蜂の生活を思い起こさせる六角形の格子状の舞台美術が展開する。色調はスペイン美術だが、禅や東洋美術に通じる空間演出を駆使している。

セカは顔の表情を美術にすることがある。この映像作品でもダンサーの表情がない仮面が登場したかと思うと、今度は画面がドローイングの顔でいっぱいになるなど、変化がある。表情は俳優やダンサーの表情術などステージ・アートの基本的な要素の1つだが、舞踏家の表現を視覚表現と併用することで、トータルな立体表現を編み出した。

作家は震災後の日本の中でスペイン人アーティストは〝希望〟をもって生きることを考えたという。生きることは、死んで灰になっても循環論で再び花や蜜蜂など自然界を担っていくことでもある、と考えている。スペインで育んだ世界観を背景に震災後の日本の諸相を捉えているが、それはまたこの蜜蜂の物語にも反映されている。色調や照明効果には彼女が生まれたスペインの風土からの影響も見い出すことができる。

セカが舞踏に関心を持ったのは塩谷の「父壁」（2015）という作品を見たことによる。この作品には彼女の作風に通じる様な舞踏家の顔の表情を用いた視覚表現が多用されていた。塩谷にとっても大きな飛躍の契機となったが、同時に本作にみられるように日本とスペインの視覚芸術の交流の発端となった。日本とスペインの交流は中世から長く、オペラ歌手やフラメンコなど舞台芸術も盛んだ。視覚芸術と舞台芸術の接点からの交流がここにある。（6月8日、スペイン大使館）（吉）

牧阿佐美バレヱ団
リーズの結婚
～ラ・フィーユ・マル・ガルデ～

★牧阿佐美バレヱのアシュトン版「リーズの結婚」は好評である。期待をされている阿部裕恵の主役デビューをみることができた。

定評がある清瀧千晴と阿部は背丈も合い、コンビネーションも抜群といえる。チャーミングな彼女のキャラクターを巧みに活かしながらしっかりとリーズを描いた。飛躍を重ねながら大きく実って欲しい才能だ。ベテランの清瀧は巧みな表現力とテクニックで盛り上げた。

2019年は中川郁・菊地研でこの演

目をみている。2年ぶりに名作をみたが変わらない感動を味わうことができた。2015年にも同じ中川・菊地でみたが、この時は中川の主役デビューだった。震災後の時代の変動の最中で、コミックなこの作品に感動する声が強かったことを覚えている。今回はコロナ禍の最中に我々はいる。(6月27日マチネ、新国立劇場中劇場)(吉)

ゆかりバレエ公演2021

★名古屋の神原ゆかりのゆかりバレエ公演が行われた。神原が学んだ望月則彦のドラマティックバレエ「マルグリットの告白」と佐多達枝ならではのフィジカルな動きを楽しめる「バレエ組曲」をそれぞれ久しぶりにみることができた。共に神原の創作に影響を与えている。

二作の間にあるような現代作品が依田久美子「dateless costoms」だ。松本大樹と神原・依田によるタンゴの響きをいかした心理バレエだが、ムーヴメントが多く感情表現が時折混じる。より新しい時代の感覚を目指している。子どもたちの表情とマリンバの音色のやりとりが盛り上げる「遊びの流儀」も見所だ。人気の齊藤耀と牧村直紀による「ジゼル」第二幕よりグラン・パ・ド・ドゥは喝采を浴びた。層を重ねながら、新しい時代のバレエが芽生えつつある。(名古屋市総合芸術センター)(吉)

凸凹な多面体：星埜恵子の仕事1970-2021

★半世紀にわたり衣裳・演出・舞台美術を手掛けてきた星埜恵子の足取りを記念し紹介する展覧会が行われた。この展覧会では活動を重ねてきた仲間とのパフォーマンスも楽しめる。

三浦一壮と吉本大輔のパフォーマンスでは女装をした二人が無心に踊り、その風狂ともいえる姿に客席は沸いた。ドラマ映画の「その男ゾルバ」(1964)の音楽を用いている。曾我蕭白の作品にでてきそうな異形の熟年芸能者たちだ。舞踏は彼らの若き日の産物だ。その理念は三浦の提唱する「劫のアート」へ発展してきている。三浦は旧態依然の〝お古い〟舞踏ではない。近未来の芸術表現を開拓し続けている。

うすいゆうこの即興ワークも紹介された。コロナの最中に踊りをみると癒される。

1970年代からの資料は、作家ごとに資料をまとめて置くというアーカイヴ的な展示を通じてみることができる。加えて星埜が師事した吉田謙吉と交流した池田龍雄とのつながりも示されている。池田に関しては追悼の意を込めた内容となった。

星埜の仕事を集成し未来へ伝えていく作業ははじまったばかりだ。この莫大な内容を書籍にまとめて欲しいところだ。最初の起爆剤ともいうべき展覧会に人々は集まった。(7月10日、六本木ストライプハウス)(吉)

天路

リービ英雄

講談社

★台湾で育ったことのある、米国籍の作家、リービ英雄は、新宿の一軒家に住み、日本語で小説を書く。台湾への思い出のその先にある中国を訪れ、そして今回の作品ではチベットに向かう。中国の友人が運転する日産のブルーバードに同乗し、高地を走っていく。

チベットは中国のようで中国でないようで、言葉は漢文(中国語)ではなく蔵文(チベット語)。でも、中国政府はチベットの中国化を進めてきた。

標高3000mという高地では、簡単に高山病にかかる。それを避けるためには、酸素ボンベを用意していく。中国化されそうでいて、その標高はやっかいな世界でもある。

なぜ、主人公がチベットを目指すのかは明示されない。ただ、その中で、主人公の過去の断片が語られる。台湾で育ち、父親と別れて母親とともに米国本土に帰国したこと、その理由となった障害を持つ弟のこと、母親の再婚相手の連れ子である血のつながらない妹のこと、来日して住んだ新宿のアパートの部屋のこと、そこで灯りに照らされるチベットの本のこと。とりわけ、もうひとつの軸となるのが、母親との関係だ。妹から連絡がある。

主人公は、チベットの寺院で、高僧に受け入れられる。キリスト教的な贖罪が、祈りという形になって主人公に与えられる。でも、繰り返し表記されるチベットの文字は、遠く日本の寺院における、例えば卒塔婆に書かれる文字ではないのか。

物語はいたってシンプルで、行って帰ってくるだけ。遙か高い場所にある世界は、容易には変わらない強さを持ち、けれども人に取っては、他の世界ともつながっているし、世界の果てですらなく、来客を迎えてくれる、けれどもそれ以上には干渉しない、そうして存在する世界だということが確認される。人は転生するし、それは生きている間に何度も自分自身として転生するものであるのかもしれな

い。そうして子どもが生まれる。(M)

春の祭典
Noism

★オリンピック開会式とデモで揺れる東京で金森穣版「春の祭典」が初演された。サナトリウムの様な空間に椅子が一列に並べられている。アルトー=カントールに通じるような20世紀現代劇的な演出だ。重々しい雰囲気のダンサーたちが現れると、抑圧からの解放を求める世界が始まり、やがて有名なこの曲が流れだす。

ニューノーマルな社会生活が叫ばれる中、格差問題や政治の動向から社会的に不安が立ち込めている。移住をしても、首都圏に残留しても、オンラインでも、対面でも、その選択の方向と意義が問われ、バレエ芸術もまたその最中にある。この時局下において抑圧と解放というモチーフに興奮した客たちは歓声を一切上げることはできない。その代わり多くの観客がスタンディングオベーションで応えていたのは、興味深い現象だ。

上演の成功は美術や空間を通じた演出による支えもあるが、民衆の心情を代理表象したような踊り手たちの熱演である。目の前の世界的イベントとデモの背景にみいだそうとしている解放を本作の向こうに見たからではないだろうか。このタイミングでみる事ができ嬉しい。決定打といえるような上演であった。(7月25日、彩の国さいたま芸術劇場 大ホール)(吉)

白鳥の湖
東京シティ・バレエ団

★東京シティ・バレエ団は石田種生版の「白鳥の湖」を上演した。初日はオデット/オディール(清水愛恵)、ジークフリード王子(キム・セジョン)、ロートバルト(石黒善大)である。

清水は主役を定評のあるキムと盛り上げ喝采を浴びた。清水も大きく伸びをみせている。石黒は3幕の演技が印象深い。

1幕のパ・ド・トロワでは土橋冬夢が活躍し2幕の三羽の白鳥(平田沙織・植田穂乃香・且股治奈)も石田のバレエ・ブランを描いた。この版は道化も重要な役割をみせるが玉浦誠がまとめてみせた。

緊急事態宣言の制約もあるのだろうが、そんな中でもオーケストラと一体になり充実した上演をみせていた。指揮は井田勝大、演奏は東京シティ・フィルハーモニック管弦楽団である。市民のためのバレエは殺伐とした時節柄か心に響くものがある。バレエ芸術も高級文化のみでない語り口が求められているのかもしれない。(7月17日、ティアラこうとう 大ホール)(吉)

新作も昔は古典だった
柳家喬太郎

鈴本演芸場、21年7月11日〜20日

★やっぱり大名作だった。『芝カマ』。古典の人情噺で、年末にはかならずかかる夫婦の大ネタ『芝浜』が、ゲイカップルの話で『芝カマ』になったという話をきいたときから、それは名作にちがいないとおもっていた。『カマ手本忠臣蔵』、『BL短命』など喬太郎師匠のお耽美作品は数あるが、『芝カマ』は初演以来、数えるほどしか演じてくれてない。それが今回の、鈴本特別興行『新作も昔は古典だった』って改作噺興行でネタ出しされていて。「古典落語も昔は新作だった」という五代目古今亭今輔の名言をもじった興行タイトルも魅力的だったが、行ってみたらやっぱりすごかった。

仕事にも行かず、のんだくれの夫を起こす妻が、受けぽい感じのする男。という設定に変えただけで、こんなにも美しく、こんなにも切ない物語になってしまうなんて。亭主のために借金をしにいく受けぽい相方は、「カマが……」と後ろ指さされながら、あちこちに頭をさげてまわったり。けれどそのうちに、「ああいう生きかたもあるんだね」って、認めてくれるひともいる。

なのに。魚屋の男が立ち直ったら、相方は「お前はもう、大丈夫だよ」と出ていってしまう。古典の芝浜のラストでは、亭主はまた酒をのもうとして、「よそう。また夢になるといけねえ」とやめる。この『芝カマ』では相方が、「俺の酒がのめねえのか」って脅して飲ませて、荷物まとめて去り際に、「さいしょからぜんぶ夢だったんだよ」とつぶやく。

私はこの『芝カマ』を、談志の『芝浜』と並び立つ名作に推したい。今回の興行では『鰍沢雫』もよかったし、『極道のつる』も『残酷なまんじゅうこわい』も聴きたかったけど、ほんとうに『芝カマ』がスサマジすぎた。(日)

コッペリア
スターダンサーズ・バレエ団

★スターダンサーズ・バレエ団によるピーター・ライト版「コッペリア」が上演された。スワニルダは塩谷綾菜、フランツは林田翔平である。コロナ禍の最中だが、冒頭から快調でラストまで通常の水準に近いしっかりとした上演である。

塩谷のしっかりとした表現、林田の切れ味のある踊りが印象深い。共に演技力を磨きながら成長を重ねていくことが楽しみだ。（6月13日、テアトロ・ジーリオ・ショウワ）（吉）

追悼・長谷川六

★山野博大がコロナ禍の2月に他界した翌月に長谷川六が3月末にひっそりと旅立った。

長谷川は高等師範（現・筑波大学）の先生で警察も指導していたという剣道家の家に生まれた。本人も剣道はたしなんだことがあるというが、芸術の道を選ぶ。女子美術大学では彫刻を学び、同級生に児童舞踊の賀来良江がいた。後輩に岡本佳津子がいたが、岡本は学校ではなくバレエを選んだ。学生時代にこの仲間たちと砂川闘争などにも接した。この学生時代の仲間たちとは後年まで個展などを行うこともあった。1957年夏に世界青少年学生友好祭に芙二三枝子、石井かほるらと共に参加しモスクワに滞在したこともあり、この時に「半島の舞姫」として知られる崔承喜と接している。

やがてある男性のジャズダンサーが〝お目当て〟で足を運んだ全日本芸術舞踊協会主催第6回新人舞踊公演（59年5月24日、第一生命ホール）で土方巽の「禁色」と出会い大きな衝撃を受ける。舞踊について書き手が少なかったこともあり、少しづつ書き始めるようになった。そして30代頭の67年に業界誌の「モダンダンス」を刊行する。当時、池宮信夫や山野博大、うらわまことらによる戦後派発の舞踊メディア「20世紀舞踊」がすでに舞踊界にニューウェーヴを起こしていたが、長谷川のこの雑誌がそれに連なり新世代の渦をつくりだしていく。この業界誌は76年に「ダンスワーク」と改称する。当時、エドウィン・デンビーの様にこの語を用いる批評家はいた。執筆や編集の傾向は、前衛を扱う業界誌であり、桜井勤や山野博大のように全体を視野にいれて活動するというわけではなかった。現場で写真撮影をすることも少なくなく、土方巽などの写真の重要なものの中には長谷川のものもある。

戦後日本のダンス・アートの立場を高め、世界へ発信できるようにするために尽力をし続けた。また活動した時代が70年代のように戦後の洋舞界の非常に良い時期だった。結果として、舞踏をはじめとする戦後派の才能の一部が欧米のアートシーンの中枢に食い込むようになってくる。日本で社会的にあまり知られていないが欧米では知られている才能たちが台頭するようになった。その基盤のような役割を結果として担うようになっていた。「ダンスワーク」の紙面には彼らを支えることになる、戦後の身体思想の影響を受けた論考が多く掲載されていた。

長谷川の功績は、編集などで活動を共にすることが多かった堀切敍子によると、それまで男性が多かった舞踊評論の中に女性の書き手の場をしっかりと確立させたということだ。また市川雅の評論集「行為と肉体」（1972）の編集でも知られ、市川とのパートナーシップは戦後のポストモダンダンスや舞踏の登場とともに黄金時代を築くことになる。彼女は自ら踊りを学ぶこともあり、芙二三枝子や笠井叡に学び、自作を発表したり作品に出演することもあった。踊るときは長谷川一五（いちご）などユニークな芸名を用いていた。加えて独学で建築士の資格を取得し、自ら設計した家に住んでいた。どの部分か明確ではないが、森下スタジオの図面を引いたのは自分だと本人は語っていた。

やがて長谷川は市川と袂を分かつことになる。市川についていった書き手の多くが彼の方向性に沿うように90年代以降のダンスブームの中で、コンテンポラリーダンス・舞踏やバレエの評論を担うことになるが、長谷川も自らの方向性で活動し、最晩年まで雑誌の刊行やダンスに関する企画を重ねた。ポストモダンダンスや舞踏の黎明期から現場で活動をしていたため、今日からみれば、市川系列の仕事のみならず、その原点の一部に存在する長谷川や仲間たちの仕事も視野に入れて考察することが重要といえる。一連の評論家たちが活動をする場をジャーナリスト・編集者としてしっかりと構築してきた。彼女が身銭を切って海外のアートやダンスの情報を収集し続けたことが、今日の洋舞界にとっても大きな糧となっている。

長谷川はダンスの学校をつくることを夢としていた。そこで実際にPASダンスの学校をつくり、運営したことも大きなことだった。これは個人的な関心というよりは市川との見解の違いでもあった。長谷川は日本のダンスを考えるうえで、教育や学校から変化をするべきだと考えていた。市川の様に90年代までの日本の公的な舞踊教育の場としての学校でのカリキュラムに飽き足らず、根源からカリキュラムを考え実行しようとしていた。同じようにこちらでも身銭をきって運営し笠井叡や、石井かほる、山崎広太などの講師をゲストに迎え、バレエ、モダンダンス、ジャズ、コンテンポラリー、オイリュトミーなど、幅広くクラスを展開した。この学校はこの国の中でも独自な存在だった。しかし舞踊教育の側からは冷たくもされていた。しかしこの私財を投じて実装した試みからは何人もの人材がでてきた。ジャーナリスト・編集者としての活動のみならず、雑草のような強さと行動力で、洋舞界で様々な試みを形にしてきたということができる。ここに冥福を祈る。(吉)

荒木飛呂彦
ジョジョリオン27巻
集英社

★「ジョジョの奇妙な冒険」の第8部となる「ジョジョリオン」の完結である。この作品のスタートは、仙台をモデルとした杜王町における大地震の後だ。そこで、海辺で発見された記憶喪失の主人公が自分の謎を解明しようとしていく。

杜王町といえば、第4部の「ダイヤモンドは砕けない」と同じ舞台。ただし、ジョジョの世界は第6部で一周回っていて、第7部の「スティール・ボール・ラン」からはパラレルワールドみたいなもの、そしてその第7部の主人公の子孫が活躍するのが「ジョジョリオン」ということになる。

「ダイヤモンドは砕けない」について、荒木は、「男はつらいよ」のようにだらだらと続く世界を描きたかったと話している。その意味では「ジョジョリオン」も謎はあるけれど、なかなか核心に近づかない、脇道にはいりまくりの展開。

ストーリーの核となっているのは、食べることで等価交換に基づいた願いをかなえるロカカカの実、そしてこの実によって一家の呪いをとこうとする家族、杜王町で人間を捕食し、ロカカカの実をねらう岩人間、主人公の東方仗助の過去。

そしてテーマとなっているのは、実は家族の愛であり、人が人を信用しようとする愛である。愛ゆえに人はゆがみもする。そうしたゆがみまでをも包括する愛とでもいえばいいのかな。その根底には、震災からの人の回復っていうものもあったんだろうな、とも思う。(M)

舞踏ニューアーカイヴ展ほか

★土方巽、大野一雄、大野慶人といった他界した舞踏のパイオニアたちのオリジナルにシミュレーション的に迫った作品たちが前半展示されている。後半では写真家・鷹野隆大による映像作品『RED & GREEN』で現代の代表作家たちの動きを楽しむことができる。赤や緑を背景に舞踏家たちが黒い影となって舞う。舞踏家たちは劇場空間でみたインパクトがはっきりみえず一般的に面白さが見えにくい。ダンス・アーティストはいろいろなメディアに足跡を残すことは重要であることも示している。

東京都現代美術館の展覧会・MOTアニュアル2021「海、リビングルーム、頭蓋骨」で展示された小杉大介のストーリーと共に心理描写が展開する映像作品では岩下徹が出演している。東京都写真美術館の展覧会・山城知佳子「リフレーミング」では砂尾理と川口隆夫が出演していた。ドラマを通じて沖縄の歴史と矛盾に迫る作品で好演をみせていた。メディアに残るダンサーたちの足跡も見逃せない。(吉)

大西茅布展
How Was Chifu Made？

★2021年岡本太郎賞を受賞した大西茅布の東京初となる個展が開催された。

大西は子どもの時からホラー映画をふんだんにみたり、かなり特殊な育ち方をしたと報道されている。グロテスクの背景にあるものを考察し表現にすることが得意とされる。そんな前評から覚悟をしてみにいったのだが、きつかったり見飽きる作風ではない。漫画やアニメーションにも通じるポピュラリティもあり楽しむことができる。

しっかりとした実力で若い女性作家で異端の作風として世にでてきており、その筋には非常に受けるといえる。しっかりとプロデュースされ路線ができていると考えても良い。油絵からでてきており、高校時代はフランシス・ベーコンも好きだったという。この後の活動を通じてこの原風景がどのように変化していくか、その方向性を見守っていくことが重要だ。会場には時代をチェックするためか若者たちも多かった。(9月2日、文房堂ギャラリーとボヘミアンズ・ギルドにて同時開催)(吉)

ジュリオ・ル・パルク展
ル・パルクの色 遊びと企て

★舞台芸術の仕事をしていると、劇場空間だけでなく、知覚や照明にも関心が広がる。この展覧会では知覚に着目した作品たちが展示されている。知覚への関心が次第に色立体やCGへと展開していく。全体として演出や空間としても楽しめる。ヴァザルリに代表されるこの手の作品はオプティカル・アートといわれる。背後には知覚の変容ではないが、新しい社会や変革の意味も背景にあった。

現代は経済優位だけが指標でないことが70年代よりはっきりしてきた時代だ。かつて坂根厳夫も岡田隆彦も環境芸術を論じていた。貧困、格差、環境、多くの問題がある。その意味ではポスト・環境芸術といいえるような新たな表現が求められる。(銀座メゾンエルメス フォーラム8・9階)(吉)

井上バレエ団7月公演
コッペリア

★井上バレエ団のこの作品を久々にみた。今回は関直・原振付/石井竜一再構成・振付である。ピーター・ファーマーの舞台美術を用いることで知られているこのバレエ団の本作は、その幻想的な世界を革新するがごとく見事に上演してみせた。スワニルダは源小織、フランツはロサンゼルスバレエ団でも活躍する清水健太だ。コッペリウス(森田健太郎)と人形たちが繰り広げる情景で知られる2幕が印象的だった。踊りやマイムが演出と一体化するようにしっかりとした場面を導き、この名作の魅力を伝えてくれた。(7月31日、新宿文化センター 大ホール)(吉)

谷桃子バレエ団本公演
TMB Company Creation「ALIVE」

★コロナ禍の最中、バレエとは何か、コンセプトを練り人間の普遍的な感情に焦点を絞ることで生まれた公演が行われた。バレエ界では1つのトライアルといえるかもしれない。

「Lightwarrior」(振付:日原 永美子)はコンテンポラリーなムーヴメントを通じてバレエ・スペクタクルを再構成することを狙っている。馳麻弥を軸に若手ダンサーたちが踊る。ヴィエニアフスキーの楽曲を活かしたシンフォニック・バレエといえる。衣裳の色合いや照明も効果を高めていた。

続く「TWILIGHT FOREST」(振付:岩上純)は古典「レ・シルフィード」を現代へ翻案しているのだが、キャラクターたちの関係や設定に左右されることなく、現代表現としての視覚的な鮮やかさを大事しながら構成されている。齊藤耀と檜山和久は原作を想い起させる場面を描くが、音楽と共にしっかりとした作品となった。

「frustration」(演出・振付:石井潤太郎、市橋万樹)ではベテランの牧村直紀を中心に若手たちがダイナミックな動きをみせる。構成は前2作と比べるとややオーソドクスだが、若者たちの演技を楽しむことができる良作といえる。

ラストの「OTHELLO オセロー~妻を愛しすぎた男~」(振付:日原永美子)はシェイクスピアの古典に基づくドラマティック・バレエだ。この作品は各役の心理を現代ダンスの動きと共にどのように作品化するかということが重要となるが心理バレエとしてしっかりとまとめていた。デスデモーナ役の佐藤麻利香とタイトルロールの今井智也の演技、そして三木雄馬の踊りが大きな見所だった。

歴史のあるバレエ団が新しい時代に向けてさらに発信をはじめている。パンフレットも鮮やかなデザインでトータルなイメージ・チェンジを狙っている。挑戦がはじまっている。(8月29日、新国立劇場・中劇場)(吉)

日本バレエ協会
全国合同バレエの夕べ

★2日目をみた。今回のダヴィッド・リシーンの「卒業舞踏会」は録音音源を用いている。演出に工夫を凝らし、細かなドラマを多く盛り込むことでしっかりとした上演を導いていた。下級生を描いた斉藤耀・佐藤祐基、水友香里・守屋高生、鼓手の牧村直紀らがしっかりと盛り上げた。今年のフェッテ競争は巧みな荒木彩とフレッシュな藤野未来だが1つの見どころといえる。

井澤諒が振付・指導をした「パキータ」は渡辺恭子や横澤真悠子、百田朱里を楽しむことが出来た。玄玲菜「La forêt」は名曲と共に象徴主義的な作風を楽しむことができるスペクタクルだ。ラ・フィーユ(林田まりや)とラ・メール(竹中優花)を軸に関西の踊り手たちが情景を彩った。

コロナ禍の最中とは言え全国のバレエ界の動向を感じ取ることが出来る内容だった。苦難の中でもバレエ芸術を続けていくことは重要だ。(8日9日、新国立劇場・オペラパレス)(吉)

長瀬由依監督
酔いどれ東京ダンスミュージック

★当初は、監督の長瀬由依の東京藝大の卒業制作として構想されたが、卒業後に作品として完成。1985年の就職の為に上京した折に、バンド活動を開始した「真黒毛ぼっくす」の歌手、大槻泰永のドキュメンタリー映画。映画の表題は大槻泰永作詞作曲の楽曲と同名。その契機は長瀬が大槻のライブを観た、後日、最寄り駅で偶然みかけた大槻に声をかけて、勢いでその場の路上飲みで意気投合した、謂わば、酒繋がりの両者の交流がはじまった事に由来する。あがた森魚、曾我部恵一や元たまの石川浩司などとも共演した、酒をこよなく愛する、酔いどれシンガーの大槻泰永の酒焼けした絶叫だの、個性的な面々に囲まれた、ハチャメチャで、ちょっぴり哀愁のある中年おっさん歌手の赤裸々な半生。映画では長瀬のインタービュー中に、居眠りをはじめたり、恋愛トークのおちゃらけで急に饒舌になったり、離婚した妻との間の娘の成長を遠くから見守る父親像など大槻の余りにも、人間的な姿などが垣間見える。曾我部恵一や石川浩司、知久寿焼などへのインタビューも敢行し、大槻がいかに愛すべき人間であるかが、自ずと浮き彫りにされていく。長瀬自身によるナレーションも適切で且つ誠実。大槻泰永に魅かれながらも、そのひたむきな想いの距離感の捉え方や長瀬自身の大槻を通して観た、じぶんとは何かといった疑問が通奏低音として常に流れている。

全ては手探りで、それらの疑問の隙間にパズルを埋めていく長瀬の視点が切実で美しい。長瀬由依と大槻泰永とその仲間たちによる優れた青春活劇！（並）

Siip『Cuz I（コーズ・アイ）/2（ツー）/πανσπερμία（パンスペルミア）』総評

★10月に初のフルアルバムをリリース。素顔や素性を一切現さず、〝幻影（ファントム）表現者〟を名乗るシンガーソングライター、Siip（シープ）。その実態は楽曲や歌詞、そしてMVなどのプロダクトからしか垣間見られない。その匿名性から最近ネットでよく見るいわゆる〝覆面アーティスト〟と同じ文脈で語られたりすることが多いが、芸術表現において〝顔〟や〝肉体〟という媒介を必要としなかった彼らとは違い、Siipはおそらく、〝素顔がない〟ことを媒介とし、楽曲の中にのみ生きる〝Siipという異形の生物〟の物語を表現しようとしている。

これを書いている9月下旬現在、発表されているのはたった3曲。ノイズミュージックやシューゲイザーなどを連想させる浮遊感のあるトラックの上で、少年のようにも、少女のようにも、老婆のようにも聴こえる歌声が物語るのは、無限の命を持ちながらも肉体は日々摩耗し、幾度も生まれ変わりながら地上の生命の営みを見つめ続ける異形による黙示録だ。ヒツジの角を生やし、頭部を羽毛や植物で覆われた真っ白な異形は、長い法衣の袖に隠された指先で生命の種を海に蒔き、「宇宙は唯々孤独で 仲間に入れて欲しいの」と歌う。〝顔〟や〝肉体〟を手放すことで共感を得ることに成功した多くの覆面アーティストと一線を画す、Siipが歌う無情なまでに共感とは程遠い感情。その美しさは時に、薄っぺらな共感なんかよりも誰かの心を救いうる。（イ）

池宮中夫――『20世紀舞踊』の復刻を経て

池宮中夫は3331 Art Chiyodaにてコラボレーション・パフォーマンスを21年8月28日に行った。村山修二郎によるインスタレーション「動く土　動く動物」として松の葉による巨大な輪や砂の庭が広がっている。池宮は植物による仮面、緑の衣裳と異界の民のような装いで登場し「動く土　動く植物」がはじまる。会場に壁時計が掛けられているのだが、よく見ていると時間がどんどん逆行し遡っていくという演出になっている。西脇小百合のピアノ演奏と共に男は大地を踏みしめ、文明や神話世界の始原を探るように力強く動く。

「徒を拾う」20年10月30日、brick-oneでは縁の深い美術家の作品たちが展示をされている中で、その円環を機能させコンテクストを生成していくようなパフォーマンスを展開した。いわゆるインスタレーションから引きづることができる花壇、宙から降り続ける砂のアートなどの中で男が舞う。構成主義的で時にはダダのような荒々しい所作が混じる内容だ。20年秋になるとコロナ予防をパフォーマンスに混ぜるような作品も登場しだし、池宮が霧吹きからアルコールをひたすら床に吹き続ける場面もあった。

鎌鼬の里芸術祭で行われた池宮中夫ソロ『足駆けて稲架けて空だ』（19年9月21日、鎌鼬美術館）ではコミックな演技が屋外パフォーマンスで喝采を浴びた。竿をもって稲木の上や舞台空間で踊っていた。00年代の都会派の作風から次第に大地に根差すような作風に変わってきている。

復刻版『20世紀舞踊』の刊行を経て、池宮はさらに飛躍をしてきている。彼は戦後を代表するダンスのリトルマガジン『20世紀舞踊』を牽引した池宮信夫を父に持つ。ダンサーとして檜健次に創作を、石井みどり・折田克子に舞踊を学んだ中夫は多摩美術大学で若き日の中村政

人と出会い展覧会を一緒に行う。中村の韓国留学中に池宮も現地で舞っている。やがて村上隆や中村らによる〝90年代現代美術〟の華々しい台頭と共に展開するアートシーンの中でコンテンポラリーアートとダンス・パフォーマンスをつなぐ役割を果たす。彼に学んだダンサーや美術家、共に活動した才能は多くその足跡と影響が検証されるのはこれからだ。その集大成から目が離せない。(吉)

劇団チョコレートケーキ
一九一一年
世田谷シアタートラム、21年7月10日〜18日

★チョコレートケーキは、主に現代史を題材とした劇を上演している。ただし、それは過去の話ではなく、現在に続いている話という意識がある。「一九一一年」は10年前に上演された劇の再演、大逆事件を描いている。

今年の春に上演された新作の「帰還不能点」は、戦前の総力戦研究所のメンバーによって、本当に十五年戦争が避けられなかったのかどうかが問われる、トリッキーな構成の作品だった。その作品と比較すると、10年前はストレートな脚本だったんだな、と思ってしまった。力技のような舞台である。

芝居は大逆事件の死刑の場面から始まる。最後に1日遅れて、菅野須賀子の死刑が執行される。そして、遠い時間の先に、この裁判を担当した東京地検判事の田原巧が悔いる姿がある。そこから時間が戻り、大逆事件の予審が始まる。

大逆事件とは、幸徳秋水や平民社の無政府主義の思想に共感した一部が、爆弾を製造し、天皇の暗殺を企てた事件。実際に爆弾を製造した宮下太吉はともかく、関与したことの証拠がない幸徳秋水ら政府に反する思想を持つ人々も含め、大逆罪で26名を逮捕、うち24名に死刑判決を下した上で、無期懲役に減刑された12名をのぞく残り半分の12名の死刑を執行した。幸徳秋水もこのときに死刑となっている。

舞台は、事件とは直接関係ないと見られる容疑者に対し、国体を護持するために無政府主義者を有罪にしようという政府の圧力の下、検察がこれを強引に進める、そうした中、そのことを受け入れられない予審判事の田原と逮捕された菅野の二人を中心に進む。菅野は自分の思想のために、死ぬことも辞さない。田原は、正義のない裁判に苦悩する。

しかし、受け入れられないのは実際には田原だけではなく、もう一人の予審判事も検察官もそのことは理解している。それでもなお、生活のために政府にしたがっている。

もちろん現在では、大逆罪こそないが、有罪にむけて強引にすすめる日本の司法の体質は変わっていないし、上級審ほど政府の意向にそった判決を下しているという現実を、しばしば目にしている。逆に言えば、地続きだからこそ、この劇団は過去に目を向けようとしている。

正直なところ、ストレートな物語の運び方と、語りすぎている点については、劇としての余裕がないなあ、とは思った。その上でなお、こうしたテーマを演じ続けることは評価されるべきだとも思う。

ラスト、女性が参政権を得た戦後、若い女性が菅野の墓を訪れる。そこには先に墓参りをしていた、高齢となった田原がいる。確かに、菅野だけではなく、戦前の多くの女性のはたらきもあって、まがりなりにも男女平等な現在がある。とはいえ、そのことは1946年から先、少しでも進んだのだろうか、とも思う。(M)

TOKYOハンバーグ
朧な処で、徐に。
サンモールスタジオ、21年9月10日〜20日

★客席の灯りがついたまま、4人の男女が防護服を着て登場する。孤独死した部屋を片付ける、特殊清掃員だ。徐々に客席が暗くなり、演劇に入っていく。

その後、2つの場面を中心に、物語が進む。1つは、劇作家が執筆する場面であり、もうひとつが喫茶店の場面。

劇作家は元は役者、彼女はどこかで作家にまわる。原稿をとりにくる劇団スタッフもまた、元は役者。劇作家が描いている芝居の場面が背後で演じられるが、なかなか筆が進まない(パソコンなんだけど)。何か、書きたいものとは違うという。芝居の登場人物たちは劇作家に対し、続きを書くことを要求する。

喫茶店ではマスターが、孤独死を防ぐための会をネット上で立ち上げようとする。娘はそれに反発するが、その遠因には就職活動がうまくいかないということがある。

そんな中、劇作家に知らされるのは、かつて参加していた劇団の主宰者の孤独死の知らせだ。「リア王」の稽古の場面が回想として演じられる。

孤独死も自殺も、現在の問題としてクローズアップされている。人を孤独にしないことというのは、現代の問題だというのはその通りだ。知人の孤独死の知らせをきっかけに、劇作家は途中まで書いていた、あるいはいちおう完成させた脚

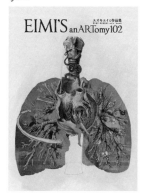

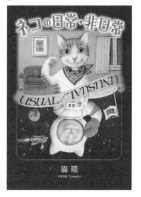

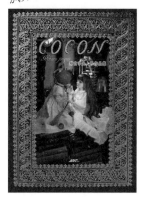

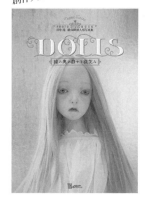

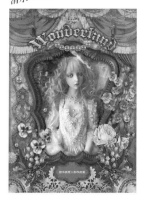

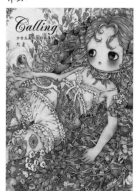

本を取り下げ、新しい脚本にとりかかる。書きたいものが見つかった、と。

全体がテンポのいい喜劇としてまとまっているため、2時間というのをあまり感じさせない舞台だった。主役である劇作家を中心に、抑制のきいた演技だったと思うし、亡くなった昔の劇団の主宰者だけが、昔の演劇のように声をはりあげていたのも、ギャップの演出ということではいいのかな、と思う（小さな劇場だと、声が大きすぎるんだけど）。

とは思うのだけれども、劇作家が書いている脚本が舞台で演じられ、作家に要求していく、内面の表現を兼ねたメタ戯曲というのをちょっとストレートにやりすぎているのかな、とは思わないでもない。出口を探すことをテーマとした80年代の小劇場の芝居から変わってないんじゃないか、もうちょっと工夫が欲しいよな、と思う。それと対をなす不満が、孤独死と自殺を同一視していること。まあ、一番多い50代男性の孤独死は緩慢な自殺だと思わないでもないけれども。ただ、高齢者の事件性のない孤独死は、決して悪い死に方ではない、というのが北欧の考えで、それはそうだと思っている。孤独死で困るのは賃貸物件のオーナーであり行政でしかない。そこの、ちょっと表面的すぎないかな、という不満は残った。あと、ラスト近く、劇作家が同居する、才能がなくて役者をやめた男性から、「ちゃんと結婚しよう」と言われる。彼らは確かに、演劇に身を投じ、子どもをつくらないできた。でも、結婚したところで、確率的には男性が先に死に、女性が孤独になる。そんな未来も頭をよぎる。

そんなこともわかっているのに、ちょっと深堀りがたりないなあ、と、少し不満ではあったわけ。（M）

TGFF2021

大阪市中央公会堂、21年7月22日

★TGFF（Table Game Fun Festa）とは、2015年より毎年夏に大阪で開催されている大規模なアナログゲームイベント。主催はゲームデザイナー・北沢慶氏（グループSNE所属、代表作：ソード・ワールド2.0/2.5）。テーブルトークRPGやボードゲーム、カードゲームが遊べるほか、企業・サークルによる物販ブースやトークイベントなどもあり、2019年には京セラドーム大阪を会場に、TRPGは「お試し1時間卓・気軽に3時間卓・じっくり5時間卓」の合計なんと180卓が遊ばれる、まさに丸一日遊べるアナログゲームの祭典だった。

ところが残念な事に新型コロナウイルス感染症の影響により、昨年は延期・規模縮小、今年も祝日1日のみの小規模開催となってしまった。

私は昨年までは噂を聞くばかりで参加する機会がないままだったが、せっかく関西在住なのだから、今年こそはと足を運んでTRPGを2卓遊んできた。柘植めぐみ氏の『トンネルズ＆トロールズ完全版』は、船が難破して謎の島に漂着し無一文装備無しから始まるという、この日のような単発イベントにはちょうどぴったりの冒険シナリオ。三人の初顔合わせの参加者で典型的なファンタジー世界を旅した。友野詳氏の『暗黒神話TRPGトレイル・オブ・クトゥルー』は、大正日本を舞台に和歌山県の孤島へ探索に向かうという伝奇もので、私のキャラクターは私立探偵。まさかの主役フラグかと思いきや、常軌を逸した存在を目にする度に判定に失敗し、助手役の美人記者と揃って叫び声をあげるという、頼りない中年男を演じる羽目に。どちらも関西が誇るゲームデザイナーだが、なかなかこのようにデザイナー自身の手でゲームを遊べる機会というのはない。90分卓で大いに楽しませて頂いた。

この90分卓と180分卓の2種類に分けたことが今年のポイントだったようで、90分卓を選んだ参加者は、最大で1日に3つのTRPGに参加することができるよう、ベテランゲームマスター陣が持参した新旧システムによる彩り豊かなタイムテーブルが組まれていた。

2年続けての感染防止対策は非常に苦労されたろうと感じたが、来場していた参加者やゲームマスター陣の意欲は高く、今後の大規模開催再開への期待が高まる。来年夏に備え、ぜひTRPG初心者の方も、ベテランの方も着目されてはいかがだろうか。（水）

小川公代
ケアの倫理とエンパワーメント」

講談社

★今年に入って、なぜかケアとフェミニズムを扱った本を続けて読んでいる。ジョアン・C・トロントの「ケアするのは誰か？——新しい民主主義のかたちへ」を読んだのは去年の暮れ。そもそも日本で民主主義を語ろうとしてもケアが足りない、ということになる。今でこそ、日本共産党のポスターが「ケアを支える政治へ」とあるけれど、新自由主義的な考えを推し進めてきた小泉純一郎政権以降、菅義偉だったかな、自由民主党は「まずは自助で」ということを標榜してきた。

でも、そもそも平等ではない世界で、豊かさの再配分を担うのは政府ではなかったか。それを実践していくことが民主主義ではないか。

ケア・コレクティブ著「ケア宣言――相互依存の政治へ」も、同じ文脈で語ることができる。どちらも訳者の名前として岡野八代が登場する。岡野の「フェミニズムの政治学」が難しくて十分理解できなかったのだけれども、こうした仕事を通じて、いわゆる第二波フェミニズムとは異なる文脈での政治におけるフェミニズムが少しはわかってきたかな、と。

シンシア・アルッザ、ティティ・バタチャーリヤ、ナンシー・フレイザー著「99%のためのフェミニズム宣言」も、そこに置くことができて。1%の人たちというのは、たとえば「リーン・イン」の著作のあるフェイスブックのシェリル・サンドバーグに代表されるリベラル・フェミニズム。女性が男性と同じ権利を持てばそれでいいのか、という問いは、表面的な機会の平等にしかならない。でも、第二波フェミニズムが批判されるのは、その部分だったと思う。あるいはヒラリー・クリントンはガラスの天井をやぶることができなかったけれども、彼女もまた、リベラルな思想の向こうで、新自由主義的な思想を持っていた。その行きつくところは、小池百合子みたいな姿にしかならない。必要なのは、反資本主義的フェミニズムということになる。

レジャーヌ・セナック著「条件なき平等――私たちはみな同類だと想像し、同類になる勇気を持とう」は、平等をさらに深いものにしていく。平等を押し付けなくても、平等であれば自由になれるという。マイノリティに対して、そのように語られる。それは、反レイシズムにおいて、「違うことを認めあう」のではなく、そもそも「同じであると認識する」ことと一致する。だとしたら、その平等を担保するものもまた、ケアではないのか。

軍隊とフェミニズムという文脈で研究してきたシンシア・エンロー著「〈家父長制〉は無敵じゃない――日常からさぐるフェミニストの国際政治」では、もちろん家父長制がもたらす不平等を取り上げるが、それ以上に日常にひそむ家父長制を問題視する。結局のところ、日常の家父長制を存続させたままの平等なんて、押し付けられた平等ではないのか。そうであれば、政府はケアに関心を持たず、家父長制というしくみの中で、女性的な存在の人たちだけはケアを押し付けられ、それは家庭内にとどまらず、エッセンシャルワークという美しいことばで安価に提供されるようになるのがせいぜい。

とまあ、そういう中で小川公代の「ケアの倫理とエンパワーメント」である。岡野八代にも通じる本だけれども、政治学ではなく文芸批評の本である。

取り上げる作家は、ヴァージニア・ウルフからオスカー・ワイルド、三島由紀夫、平野啓一郎、多和田葉子、温又柔におよぶ。結局のところ、ケアは女性の役割として押し付けられてきたし、そのことの対比が、途中で性転換する物語であるウルフの「オーランドー」に示されている。ワイルドも三島も両性具有的な作家として、例えば「サド侯爵夫人」という戯曲では自分の母性を登場人物に反映させているということなのだろうか。ワイルドの「幸福の王子」はあまりに自己犠牲的だが、それでは救われない。温の「魯肉飯のさえずり」において、主人公の父親は日本人だけれど、台湾で妻の家で魯肉飯をおかわりして食べたのに、主人公の別れた夫は台湾料理を食べようとはしなかった。同類であることができることで、ケアができるのかもしれない。

という文脈で考えていくと、金田一蓮十郎の作品の主人公がしばしば両性具有的でケアをする当事者であるということが、その通りだと思うし、そもそも家族の定義を、血のつながりではなくケアによる相互依存だとしたら、実は落合「偶然の家族」こそが家族のありうべき姿ではないか、ということにも思えてくる。「ラララ」の10巻でヒロイン石村さんが、誰かの犠牲の上に成り立つ幸せは幸せなんかじゃないし、受け入れられない、というのも、そうだよな、と思う。なのに、新自由主義が跋扈する社会では、家父長制を存続させたまま、機会の平等だけが踊りまわり、1%のためのフェミニズムがもてはやされ、うっかりすると女性というだけで高市早苗が持ち上げられかねないくらいに危機的だったりする。

日本共産党には「ケアをする政治」を積極的に目指してほしいし、そのくらい言いきってほしいとも思う。「ケア宣言」では、気候変動問題もまた、ケアの文脈で語られる。そうなのだろう。もはや気候変動問題への対応は、より若い世代へのケアでもある。

日本の政治を（たぶん、日本だけじゃないけど）民主主義というのは、ケアが足りない。けれども、ケアは家父長制という不平等のしくみの中で劣後されて置かれてきたし、新自由主義的な思想の下で、それは機会の平等というきれいごとによって、自由を押し付けられもした。その一方で責任も押し付けられ、結果として実現できもしない自由を持て余す。自由を支えるのは平等だし、それを可能にするものがケアなのに。では、条件なき平等が先にあるべきであり、その上でケアの主体として行政も担う民主主義があるべき。それを歴史の中で見たときに、家父長制が浮かび上がってくるし、それに反してケアの主体として浮かび上がらせてきたのが、両性具有的な性質を持つ文学の主人公たちではなかったか。家父長制が存続するかぎり、ケアとは無縁の血のつながりを根拠とした家族が再生産され、ケアから疎外される。落合や金田一が示すような、ケアの相互依存を行う家族の再定義が必要だろう。(M)

ケアフィット ——イタリアの試み

★サービス介助士資格取得者が15万人を超えた。日本社会にケアフィットの思想はしっかりと根付きだしている。その認知を深めるためにもケアフィットの考え方通じる芸術・思想を、たとえ賛同者は少しでも、とりあげ定期的に紹介したい。

第一回目はイタリアのダンス・ウェルを取り上げたい。この団体は〝肉体を芸術と人間性に結びつけるためにダンスやパフォーマンスを用いている。ヴェネツィアの北方にある現代ダンスの拠点でヨーロッパのシアター・フェスティバルとつながっている上演芸術のグループが、パーキンソンにかかった人々に芸術を通じた治療を行っている。患者たちを治療するダンサーたちは多国籍で人気の東野祥子ら日本人も含まれる。具体的には美術館でダンサーたちが患者たちとパフォーマンスを行うのだ。通常、美術館に入館するには入館料がかかるのだが、この場は無料で提供されている。2018年11月頭の東京・イタリア文化会館でこの発表とワークショップが行われた。

パーキンソンはモチベーションを失っていく難病とされる。患者たちに明確なイメージを与える創造のプロセスとしてダンスを用いた。他の地域でも模倣することができそうな方法だが、その実践が患者たちの灰色の苦しい日々に変化を与えた。医学的に理論で説明できないこともおきたという。ガンやインクルーシヴといったテーマに対する応用も含め、成果発表の場ではコミュニティ・アートの関係者や関心があるアーティストたちから多くの質問が出た。日本での展開も楽しみだ。

イタリアは治療と芸術を結びつける試みが良く行われている。特別支援の現場ではモンテッソーリ教育が良く知られ定評がある。ダンス・ウェルと同様にパフォーミングアーツからの試みも盛んだ。オペラで知られているが、オペラ関係者の為の養老院、カーザ・ヴェルディ(Casa Verdi)が関係者の関心を集めている。また現代演劇の南米のバルバのイタリアでのワークショップの成果をこの国の精神医学の現場が応用し、〝精神病者を施設に幽閉しない〟という試みが行われるようになった。この試みは日本で「中動態の思想」として現代思想や精神医療の文脈で話題となっている。日本人でこのバルバのイタリアでのWSに参加したのがケアフィット共生機構の畑中稔の師である三浦一壮だ。日本でこのような試みがさらに盛んになり、その場を育んでいくことが望まれる。(吉)

極東ファロスキッカー ～灼熱の独演会

下北沢FlowersLoft、21年8月7日

★極東ファロスキッカーとは一九八五年から活動するロックバンドDe-LAX出身のギタリスト榊原秀樹や同バンドのヴォーカル宙也が、ベーシストのERYとドラマーのムカイレイコといった若い女性陣を迎えて結成した「謎の男女混合トランス四人組新人バンド」である。結成は二〇一九年で、二〇年春には四曲入りのミニアルバム『PHALLUS KICKER』をリリースしたものの、直後からコロナ・ウイルス禍が蔓延し、配信ではないライヴが不可能になってしまっていた。それから一年半、会場は人数制限+配信というハイブリッド制で、ようやく開催されたのがこの「灼熱の独演会」である。

派手なベテラン陣を堅実な若い女性が支える——そんな「昭和」な階層制の予測は、すぐに音そのものによって裏切られる。ギターとヴォーカルの円熟した音の色気を、ベースとドラムが刻むエッジを利かせながらも安定感あるビートが上書きし、彩り豊かなグルーヴを形成するのだ。生のライヴをようやく開催できたという開放感もよく伝わる。「四曲しか音源が発表されていないのに」という自嘲的なMCは、同時期に開催されていた東京五輪がそうであるような上からつくられた熱気とは別種の、自生的な盛り上がりに対する信頼に裏打ちされたものだ。ビートルズ「イエスタデイ」のパンク・カバーから代表曲「極東Lovers」のポスト・パンクな曲調へ至る流れは自然でサービス精神を感じさせる。一二月には「極寒の独演会」も開催されるとのことで、楽しみだ。(岡)

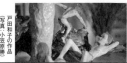

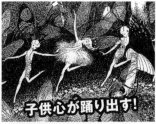

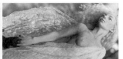

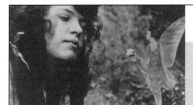

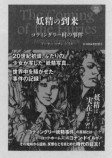

ExtrART エクストラート FILE.30 好評発売中!

こんなアートに出会ってほしい——。
ExtrARTは、少々異端派なアートファイルです。

★表紙：宮本香那

★Ô Б

★川上勉

★高松潤一郎

A4判・並製・112頁・税別1200円　ISBN 978-4-88375-452-6
発行＝アトリエサード/発売＝書苑新社（しょえんしんしゃ）
通販・詳細は http://www.a-third.com/

★田中流（人形：En）

◎FEATURE：揺らぐ心象の迷宮

心象の迷宮をさまようかのような、闇の幻惑を漂わせた作品たち。

宮本 香那《絵画》
パステル調の色彩で
一方的で一途な思いの
毒々しさを描く

Ô Б《絵画》
作品は、鑑賞者の
弱さや本性を
映す鏡でありたい

川上 勉《乾漆像》
乾漆で巧みに表現された
少女の「死」と
次なる「生」

高松 潤一郎《絵画》
人類に共通する
無意識という宇宙を探求し、
生み出された幻想絵画

田中 流《人形写真》
人形の表情は
観る者の心象を
映し出す

大山 菜々子《絵画》
少年が青年に変わる
瞬間のうつろいを
絵に描きとめる

★大山菜々子

塩野 ひとみ《絵画》
暗闇の中に閉じこもり、
安息の時を過ごす
少女

かつまた ひでゆき《絵画》
燃え上がる情熱と
不屈の精神を賭けて
〝絵描き〟になった

Ma marumaru《絵画》
肉感的な裸体を晒しながら
繰り広げられる、
欲望にまみれた饗宴

山村 俊雄《絵画》
空青く緑鮮やかな
富山の山中から
新たな狼煙をあげる

北沢努・関野栄美・戸田和子
木村龍・小峰恵子・マンタム
「シン・ニッポン風土記」
過去を照射することで生まれる
異化された身体性

大島托×ケロッピー前田
「縄文族 JOMON TRIBE」
縄文人が施していたであろう
タトゥーを
現代に復興するプロジェクト

★かつまたひでゆき

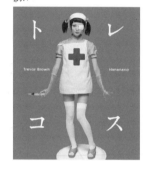

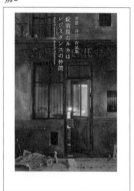

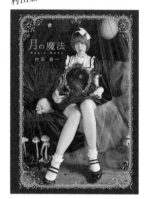

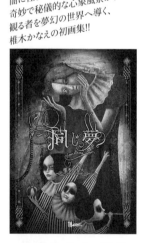

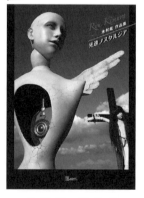

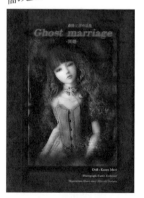

村田兼一 写真集「天使集」
978-4-88375-328-4／B5判・96頁・ハードカバー・税別3200円
●天使というタナトスの闇に浮かぶ、エロスの残像。天使や人鳥を受難の女性を見守る死の影として配置した村田ならではの禁断の世界。

村田兼一 写真集「パンドラの鍵」
978-4-88375-166-2／B5判・48頁・ハードカバー・税別2800円
●禁忌のエロスを探求し続ける写真家・村田兼一が特殊モデル七菜乃の無垢な心と身体を秘密の鍵で解放する―撮り下ろし写真集！

谷敦志 写真集「D. P Collage Series」
978-4-88375-283-6／A4判・64頁・ハードカバー・税別3800円
●妖しく溶け合う、肉体とオブジェ。異型の写真家・谷敦志が、女体のコラージュによって生み出した極北の美の世界。A4サイズの豪華版！

谷敦志 写真集「Flowers and Nudes」
978-4-88375-284-3／A4判・64頁・ハードカバー・税別3800円
●透き通るような静けさをまとう、ヌードと花。進化し続ける孤高のアーティストの「今」が詰まった、最新写真集！ A4サイズの豪華版！

谷敦志 写真集「アンビバレンス」
978-4-88375-148-8／A5判・64頁・ハードカバー・税別2800円
●ダークでカオティック、フェティッシュでアヴァンギャルド、そして最高にスタイリッシュ！ 異型の写真家の処女写真集!!

堀江ケニー 写真集「恍惚の果てへ」
978-4-88375-139-6／A5判変型・96頁・カバー装・税別2200円
●澄んだ空気感の中で恍惚の果てへ導かれる―湖や廃墟で撮った、堀江ケニーならではの幻影的作品を集めた待望の写真集！

◎杉本一文の本

「杉本一文『装』画集～横溝正史ほか、装画作品のすべて」
978-4-88375-287-4／A4判・128頁・カバー装・税別3200円
●横溝正史といえば、杉本一文。数多く手がけてきた装画作品の中から、横溝作品を中心に約160点を精選して収録した待望の画集!!

「杉本一文銅版画集」
978-4-88375-286-7／A5判・128頁・カバー装・税別2500円
●幻想とエロスの桃源郷――杉本一文のもうひとつの顔、銅版画の代表作を装画作品から蔵書票まで約200点収録！

◎幻想系・少女系

九鬼匡規 画集「あやしの繪姿」
978-4-88375-426-7／A5判・64頁・カバー装・税別2000円
●このうえなく美しき妖怪たち――妖艶なるファム・ファタールから、愛らしい少女まで、怪異や妖怪を女性像で描く、九鬼匡規の初画集!!

東學 作品集「東學肌絵図鑑 DRESS CODE」
978-4-88375-420-5／A5判変型・576頁・税別15,000円
●一夜限りで消えていく、墨絵師と女神たちの共犯作。180名余りの女性の肌に筆を走らせ撮影した「肌絵ヌード」をまとめた576頁の写真集！

高田美苗 作品集「箱庭のアリス」
978-4-88375-393-2／B5判・64頁・ハードカバー・税別2700円
●混合技法によるタブローから銅版画まで、少女をモチーフとした夢幻世界を描き続ける高田美苗の軌跡を集約した、待望の作品集！

スズキエイミ 作品集「Eimi's anARTomy 102」
978-4-88375-358-1／B5判・64頁・ハードカバー・税別2750円
●"美の本質は肉体、肉体の本質は死"。名画などを巧みに組み合わせて作り上げられた、解剖学的でシニカルな美の世界！

たま 画集「Calling～少女主義的水彩画集VI」
978-4-88375-357-4／B5判・52頁・ハードカバー・税別2750円
●ダーク＆キュートなたまの少女画集第6弾！ 切り取って楽しめる「折り込み塗り絵」や中野クニヒコによる立体作品も収録！

◎小説・コミック・評論・エッセイ

◎ナイトランド・クォータリー（ホラー＆ダーク・ファンタジー）

〈増刊〉妖精が現れる！～コティングリー事件から現代の妖精物語へ
978-4-88375-445-8／A5判・200頁・並製・税別1800円

ナイトランド・クォータリー vol.26 異教の呼び声
978-4-88375-453-3／A5判・176頁・並製・税別1700円

ナイトランド・クォータリー vol.25 メメント・モリ〈死を想え〉
978-4-88375-441-0／A5判・176頁・並製・税別1700円

◎ナイトランド叢書（TH Literature Series）いずれも四六判

アーサー・コナン・ドイル「妖精の到来～コティングリー村の事件」
井村君江訳／978-4-88375-440-3／192頁・税別2000円

キム・ニューマン「《ドラキュラ紀元》われはドラキュラ―ジョニー・アルカード」
鍛治靖子訳／上巻384頁・税別2500円／下巻432頁・税別2700円

キム・ニューマン「《ドラキュラ紀元一九五九》ドラキュラのチャチャチャ」
鍛治靖子訳／978-4-88375-432-8／576頁・税別3600円

キム・ニューマン「《ドラキュラ紀元一九一八》鮮血の撃墜王」
鍛治靖子訳／978-4-88375-327-7／672頁・税別3700円

キム・ニューマン「ドラキュラ紀元一八八八」
鍛治靖子訳／978-4-88375-311-6／576頁・税別3600円

クラーク・アシュトン・スミス「魔術師の帝国《3 アヴェロワーニュ篇》」
安田均他訳／978-4-88375-409-0／320頁・税別2400円

クラーク・アシュトン・スミス「魔術師の帝国《2 ハイパーボリア篇》」
安田均他訳／978-4-88375-256-0／272頁・税別2300円

クラーク・アシュトン・スミス「魔術師の帝国《1 ゾシーク篇》」
安田均他訳／978-4-88375-250-8／256頁・税別2200円

E&H・ヘロン「フラックスマン・ロウの心霊探究」
三浦玲子訳／978-4-88375-361-1／272頁・税別2300円

E・H・ヴィシャック「メドゥーサ」
安原和見訳／978-4-88375-339-0／272頁・税別2300円

M・P・シール「紫の雲」
南條竹則訳／978-4-88375-336-9／320頁・税別2400円

エドワード・ルーカス・ホワイト「ルクンドオ」
遠藤裕子訳／978-4-88375-324-6／336頁・税別2500円

アルジャーノン・ブラックウッド「いにしえの魔術」
夏来健次訳／978-4-88375-318-5／320頁・税別2400円

E・F・ベンスン「見えるもの見えざるもの」
山田蘭訳／978-4-88375-300-0／304頁・税別2400円

サックス・ローマー「魔女王の血脈」
田村美佐子訳／978-4-88375-281-2／304頁・税別2400円

A・メリット「魔女を焼き殺せ！」
森沢くみ子訳／978-4-88375-274-4／272頁・税別2300円

◎TH Literature Series

ケン・リュウ他「再着装(リスリーヴ)の記憶～〈エクリプス・フェイズ〉アンソロジー」
978-4-88375-450-2／384頁・税別2700円

ケイト・ウィルヘルム「翼のジェニー～ウィルヘルム初期傑作選」
安田均他訳／978-4-88375-241-6／256頁・税別2400円

石神茉莉「蒼い琥珀と無限の迷宮」
978-4-88375-365-9／四六判・320頁・カバー装・税別2400円

図子慧「愛は、こぼれるqの音色」
978-4-88375-345-1／四六判・256頁・カバー装・税別2200円

友成純一「蔵の中の鬼女」
978-4-88375-278-2／四六判・304頁・カバー装・税別2400円

橋本純「百鬼夢幻～河鍋暁斎 妖怪日誌」
978-4-88375-205-8／四六判・256頁・カバー装・税別2000円

■主な出版物

◎TH Art series

◎PICK UP

「Dolls in labyrinth～田中流・人形写真館」

978-4-88375-449-6／A5判・112頁・並製・税別1636円

●球体関節人形たちの夢の迷宮。可愛らしかったり妖しげだったり…田中流が、12人の人形作家の作品の魅力を写し出した写真集。

珠かな子 写真集「肌に降る七星」

978-4-88375-446-5／B5判・80頁・カバー装・税別2500円

●「日差しを浴びてその肌は、小さな星屑がスパークするかのようにきらめいていた」――珠かな子が、七菜乃の原初の力と「蜜」を写す！

ウォルター・デ・ラ・メア「ダン・アダン・デリー～妖精たちの輪舞曲」

978-4-88375-443-4／A5判変形・224頁・カバー装・税別2000円

●デ・ラ・メアの幻想味豊かな詩に、ラスロップが愛らしく想像力豊かな挿画を添えた、読者を夢幻の世界へいざなう、夢見る大人の絵本！

駕籠真太郎 画集「死詩累々」

978-4-88375-403-8／A4判・128頁・カバー装・税別3200円

●奇想漫画家・駕籠真太郎、初の本格的画集！ 猟奇的だけど可愛らしく、アブノーマルだけどユーモラスな、不謹慎すぎるアートワークの全貌！

北見隆 装幀画集「書物の幻影」

978-4-88375-398-7／B5判・96頁・ハードカバー・税別3200円

●赤川次郎、恩田陸、中島らも、津原泰水…あのワクワクは、この絵とともにあった！ 40年の装幀画業から、約400点を収録した決定版画集！

北見隆 作品集「本の国のアリス～存在しない書物を求めて」

978-4-88375-223-5／A5判・64頁・ハードカバー・税別2750円

●本そのものが、「アリス」の物語の、愉快な舞台《ワンダーランド》に！ 本の形をした"ブックアート"を中心に、不思議な物語に満ちた作品集!!

小川貴一郎 作品集「監禁芸術 confinement art」

978-4-88375-419-9／A5判・128頁・カバー装・税別2500円

●1日目、イヴ・サンローランに蛾を描いた。COVID-19の流行で渡仏が延期になり、緊急事態宣言発令中、家にこもって制作し続けた芸術の記録。

鳥居椿(絵) 最合のぼる(文・写真・構成)
「青いドレスの女～暗黒メルヘン絵本シリーズ3」

978-4-88375-427-4／B5判・64頁・カバー装・税別2255円

●こんな美しい悪夢なら毎晩でも見たい――深澤翠／不穏な空気感で少女を描く鳥居椿と、最合のぼるによるヴィジュアル物語！

たま(絵) 最合のぼる(文・写真・構成)
「夜間夢飛行～暗黒メルヘン絵本シリーズ2」

978-4-88375-392-5／B5判・64頁・カバー装・税別2255円

●《暗黒メルヘン絵本シリーズ》第2弾は少女主義的水彩画家・たまが登場！「残酷で愛らしい、手加減なしの毒入り絵本です」―林美登利

黒木こずゑ(絵) 最合のぼる(文・写真・構成)
「一本足の道化師～暗黒メルヘン絵本シリーズ1」

978-4-88375-370-3／B5判・64頁・カバー装・税別2255円

●妖しい世界へいざなう、絵と写真によるヴィジュアル物語！ アンデルセンなどの童話を元に生まれた《暗黒メルヘン絵本シリーズ》第1弾！

eat「DARK ALICE-Heart Disease-(ハート・ディジーズ)」

978-4-88375-438-0／A5判・224頁・カバー装・税別1295円

●摩訶不思議な世界で、奇妙な境遇を生きる者たちのトラウマティック・メルヘン!! 描き下ろし・ホワイト誕生の秘話も収録!!

◎人形・オブジェ作品集

神宮字光 人形作品集「Cocon」

978-4-88375-378-9／A5判・64頁・ハードカバー・税別2700円

●ビスクなどで作られた愛おしい人形達がさまざまなシチュエーションの中で遊ぶ、かわいくも、ときにシュールでミラクルな世界！

田中流 写真集「Dolls～瞳の奥の静かな微笑み」

978-4-88375-373-4／A5判・96頁・カバー装・税別2300円

●数多くの人形に接してきた写真家・田中流が、28人の人形作家の作品を撮影し、現代の創作人形の潮流をも浮き彫りにした写真集！

清水真理 人形作品集「Wonderland」

978-4-88375-364-2／B5判・64頁・ハードカバー・税別2750円

●肉体と霊魂、光と闇、聖と俗…それらの狭間で息づく、人形たちのワンダーランド。多彩な活躍を続ける清水の近年の作品の魅力を凝縮！

ホシノリコ 作品集「蒼燈のばら」

978-4-88375-326-0／B5判・64頁・ハードカバー・税別2750円

●艶かしく息づく球体関節人形、幻想的な物語奏でるオブジェ。ホシノの10年の歩みをまとめた待望の作品集！ 写真＝吉田良、田中流

森馨 人形作品集「Ghost marriage～冥婚～」

978-4-88375-236-2／B5判・64頁・ハードカバー・税別2750円

●妖しい美しさと、哀しいエロスを湛えた、森馨の球体関節人形。その蠱惑的な肢体を写真家・吉成行夫が撮影した、闇の色香ただよう写真集！

林美登利 人形作品集「Night Comers～夜の子供たち」

978-4-88375-288-1／A5判・96頁・ハードカバー・税別2750円

●異形の子供たちは、夜をさまよう――「Dream Child」に続く、人形・林美登利、写真・田中流、小説・石神茉莉のコラボ、第2弾！

与偶 人形作品集「フルケロイド FULLKELOID DOLLS」

978-4-88375-265-2／A5判・68頁・ハードカバー・税別2750円

●園子温推薦！ 多くの人の心に突き刺さっている、凄みのある作品たち。20年の作家生活をここに総括。横4倍になる綴じ込み2枚付！

木村龍 作品集「光速ノスタルジア」

978-4-88375-245-4／B5判・96頁・ハードカバー・税別3500円

●ボックスアートから彫像的作品、球体関節人形、絵画などまで、妖美で奇矯、かつ純真な世界を濃密に凝縮した、待望の初作品集！！

芳賀一洋 作品集「錠前屋のルネはレジスタンスの仲間」

978-4-88375-331-4／A5判・224頁・並製・税別2222円

●パリの街並みや日本の昭和的風景などを精巧なミニチュアで再現した驚異の作品群。その40作以上を郷愁あふれる写真に収めた作品集。

◎写真集

珠かな子 写真集「いまは、まだ見えない彗星」

978-4-88375-371-0／B5判・64頁・ハードカバー・税別2700円

●私にとってセルフポートレートは、〝可愛さと強さの脅迫〟だ。女の子は強くなれる、そう願っている――珠かな子、待望の写真集！

トレヴァー・ブラウン×七菜乃「トレコス」

978-4-88375-298-0／B5判変型・80頁・ハードカバー・税別2750円

●トレヴァー描く、かわいくてシニカルな少女に七菜乃が扮した〝トレコス〟全作品！ トレヴァーの原画はもちろん、メイキング写真も収録！

美島菊名 写真作品集「HOPE」

978-4-88375-308-6／B5判・64頁・ハードカバー・税別2750円

●少女よ あなたは 世界を変える――少女の無垢と欲望を、インパクトあるヴィジュアルで表現してきた美島菊名、初の写真作品集！

村田兼一 写真集「女神の棲家」

978-4-88375-416-8／B5判・96頁・ハードカバー・税別3200円

●古の女神を現代の少女に重ね合わる――魔術的なエロスやタナトスと、御伽のような叙情性が混交する村田兼一写真集、第7弾！

村田兼一 写真集「月の魔法」

978-4-88375-354-3／B5判・96頁・ハードカバー・税別3200円

●禁忌を解く魔法――月乃ルナをモデルに生み出された、マジカルで濃密なエロスに満ちたおとぎの世界。

No.80 ウォーク・オン・ザ・ダークサイド～闇を想い、闇を進め
A5判・224頁・並装・1389円（税別）・ISBN978-4-88375-376-5
●新たな想像力は闇から生まれる。［図版構成］濵口真央、C7、新宅和音、紺野真弓、宮本香那、萌木ひろみ、谷原菜摘子。タスマニアの美術館MONA、書肆ゲンシシャの驚異のコレクション、日本の闇を感じさせるゲゲゲスポット紀行、萩尾望都が描き始めた「楽園の裏側」、カタコンブほか。

No.79 人形たちの哀歌
A5判・240頁・並装・1389円（税別）・ISBN978-4-88375-363-5
●［図版構成］田中流写真作品（人形＝日隈愛香・SAKURA・ホシノリコ・舘野桂子）・清水真理・野原 tamago・神宮字光、現代の〝生き人形〟～中嶋清八・井桁裕子・衣・森馨・佐藤久雄、菅実花、ロボット・アンドロイド演劇、映画『オテサーネク』ほか。追悼・遠藤ミチロウなども。

No.78 ディレッタントの平成史～令和を生きる前に振り返りたい私の「平成」
A5判・256頁・並装・1389円（税別）・ISBN978-4-88375-350-5
●私たちが感じ取ってきた「平成」を振り返る。TH的・平成年表、極私的平成の三十年間（友成純一）、平成ゾンビ考～「終わりなき日常」から「サバイバル」へ、舞踏の平成、アニメ『どろろ』に見る内実の変容、死体ビデオと90年代悪趣味ブーム、SNSという「ネオ世間」の出現、IT盛衰、「今日の反核反戦展」、酒見賢一論ほか。

No.77 夢魔～闇の世界からの呼び声
A5判・224頁・並装・1389円（税別）・ISBN978-4-88375-340-6
●不穏さに満ちた夢の世界へようこそ。mizunOE、飴屋晶貴、亜由美、林良文、タイナカジュンペイ、「メアリーの総て」と『フランケンシュタイン』の悪夢、《夢》は現実を超えるか～古代記紀神話から『君の名は。』まで、ラース・フォン・トリアー「ヨーロッパ」、『エルム街の悪夢』、『鏡の国の孫悟空』、『ルクンドオ』ほか。

No.76 天使／堕天使～閉塞したこの世界の救済者
A5判・224頁・並装・1389円（税別）・ISBN978-4-88375-330-7
●天使や堕天使から発した想像力。村田兼一、ホシノリコ、『ベルリン・天使の詩』、ボカノウスキー『天使』がいたころ、天使と日本人、イスラムの堕天使たち、「天使の玉ちゃん」と〈失われた子供時代〉、『デビルマン』飛鳥了、熊楠の天使／天子と男色ほか。ジャ・ジャンク一論（藤井省三）、アジアフォーカス2018レポなども。

No.75 秘めごとから覗く世界
A5判・256頁・並装・1389円（税別）・ISBN978-4-88375-316-1
●秘めごとが生む物語。ステュ・ミード、中井結、宮本香那、『檸檬』『四畳半襖の裏張り』などに見る秘めごとの諸相、文学における「告白」、J・T・リロイの事情、自販機本の原稿書きが「映画芸術」の編集長に教えられたこと ほか。小特集としてマッケローニと映画「スティルライフオブメモリーズ」、追悼・ケイト・ウィルヘルム。

No.74 罪深きイノセンス
A5判・224頁・並装・1389円（税別）・ISBN978-4-88375-309-3
●無垢への信奉とそれが持つ残酷さ。美島菊名、村田兼一、蟲川ギニョール、Hajime Kinoko、ドストエフスキーと無垢なるもの、わたなべまさこ『聖ロザリンド』と萩尾望都『トーマの心臓』、『悪童日記』と『フランケンシュタイン』、『小さな悪の華』と『乙女の祈り』、少女ポリアンナほか。

No.73 変身夢譚～異分子になることの願望と恐怖
A5判・224頁・並装・1389円（税別）・ISBN978-4-88375-299-7
●miyako（異色肌ギャル）インタビュー、トレヴァー・ブラウン×七菜乃、別人化マニュアル、変身譚としてのギリシア神話、バルテュスと鏡～少女の変身を映すもの、変装から変身へ～怪盗から見る映画史、女性への抑圧が生み出す変身～『キャット・ピープル』とその系譜ほか。

No.72 グロテスク～奇怪なる、愛しきもの
A5判・224頁・並装・1389円（税別）・ISBN978-4-88375-289-8
●林美登利～異形の子供に惜しみのなく注がれる愛情、立島夕子～瀬戸際から発せられた生命の賛歌、たま～可愛らしい少女の中に秘められた不気味な何かを暴く、黒沢美香～既成の価値観に収まらない名前のない景色の豊満さ、畔亭数久とその時代、謎のバンド ザ・レジデンツ ほか。

No.71 私の、内なる戦い～“生きにくさ”からの表現
A5判・224頁・並装・1389円（税別）・ISBN978-4-88375-273-7
●生きにくさから生まれてきた表現―。渡辺篤（現代美術家）～ひきこもり体験からアートへ／若林美保（ストリッパー）インタビュー／与偶（人形作家）～人形によって人に何かを与え、それが自身の〝生〟も支えている／石塚桜子（画家）～一筆一筆に感じられる、祈りのような叫び ほか。

No.70 母性と、その魔性～呪縛が生み出す物語
A5判・224頁・並装・1389円（税別）・ISBN978-4-88375-260-7
●母性による呪縛がなにをもたらし、どんな物語を生んだのか―。「母がしんどい」などで共感を呼ぶマンガ家・田房永子や、ラブドールを妊娠させた作品が話題になった菅実花のインタビューのほか、「三島由紀夫の同性愛と母性の不在」など、神話や文学等多様な見地から俯瞰します。

No.69 死想の系譜～いま想う、死と我々の未来
A5判・240頁・並装・1389円（税別）・ISBN978-4-88375-251-5
●死を想うことで育まれる想像力。釣崎清隆×笹山直規によるメキシコ死体合宿レポ、LOVSTARのエッセイ漫画「死体愛好家」、「死の舞踏絵画からブリューゲル、ボス、そしてヴァニタス」、「ショーペンハウアーの『自殺について』」、「ボルタンスキー巡礼」、「SFにみる近未来の死生観」ほか。

No.68 聖なる幻想のエロス
A5判・208頁・並装・1389円（税別）・ISBN978-4-88375-244-7
●エロスとは、幻想だ。木村龍、村田兼一、甲秀樹、七菜乃、林良文などの作品を幻想のエロスの見地から解題・紹介したほか、「戦争とエロティシズム」、カナザワ映画祭「昼下がりの前衛的エロ映画特集」ルポ、「イケメンゴリラから日活ロマンポルノまで」など、さまざまなエロスを逍遥。

No.67 異・耽美～トラウマティック・ヴィジョンズ
A5判・240頁・並装・1389円（税別）・ISBN978-4-88375-234-8
●トラウマを植え付けるほどの強度を持つ「異・耽美」＝「異端・美」を特集。対談・沙村広明×森馨、インタビュー［林良文、劇団態変・金満里、舞踏家ケンマイ］、図版構成［森馨、衣、真条彩華、安蘭、夢島スイ、七菜乃×GENk他］、写真物語・一鬼のこ、『禁色』とその周辺ほか。

No.66 サーカスと見世物のファンタジア
A5判・208頁・並装・1389円（税別）・ISBN978-4-88375-230-0
●サーカス・見世物には光と影がつきまとう。われわれを惹きつける、夢と禁忌の国。「映画 少女椿」、道化的知性は復権するか、現代道化考、らくだ・ランカイ屋・オリンピック、見世物としての公開処刑、舞踏と見世物考、フランスのサーカス、奇異なるものへの憧憬ほか。

No.65 食と酒のパラダイス！
A5判・224頁・並装・1389円（税別）・ISBN978-4-88375-222-5
●食と酒で愉しむアート＆フィクション！ 現代海外アーティストによる食をモチーフにした一風変わった作品を数多くピックアップ。また、フィクションに登場する奇妙な食や酒の光景を解題＆紹介。料理研究家・上田淳子インタビューもあり。他に国際人形展「Fusion Doll」レポ等も。

No.64 ヒトガタ／オブジェの修辞学
A5判・224頁・並装・1389円（税別）・ISBN978-4-88375-216-4
●ヒトガタとオブジェのはざまについて考える。対談・三浦悦子×吉田良、映画「さようなら」～石黒浩教授インタビュー、綾乃テン、上原浩子、清水真理、菊地拓史×森馨、伽井丹彌、七菜乃、敗者の人形史、生人形の系譜、ゴーレム伝説、人造美女、レム＆クエイ兄弟版「マスク」比較ほか。

No.63 少年美のメランコリア
A5判・224頁・並装・1389円（税別）・ISBN978-4-88375-208-9
●短い期間の輝きでしかない少年の美には、メランコリア＝憂鬱がつきまとう。図版＆紹介［七戸優・甲秀樹・neychi・カネオヤサチコ・神宮字光・清水真理］、「ベニスに死す」、タルコフスキーの少年、グレーデン男爵とタオルミナ、阿修羅像と『少年愛の美学』、維新派「透視図」ほか。

◎ExtrART（エクストラート）～異端派ヴィジュアルアート誌

file.30◎FEATURE：揺らぐ心象の迷宮
A4判・112頁・並装・1200円（税別）・ISBN978-4-88375-452-6
●宮本香那、ÔБ、川上勉、高松潤一郎、田中流、大山菜々子、塩野ひとみ、かつまたひでゆき、Ma marumaru、シン・ニッポン風土記 ほか

file.29◎FEATURE：見る／見えることの異相
A4判・112頁・並装・1200円（税別）・ISBN978-4-88375-442-7
●金巻芳俊、倉崎稜希、泥方陽菜、山村まゆ子、根橋洋一、平良志季、畫正、吉田有花、高齊りゅう、奥村あか、須川まきこ ほか

file.28◎FEATURE：少女への夢想曲
A4判・112頁・並装・1200円（税別）・ISBN978-4-88375-436-6
●イヂチアキコ、くるはらきみ、九鬼匡規、鈴木那奈、傘嶋メグ、蕾、吉岡里奈、中尾変、吉田和夏、清水真理、田中流、林美登利

file.27◎FEATURE：死を想い、生を描く
A4判・112頁・並装・1200円（税別）・ISBN978-4-88375-430-4
●亀井三千代、伊東明日香、村上仁美、ある紗、田中童夏、キジメッカ、多賀新、東學、山本竜基、髙瀬実穂子、北見隆、後藤麦×今大路智枝子

file.26◎FEATURE：リアルを紡ぎ出す
A4判・112頁・並装・1200円（税別）・ISBN978-4-88375-417-5
●戸泉恵徳、建石修志、山中綾子、田川弘、中島綾美、吉田有花×宮崎まゆ子×きゃらあい、蝿田式、四学科松太、萌木ひろみ×生熊奈央、寺澤智恵子ほか

file.25◎FEATURE：ヒトガタは語る
A4判・112頁・並装・1200円（税別）・ISBN978-4-88375-408-3
●三浦悦子、Mekkedori、ヒロタサトミ、垂狐、田野敦司、日隈愛香、横倉裕司、羅入、成田朱希、サワダモコ、山本有彩、塙興子、遊（アトリエ夢遊病）ほか

file.24◎FEATURE：幽玄を垣間見る
A4判・112頁・並装・1200円（税別）・ISBN978-4-88375-395-6
●上田風子、高田美苗、濱口真央、奥田鉄、土田圭介、南花奈、白野有、武田海、村山大明、日影眩、神宮字光、黒木こずゑ×最合のぼる

file.23◎FEATURE：秘めた、この思い
A4判・112頁・並装・1200円（税別）・ISBN978-4-88375-385-7
●池田ひかる、新宅和音、谷原菜摘子、野原tamago、井桁裕子、朱華、日野まき、菊地拓史・森馨、田中流、渡邊光也、千葉和成、TOKYO 2021 美術展 ほか

file.22◎FEATURE：隠されていた"美"
A4判・112頁・並装・1200円（税別）・ISBN978-4-88375-372-7
●蛭田美保子、スズキエイミ、椎木かなえ、たま、Kamerian.、ディナ・ブロツキー、井上洋介、生熊奈央、衣（はとり）、垂狐、ベルリン・悪魔の山 ほか

file.21◎FEATURE：うつろう、イメージ
A4判・112頁・並装・1200円（税別）・ISBN978-4-88375-360-4
●菅澤薫、大河原愛、有坂ゆかり、大塚咲×七菜乃、夜乃雛月、ニコライ・バタコフ、亜由美、櫻井紅子、吉田有花×ある紗、大島哲以 ほか

◎トーキングヘッズ叢書（TH Seires）

No.87 はだかモード～はだける、素になる文化論
A5判・208頁・並装・1389円（税別）・ISBN978-4-88375-444-1
●タブー視されてきた「はだか」、そして「はだけること」をめぐる文化の諸相。珠かな子、七菜乃、彫師・SHIGEインタビュー、人はなぜ裸という無垢を捨てたか、黒田清輝と裸体画論争、偏愛のヌーディズム、絵本『すっぽんぽんのすけ』、映画におけるヌード表現史、バタイユとクロソウスキー、銭湯・温泉主義者たちの裸のユートピア他

No.86 不死者たちの憂鬱
A5判・224頁・並装・1389円（税別）・ISBN978-4-88375-439-7
●不死は幸福か？苦しみか？——『ポーの一族』、ヴァンパイアと浦島太郎、『ガリヴァー旅行記』、『火の鳥』からヒーラ細胞へ、クレア・ノースの孤独、ドリアン・グレイ、韓国SF、不老不死になれる（かもしれない）秘薬・霊薬・仙薬、荒川修作、不老不死を生きる童話世界の住民たち、サザエさんシステム、不死の怪物プルガサリ ほか

No.85 目と眼差しのオブセッション
A5判・208頁・並装・1389円（税別）・ISBN978-4-88375-433-5
●窃視、邪視から千里眼、眼球まで、オブセッションの数々！ 図版構成/泥方陽菜・神宮字光・下田ひかり、邪視にまつわる民俗史、眼球考～ルドンの絵から、映画から考えた覗き見の功罪、「屋根裏の散歩者」の愉悦、法医学オプトグラフィー、千里眼事件、『ジャガーの眼』を通して唐十郎が寺山修司に捧げたもの、panpanyaが「見る」世界 ほか

No.84 悪の方程式～善を疑え!!
A5判・224頁・並装・1389円（税別）・ISBN978-4-88375-421-2
●「悪」を意識することは、この世の「善」に対して疑いを差し挟むことだ——ダークナイト・トリロジーにみる悪の本質、〈アート〉と〈革命〉は常に悪である～テロ的アートの系譜、「黒い幽霊団（ブラック・ゴースト）」には悪意がない、警官を蹴るチャップリン、悪いヤツはだいたいイケメン～少女漫画におけるモラルとエロス、娼婦と聖性ほか満載！

No.83 音楽、なんてストレンジな！～音楽を通して垣間見る文化の前衛、または裏側
A5判・224頁・並装・1389円（税別）・ISBN978-4-88375-412-0
●音楽は文化の結節点だ。パンクや電子音楽、ノイズなどから、クラシックまで、音楽をめぐる、少々ストレンジなイマジネーション！恍惚のアヴァンギャルド音楽偏愛史、パンクとポストパンクの思想的地下水脈、イスラムにおける音楽、近代日本の音楽の闇、ワーグナーの共苦と革命、バッハのもとに本当にニシンは降ったのか他

No.82 もの病みのヴィジョン
A5判・224頁・並装・1389円（税別）・ISBN978-4-88375-402-1
●「病み」＝「闇」のヴィジョン。人形作家・与偶トークイベントレポ、梅毒をめぐる幾つかの逸話と謎、舞踏病と死の舞踏、「吸血鬼ノスフェラトゥ」とペストのパンデミック、草間彌生の小説『すみれ強迫』、美人薄命の文化史、病と日本人、舞踊家・土方巽の〈病み〉、澁澤龍彥と病、病弱な少年、「ジョーカー」、「ベニスに死す」ほか

No.81 野生のミラクル
A5判・208頁・並装・1389円（税別）・ISBN978-4-88375-389-5
●野生からわれわれは何を学び、何を表現の糧にしてきたか。ケロッピー前田インタビュー～野生を取り戻してテクノロジーを乗りこなせ、管理された野生、粘菌、牧神、人豚、八化けタヌキ、シュルレアリスムのアフリカ、スクリーンの変身人間、キム・ギヨンが描く〝オス〟と〝メス〟、異類婚姻譚、動物フォークロア、映画『ZOO』ほか

トーキングヘッズ叢書（TH series） No.88

少女少年主義
～永遠の幼な心

編　者　アトリエサード
編集長　鈴木孝（沙月樹 京）
編　集　岩田恵／望月学英・徳岡正肇

協　力　岡和田晃

発行日　2021年11月12日

発行人　鈴木孝

発　行　有限会社アトリエサード
東京都豊島区南大塚1-33-1 〒170-0005
TEL.03-6304-1638 FAX.03-3946-3778
http://www.a-third.com/
th@a-third.com
振替口座／00160-8-728019

発　売　株式会社書苑新社
印　刷　株式会社平河工業社
定　価　本体1389円＋税

ISBN978-4-88375-456-4 C0370 ¥1389E

出版物一覧

http://www.a-third.com/

ご意見・ご感想をお寄せ下さい。
Webで受け付けています。

新刊案内などのメール配信申込も
Webで受付中!!

●Facebook　http://www.facebook.com/ateliertthird

●編集長 twitter　https://twitter.com/st_th

アトリエサードHP

AMAZON（書苑新社発売の本）

A F T E R W O R D

■今回の特集では誰も触れることがなかったのだけども、少女少年主義的な存在のひとりとしてハンス・ベルメール（とウニカ・チュルン）の名を挙げられるんじゃないかなと思う。ベルメールが人形制作を始めたきっかけとして、しばしば言われるのは、当時台頭したナチスへの反発として、何も生産性のないことをしてやろうということ。そうした有用性への拒否が少女少年主義のひとつの側面だろう。永遠の少女、少年を夢見ることはそういう意味で社会からの逸脱なのだ。で、次はExtrARTが12月下旬、THが来年1月末です！（S）

★弦巻稲荷日記ーダン・アダン・デリー展。久しぶりの展示企画。COVID-19でライブも展示も延期続きでしたが、再開できるようになるための努力。素敵な企画、さまざまな関係者の想い、伝わればと思っています。本を作ってイベントやって、箏曲も演奏します。NLQもよろしく。以下次号（め）

■展覧会・個展や上映・上演等の情報は、編集部あてにお送りください（なるべく発売の1カ月半前までに。本誌は1・4・7・10の各月末発売です）。

■絵画等の持ち込みは、郵送（コピーをお送りください）またはメール（HPがある場合）で受け付けています。興味を持たせて頂いた方は、特集や個展など、合うタイミングでご紹介させて頂きます。

■巻末の「TH特選品レビュー」では、ここ数ヶ月の文学・アート・映画・舞台等のレビューを募集中。1本400字以内で、数本お送り下さい。採用の方には掲載誌を進呈します（原稿料はありません）。THの色にあったものかどうかも採否の基準になります。投稿はメール（th@a-third.com）でOK。

■詳しくはホームページもご覧ください。

※応募の際には、本名・筆名・住所・TEL・E-mail・年齢・職業・趣味の傾向等簡単な自己紹介・本書のご感想を必ずお書き添え下さい。

※恐れ入りますが、原則的に採用の方にのみご連絡を差し上げています。ご了承ください。